D1269101

in de
paul
optocht
van vliet
door de tijd

paul van vliet

in de optocht door de tijd

verslag van een carrière opgetekend door

Ed van Eeden

grafische vormgeving

Ab Gratama

Ontwerp en vormgeving: Ab Gratama

ISBN 90 499 0007 0

nur 401

Pimento bv is onderdeel van Foreign Media Group

Inhoud

Ik drink op de mensen
Die bergen verzetten
Die door blijven gaan met hun kop in de wind
Ik drink op de mensen
Die met vallen en opstaan
Blijven geloven
Met het geloof van een kind.

In de optocht door de tijd

Ik ben zo vaak opnieuw begonnen
Dan dacht ik: Nu ben ik los van toen
Nu heb ik het verleden overwonnen
Van vandaag af ga ik alles anders doen.

Maar in vandaag ligt een deel van het verleden
En dat samen neem je weer naar morgen mee
En uit de dingen die wij gisteren deden
Ontstaat uiteindelijk ieder nieuw idee.

Het is niet nieuw, het is niet 'anders' of bijzonder
En het is in het verleden meer gedaan
Maar voor een kind is het het grootste wereldwonder
Als het zit en voor de eerste keer gaat staan.

Er loopt een optocht door de tijd
Van de schepping tot de eeuwigheid
En die optocht komt
En dat is gek
Steeds weer langs dezelfde plek.

En wij lopen mee met het misverstand
Alleen en soms in groepsverband
Op zoek naar het beloofde land
In de optocht door de tijd.

Maar soms dan is daar iemand bij
Die denkt: Nee, dit is niets voor mij
Die gaat daaruit en stapt opzij
Die maakt zich los en voelt zich vrij.

Van alles wat verstikking geeft
Van de grauwe sleur waarin hij leeft
Zodat hij weer een toekomst heeft.

Misschien komt hij alleen te staan
Maar overleven is voortaan
Zijn eigenwijze weg te gaan
Zijn optocht door de tijd!

Voorwoord

Als je mensen zou vragen 'Waar denk je als eerste aan bij Paul van Vliet?' zullen de antwoorden waarschijnlijk heel verschillend zijn.

Sommigen zullen zeggen: aan zijn komische types. Zij denken aan de stoet van gekke mannen die hij in de loop der tijd heeft gecreëerd. Legendarische karikaturen, die door Paul van Vliet op alle podia van Nederland en Vlaanderen tot leven zijn gebracht en die als monumenten zijn bijgezet in de eregalerij van grote Nederlandse cabaretcreaties.
Zij herinneren zich vooral Bram van de Commune, Majoor Kees, de Boer, baron Taets van Avezaethe, Haagse Benny of jhr. Charles van Tetterloo jr. Flarden van hun teksten komen boven, waarvan sommige uitdrukkingen (zoals 'Mannuh, luisteruh!' – 'Dat zijn leuke dingen voor de mensen' – 'Vragen? Geen vragen') voor altijd in het Nederlands taalgebruik zijn opgenomen.

Anderen zullen als eerste zijn liedjes noemen, die een steeds grotere rol in zijn werk zijn gaan spelen en die voor velen een bron van troost en inspiratie zijn geworden.
Zoals 'Meisjes van dertien', 'Veilig achterop', 'Het touwtje uit de brievenbus' en 'Er is nog zoveel niet gezegd'.

Een derde groep zal Paul van Vliet meteen vereenzelvigen met zijn geboortestad Den Haag en met Scheveningen, die hij uitgebreid heeft bezongen in onder meer 'De zee', 'Boven op de boulevard' en 'Den Haag met je lege paleizen'.

Een oudere generatie zal misschien kiezen voor het Leidsch Studenten Cabaret en het vermaarde programma *Laat je zoon studeren.*

Of voor Cabaret PePijn en het gelijknamige theatertje waar hij in 1964 zijn professionele carrière begon.

Er zullen ook opvallende dingen van zijn uiterlijk naar voren komen. Zoals zijn nog altijd jongensachtige verschijning, de slordige grijze krullen of de kleine ogen, die je intens en onderzoekend kunnen aankijken. En ongetwijfeld zullen mensen zeggen: zijn stém, uit vele duizenden herkenbaar en ideaal om mee te worden voorgelezen.

Ook het Koninklijk Huis en de Jas van Claus zullen worden genoemd. Hij was immers jarenlang de Hofnar en Oranje Paultje!

Een enkeling zal zich misschien nog de makkelijk scorende linksbinnen herinneren van HGC, waarmee hij twee jaar in de Hoofdklasse van de Nederlandse Hockey Bond heeft gespeeld.

Lezers van *Het Belang van Limburg* of de *Haagsche Courant* zullen zich wellicht zijn columns herinneren.

Ten slotte zal hij nu vooral in verband worden gebracht met Unicef, het kinderfonds van de Verenigde Naties, waarvan hij sinds 1992 ambassadeur is en waaraan hij sinds enkele jaren al zijn tijd, talent en creativiteit heeft verbonden.

Wie het bovenstaande leest, zal niet verbaasd zijn dat Jacques d'Ancona hem de meest complete van alle vaderlandse entertainers heeft genoemd.
Zelf heeft Paul van Vliet zich in die veelzijdigheid lange tijd verdeeld en versnipperd gevoeld. Dat speelde hem ook parten bij zijn beroepskeuze. Uiteindelijk koos hij op de dag nadat hij was afgestudeerd aan de Leidse universiteit voor zijn oudste en grootste liefde: het theater. Daarin kon hij zijn verdeelde aanleg bundelen door de veelzijdige manier waarop hij 'het Vak' ging beoefenen. Hij werd directeur van Theater en Cabaret PePijn, eigen ondernemer, tekstschrijver, speler, liedjeszanger, verteller en komische-mannenmaker.

Paul van Vliet is altijd moeilijk in te delen geweest en daardoor verwarrend voor zichzelf en voor anderen. Een man die trouw aan zichzelf eigenzinnig zijn weg is gegaan en die een leven lang zijn verlangen met zijn publiek heeft gedeeld. Een optimistische pessimist, een clown en een dromer, een poëet en een pias, om maar enkele van de vele etiketten te noemen die hem in de loop der tijd zijn opgeplakt.

Nu hij zeventig is geworden, kan hij terugkijken op een boeiende en rijke carrière, waarin hij de meeste van zijn dromen heeft kunnen verwezenlijken. Dit boek wil daarvan zo objectief mogelijk verslag doen. Het is dus geen biografie en geen autobiografie!

Natuurlijk heeft Paul van Vliet naast alle successen en waardering ook kritiek gekregen. Vooral in de jaren zeventig werden hem vrijblijvendheid en gebrek aan engagement verweten. Hijzelf heeft zich daarom altijd liever entertainer dan cabaretier genoemd. De bezwaren van toen zijn later nooit meer gehoord. Daarna werd bij zijn beoordeling het enig juiste theatercriterium gehanteerd: goed of niet goed.

Zijn stijl en manier van theater maken, de herkenbaarheid van zijn teksten en de unieke mix van humor, muziek, persoonlijke liedjes en uiterste aandacht aan theatertechniek hebben ervoor gezorgd dat hij bijna veertig jaar aan de top heeft meegedraaid. Zijn shows behoorden vrijwel altijd tot de drukst bezochte voorstellingen van ons land.

Pim Wallis de Vries, de vroegere directeur van de Leidse Schouwburg, heeft gezegd: 'Ik ken in mijn theater geen artiest van wie zoveel wordt gehouden als van Paul van Vliet.' En op het kaartje bij de premièrebloemen in zijn kleedkamer schreef de Carré-directie, Bob van der Linden en Hubert Atjak, ooit: 'Voor onze meest geliefde bespeler'.

Het zijn allemaal reacties op de vele gezichten en verschijningsvormen van die ene man op dat grote toneel: Paul van Vliet, een aimabele jongeman van zeventig.

Ed van Eeden, zomer 2005

In het Register van den **Burgerlijken Stand** der gemeente **'s-Gravenhage** is ingeschreven:

— Pieter Paulus —

Zoon van { van Vliet, Stephanus Johannes — Paulus — en — van Lakerveld, Louise — Echtelieden.

Geboren den 10 September 1935.

N.B. Dit biljet moet bewaard worden.

Gem. 20767

Jeugd

1935-1956

De Denneweg in 1935

Paul van Vliet werd op 10 september 1935 geboren in Den Haag, in het huis van zijn overgrootmoeder aan de Denneweg 64, waar tegenwoordig de Haagsche Kunstkring gevestigd is. Een bordje op de gevel herinnert nog aan de oorspronkelijke bewoner. Zijn vader, Paul van Vliet senior, was tekenleraar, poppenspeler, kunstschilder en schrijver van toneelstukken voor het amateurtoneel. Zijn moeder, Louise van Lakerveld, was lerares voedingsleer, schilderes en schrijfster.
Hij was het jongste kind, met drie oudere zusjes (hij weigert steevast over 'zussen' te spreken): Helmi, Margreet en Louk.

Paul van Vliet: *'Mijn eerste herinnering is een blessure: ik viel als klein jongetje in de tuin op mijn achterhoofd en moest gehecht worden door dokter Van Hilten. Sindsdien heb ik, vooral ook bij het sporten, veel blessures opgelopen. Daardoor heb ik een hoge pijngrens.*
Een andere vroege herinnering is wat mijn zusje Louk mijn "eerste rol" noemt: tegen het uitdrukkelijke verbod van mijn ouders was ik als driejarig jochie toch met mijn driewieler in mijn eentje de straat op gegaan. Ik had een theemuts op mijn hoofd gezet en was vertrokken. Iedereen was natuurlijk doodongerust. Uiteindelijk vonden ze me op het Lange Voorhout. Ik was altijd buiten en heb eigenlijk mijn hele jeugd op straat doorgebracht.'

De familie Van Vliet was inmiddels van de Denneweg verhuisd naar een woning aan de Van Hoornbeekstraat, toen de Tweede Wereldoorlog uitbrak. Al snel moesten ze die echter weer verlaten, omdat de Duitsers een groot aantal woningen in het Statenkwartier lieten ontruimen als 'spergebied' achter hun Atlantikwal. Het gezin kwam terecht aan de Juliana van Stolberglaan in het Bezuidenhout.

Paul van Vliet: *'De hongerwinter van 1944-1945 was op zijn ergst, onze maaltijden bestonden uit plakken suikerbiet en tulpenbollen. Mijn zusje Louk raakte zwaar ondervoed en werd door mijn vader op de fiets naar een bakker in Benthuizen gebracht, waar ze moest aansterken. Omdat de toestand steeds ernstiger en dreigender werd, moesten mijn ouders een ingrijpende beslissing nemen. Met een van de laatste kindertransporten hebben ze mij en mijn twee oudste zusjes toen door de linies laten vertrekken.*
In een rammelende bus door de nacht ging ik met één koffertje naar Friesland. Het was een reis van veertien uur, waarbij we steeds werden aangehouden. In Leeuwarden werden mijn twee oudste zusjes en ik verdeeld over gastgezinnen. Ik moest met een binnenschip naar Garijp. Onderweg werden we beschoten, zodat we gedwongen waren om in een weiland achter een wal dekking te zoeken. Uit pure angst heb ik daar in mijn broek geplast. Een paar uur later stond ik met mijn natte broek in de warme huiskamer van de familie Kuipers, die me onderdak bood. Nadat ik er mijn eerste warme maaltijd sinds maanden gretig naar binnen had geschrokt, viel ik flauw. Ik had toen ook nog wormen. Het was al met al niet zo'n glorieuze entree.
Mijn gastouder was een wagenmaker in het hartje van het dorp, een weduwnaar met vijf kinderen. Prompt had ik er vier nieuwe zussen en een broer bij. Ze hebben mij als een lid van het gezin in hun hart gesloten. Ik ben ze tot op de dag van vandaag dankbaar voor de warme manier waarop ze mij hebben verzorgd.
Op school, waar ik bij meester Van der Meer in de vierde klas terechtkwam, waren de kinderen nogal vijandig. De jongens uit

'35

mijn klas zagen die rare stadsjongen als een vreemdeling, een indringer. En dus kwamen ze na schooltijd met z'n allen achter me aan. Ik sloeg van me af met de klompen waarop ik niet kon lopen. Het duurde een tijdje voordat ik geaccepteerd werd en Fries leerde. Maar toen voelde ik me er ook zo thuis dat ik me Pauke Vlietstra ging noemen.

Wij kinderen Van Vliet hebben ons leven te danken aan de beslissing van onze ouders om ons elders in het land onder te brengen. Mijn vader ging op zijn fiets met houten banden op hongertocht: het verhaal van duizenden. En toen kwam het bombardement waarmee de geallieerden de V1-lanceerbasis in het Haagse Bos hadden willen platleggen. Door een berekeningsfout kwam dat bommentapijt terecht op het Bezuidenhout. Mijn ouders behoorden tot de laatsten die vluchtten. Ons huis was weg en we zijn alles kwijtgeraakt wat we hadden. Ons gezin had al een nieuw huis in het Benoordenhout betrokken toen ik een maand na de bevrijding werd afgeleverd op het Malieveld. Den Haag was getekend door de oorlogsjaren, het Bezuidenhout lag in puin. Iedereen had zijn verhaal en niemand kon over iets anders praten dan over de oorlog. Omdat we geen huisraad en geen spullen meer hadden, kregen we van al onze familieleden, vrienden en bekenden wel iets. Mijn moeder – een verfijnde en melancholieke vrouw uit een keurig Haags milieu, die prachtige verzen schreef – liep met een handkar vol bij elkaar gesprokkelde meubeltjes helemaal verregend van Rijswijk naar Den Haag. Maar ze deden het toch maar allemaal. In mijn puberteit heb ik behoorlijk gebotst met mijn vader, maar ik heb er altijd diep respect voor gehad hoe mijn ouders zich in en na de oorlog voor ons hebben ingezet.

Op mij heeft de oorlog een onuitwisbare indruk gemaakt, die grote invloed heeft gehad op mijn leven. Ook al doordat ik terugkwam als een Fries boertje, met bijpassend uiterlijk en accent, ben ik lang een eenling gebleven. Dat heeft mijn solistengedrag versterkt. Ik beschouwde alleenzijn als normaal, heb het misschien zelfs wel mooier gemaakt dan het is en gekoesterd als iets dat specifiek van mij is. Ik hoorde de mensen zeggen: hij is een einzelgänger, laat hem maar.'

■

Paul, doe niet zo gek

Paul van Vliet: *'In de eerste jaren van de oorlog waren Hitler, Churchill en De Gaulle vaak te horen op de radio. Die deed ik als kleuter dan na, ik sprak Frans, Engels en Duits op klank. Met die act vermaakte ik mijn familie tot vervelens toe. Dat is het tragische lot van een kind waarom gelachen wordt: je valt in herhaling om het succes steeds maar weer opnieuw te kunnen oproepen. Dan kreeg ik weer te horen: "Paul, doe niet zo gek." Dat zinnetje heb ik mijn hele jeugd moeten horen.'*

■

De puinhopen van het Bezuidenhout, 1945.

'56

Als elfjarige werd Paul van Vliet leerling van het 's Gravenhaags Christelijk Gymnasium Sorghvliet. Die school bood hem ruime mogelijkheden om zich te ontwikkelen, vooral ook buiten het gewone lesprogramma. Thuis in de Roelofsstraat lag zijn kamer vol met verkleedspullen, waarmee hij regelmatig optrad tussen de schuifdeuren, en ook op school stond hij vaak op het toneel. Intussen wreekte zich het feit dat hij in en na de oorlog zoveel en zulke onderling verschillende lagere scholen had doorlopen (vijf in totaal): in de tweede klas van het gymnasium bleef hij zitten en in zijn eindexamenjaar moest hij de schrijfcursus 'Eerst duidelijk, dan snel' volgen om zijn onleesbare handschrift enigszins op te kalefateren.

Paul van Vliet: *'Bij ons thuis was het vanzelfsprekend dat je altijd iets deed: tekenen, aquarelleren, boetseren, poppen maken, schilderen of schrijven. Mijn jongste zusje Louk is schilderes geworden en heeft veel geëxposeerd, dus heeft ze de fakkel van mijn ouders overgenomen. Mijn oudste twee zusjes Helmi en Margreet waren meer bezig met kunstnijverheid, vrije weefsels, glasmozaïeken en karakterpoppen, zoals mijn vader die ook maakte. Maar ik niet, ik heb me al vrij vroeg van de beeldende kunst afgewend: dat kon ik niet en het interesseerde me ook niet. Al teken ik wel altijd poppetjes als ik zit te schrijven, altijd dezelfde soort poppetjes, een beetje cartoonachtig. Dat gaat vanzelf, als ik zit te denken. Ik schrijf nog altijd alles met de hand. Ik moet de woorden proeven met mijn pen.*
Bij ons thuis waren beeldende kunst en klassieke muziek het hoogst denkbare, dat maakte deel uit van onze ethische en esthetische opvoeding. In die artistieke en rustige familie was ik de wilde, opstandige jongen, die een andere stijl had, zelfstandig was en zorgde voor veel lawaai en verzet in huis. Ik bracht veel tijd door op straat, hockeyde bij HGC en deed nog allerlei andere sporten, en ramde boogie-woogies op de piano.
Ik had moeite met het gareel van een gewoon gezin en met iedere vorm van gezag. Tegen mijn ouders, mijn leraren en de politie heb ik me fel verzet. Ik heb brand gesticht in een trein, de knie kapot geschopt van een agent in burger die onze bal afpakte en sowieso veel gevochten. Als ik de klas werd uitgestuurd en weigerde te gaan, kwam de

1

2

3

4

1
Vader Van Vliet getekend door een leerling.
2
Vader en moeder Van Vliet met hun kinderen.
3
Paul met zijn zusjes getekend door zijn vader.
4
Paul geschilderd door zijn zusje Louk.

’35

conciërge, meneer Van Gelder, me halen. Dan zei de rector hoofdschuddend: “Zo, Van Vliet, ben je daar weer.” Het kon me allemaal niks schelen. Die onderhuidse drift is pas veel later tot rust gekomen.
Ik zat op een bijzondere school, met medeleerlingen als Bas de Gaay Fortman, Laurens Jan Brinkhorst, Jan Hein Donner, Han Lammers, Marja Habraken, Morris Tabaksblat, Carel Jan Schneider (die later als schrijver F. Springer zou gaan heten) en Dolf de Vries. We hadden leraren die eigenlijk college gaven. Ze geloofden in christelijke waarden en Romeinse tucht, en sommige vrijgezellen onder hen waren ook de Griekse beginselen toegedaan, maar dat heb ik pas later begrepen. Het belangrijkste was dat ze ons erg vrij lieten en veel beroep deden op eigen initiatieven, zodat we de kans kregen om ons binnen allerlei schoolclubs te ontplooien. Als je maar overging, mocht alles.
Ik deed aan alles mee waaraan iets te beleven viel, als ik maar geen huiswerk hoefde te maken. Zo schreef ik gekke stukjes absurdistisch proza in het schoolblad Aemulatio. Maar mijn voornaamste belangstelling betrof theater, toneel en cabaret. Dat begon op een klassenavond, toen ze vroegen: “Doe ’s wat.” Of misschien heb ik daar zelf wel op aangedrongen, dat kan ook. In ieder geval trad ik op bij klassenavonden, schoolavonden, het schooltoneel. Ik schreef mijn eerste tekstjes en de boel ging rollen. Dan ben je wat, val je op en begint de verslaving.
Op schoolavonden speelden we een halfuur cabaret, het deel na de pauze. Ik had daar dan wel teksten voor geschreven, maar de voorbereiding was verder minimaal. In mijn proftijd heb ik nog wel eens verlangd naar het lef dat ik toen had. Improvisatie is nooit mijn sterkste kant geweest, hooguit wanneer ik een typetje speelde.
We begonnen met de cabaretgroep HaDoPa, die zijn naam te danken had aan de beginletters van de spelers Hans Schneider, Dolf de Vries en Paul van Vliet. Maar het werd pas echt serieus toen Dolf de Vries en ik in ons laatste schooljaar de cabaretgroep De Baret vormden. De teksten schreven we samen op zolder bij Dolf. We hadden allebei dezelfde romantische ideeën over theater en koesterden grote plannen voor de toekomst. En we geloofden allebei heilig in de kunst. We hadden een gezamenlijk ritueel voordat we opkwamen. Eerst kusten we ieder aan een kant van het toneel de stoffige planken, dan keken we elkaar diep in de ogen en pas dan traden we het publiek tegemoet.
We hadden optredens op andere scholen en op bruiloften en partijen voor een paar tientjes en reiskosten. Dolf, met wie ik nog altijd goed bevriend ben, wist toen al dat hij een toneelopleiding zou gaan doen en het theater in ging. Ik deed daar veel langer over.’

1

2

1
Met Bas de Gaay Fortman
2
Cabaret HaDoPa

Mooier maken
Paul van Vliet: *'Mijn vader heeft de zwarte kant van het leven nooit willen zien. Zijn schilderkunst was figuratief, hij wilde dingen versieren. Terwijl zijn tijdgenoten van wat later de Nieuwe Haagse School is gaan heten allemaal non-figuratief schilderden en Cobra in Amsterdam alle publiciteit naar zich toe trok met het woest expressieve, abstracte werk van bijvoorbeeld Corneille en Appel. Maar mijn vader vond dat een schilder de werkelijkheid moest weergeven, liefst mooier dan die was. Hij nam mij mee naar tentoonstellingen, leerde me kijken en vertelde over de schilderkunst. Het interesseerde me niet veel, mijn liefde voor de beeldende kunst is pas veel later gekomen.*
Op verzoek van het Haags Gemeentemuseum heb ik twee jaar geleden de grote tentoonstelling van de Nieuwe Haagse School geopend. Ik had me er erg in verdiept, om het zo goed mogelijk te doen. Mijn zusjes waren tevreden over me. Maar ik had gewild dat mijn vader daar nog bij had kunnen zijn.'

Moeder Van Vliet getekend door vader Van Vliet

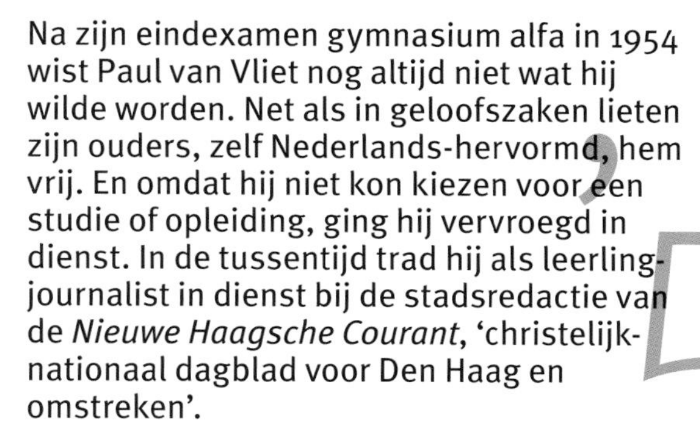

Na zijn eindexamen gymnasium alfa in 1954 wist Paul van Vliet nog altijd niet wat hij wilde worden. Net als in geloofszaken lieten zijn ouders, zelf Nederlands-hervormd, hem vrij. En omdat hij niet kon kiezen voor een studie of opleiding, ging hij vervroegd in dienst. In de tussentijd trad hij als leerling-journalist in dienst bij de stadsredactie van de *Nieuwe Haagsche Courant*, 'christelijk-nationaal dagblad voor Den Haag en omstreken'.

Paul van Vliet: *'Dat ik in de journalistiek gerold ben, was eigenlijk toevallig. Een buurman, de heer Bol, was directeur van de* Nieuwe Haagsche Courant. *Toen hij hoorde dat ik niet wist wat ik wou gaan doen, zei hij: "Je kunt wel bij mij op de redactie." Daar heb ik toen als krullenjongen het vak geleerd op de stadsredactie met allerlei klein werk, zoals de verslaggeving van branden, bruiloften en begrafenissen, in de dagelijkse rubriek "Met loupe en lens van mens tot mens".*
Mijn mentor was de heer Weemhof, een streng christelijk man, van wie ik het woord cabaret niet mocht gebruiken: in plaats daarvan hanteerden wij de uitdrukking "bonte avond". Op die redactie werkte ook Henk van der Meijden, die vanwege zijn wilde stijl "het Rode Gevaar" werd genoemd. Ik vond het werk op de krant boeiend en spannend. Daarom vulde ik, toen ik in dienst ging, als beroep in: journalist.'

Tijdens zijn militairediensttijd, van 1954 tot 1956, zat Paul van Vliet eerst in Venlo, waarna hij de officiersopleiding deed in Ermelo. Hij werd geselecteerd voor de commando's, maar koos na lange aarzeling voor de rustiger baan als welzijnsofficier in de Westenbergkazerne van het Garderegiment Fuseliers Prinses Irene in Schalkhaar. In die functie was hij verantwoordelijk voor de vrijetijdsbesteding van de soldaten: hij organiseerde onder meer cursussen, sporttoernooien, film-, toneel- en feestavonden. Op hoogtijdagen, zoals Koninginnedag, trad hij bovendien zelf op voor 'officieren, onderofficieren, korporaals en manschappen'. In diezelfde tijd maakte hij zijn radiodebuut als cabaretier in het programma *Op de plaats rust* van Roel Balten. Ook leverde hij bijdragen aan *De Vier*, het blad van de Vierde Legerdivisie.

Paul van Vliet:
'Bij de infanterie heb ik me 22 maanden lang kapot gelachen. Het was echt de meest onbezorgde tijd van mijn leven, waaraan ik twee goede vrienden heb overgehouden: als we elkaar zien, is het nog steeds meteen lachen. Maar ik heb in die periode als theaterman ook veel geleerd door op te treden voor soldaten. Als je eenmaal voor een kazerne op de planken hebt gestaan, kun je heel wat aan.'
■

Leiden

1956-1963

Niet één favoriet, drie voorbeelden
Paul van Vliet: *'Cabaret was mijn eerste liefde. Al toen ik nog op school zat, waren Wim Kan, Wim Sonneveld en Toon Hermans mijn idolen. Ik werd onrustig als ze in de stad waren. Van alledrie heb ik alles gezien, al heel jong. Vooral Sonneveld en Hermans hebben het cabaret uit het achterkamertje getild en tot een volwaardige theaterkunst gemaakt. Kan richtte zich liever op kleine zalen met zo'n vier- of vijfhonderd mensen, zoals De la Mar en Diligentia. Voor hem was de muziek van pianist Ru van Veen ook voldoende, terwijl Sonneveld en Hermans al met een echt live-orkest werkten.*
Ze hadden alledrie hun sterke punten, maar ik had niet één favoriet, ze waren alledrie grote voorbeelden, die me gevormd hebben. Achteraf denk ik dat Toon Hermans de grootste van dat trio is geweest. Hij was de meest tijdloze en internationale; hij had iets mystieks, een soort lijntje naar boven. Toon was een muzikale man, een universele kunstenaar: een dichter, een schilder, een schrijver en een clown. Hij ademde theater.'

Na zijn militairediensttijd ging Paul van Vliet in 1956 Rechten en Geschiedenis studeren aan de Rijksuniversiteit te Leiden. Omdat hij onafhankelijk wilde zijn van zijn ouders, verdiende hij op allerlei manieren zijn eigen geld.

Paul van Vliet: *'Wanneer je iets humoristisch vaak herhaalt, gaat veel van die humor verloren, dat kan tegen je werken. Totdat je er ineens je beroep van kunt maken, dan mag het. En zelfs dan niet te veel in huiselijke kring. Thuis werden ze er bijvoorbeeld helemaal gek van als ik op rijm sprak. Dat kon ik dagenlang volhouden. Tijdens mijn studie heb ik het zelfs vier dagen aan één stuk door gedaan, ik kon gewoon niet meer ophouden. Dat bleek een*

’56...

goede oefening toen ik bij De Bijenkorf in Den Haag werd aangenomen als sneldichter in de sinterklaastijd. Ik zat met twee secretaresses en een typemachine achter een tafeltje, de mensen kwamen met een cadeautje en daar maakte ik dan ter plekke een gedichtje bij.’

Studentencabarets waren populair in de jaren vijftig en zestig. Er was een enorme rivaliteit tussen universiteiten, hogescholen en studentencorpora onderling. Vaak liep dat uit op vechten, waarna de verzoening uitbundig werd afgedronken.
Tussen al die cabarets waren her en der artiesten die boven de anderen uitpiekten. In Groningen maakte Seth Gaaikema naam, in Den Haag Rinus Ferdinandusse, in Amsterdam Hans van den Bergh en Peter Lohr en in Delft Hans Swelheim.
De *godfather* van het Nederlandse studentencabaret was Johan Noortmans, de stotterende theologiestudent uit Utrecht: bedrijven huurden hem later in als ‘humoristisch consultant’, waarna hij op een personeelsavond op komische wijze de

onderneming doorlichtte.
Op de onderste trede van het Rapenburg besloten Paul van Vliet en zijn huisgenoot Floor Kist in 1957 dat het hoog tijd werd om met een studentencabaret uit Leiden een plaatsje te veroveren in de Nederlandse theaterwereld. Geheel in de traditie van hun universiteitsstad besloten ze dat hun initiatief het Leid*sch* Studenten Cabaret zou moeten gaan heten.

Paul van Vliet: '*We woonden met acht jongens in een studentenhuis. Het is een wonder dat er ooit iemand van ons is afgestudeerd, want het was er dag en nacht herrie. In de tijd dat ik daar woonde, heb ik echt geen boek open gehad. Floor Kist en ik konden het al meteen goed vinden: we hadden dezelfde interesses. Hij is een bijzonder intelligente man, een van de geestigste mensen die ik in mijn leven ontmoet heb. We vulden elkaar goed aan en vormden een mooi contrast: hij dun en blond, ik zwaarder en donker, hij meer hoofd en ik meer lijf. We vonden allebei dat Leiden ook een eigen studentencabaret moest hebben en zijn vervolgens teksten gaan schrijven, waarmee we optraden op studentencongressen en sociëteiten. Floor wilde eerst alleen maar schrijven, maar ik heb hem overgehaald om zelf ook te gaan spelen. Samen met pianist Kai van Oven vonden we een eigen vorm: wat we aan vakmanschap tekortkwamen, compenseerden we met vrijmoedigheid en brutaliteit. Bovendien besteedden we als enige studentencabaret veel aandacht aan de aankleding en belichting van onze optredens: we hadden decors, kostuums en een lichtplan met 86 standen. Veel kwam voort uit de angst om te vervelen. Dat gold ook voor onze volgepropte teksten met veel woorden, alles aangekleed en versierd. Soms te veel, ook typische kenmerken van beginners, gecamoufleerde onzekerheid. Maar we hadden ook teksten waar ik nog steeds achter sta en we hebben vreselijk gelachen, ook op het toneel. We hadden niks te verliezen.*'

Floor Kist, Paul van Vliet en pianist Kai van Oven vormden het middelpunt van het Leidsch Studenten Cabaret. Daarnaast vervulden diverse andere studenten wisselende rollen. De laatste jaren was ook Liselore Gerritsen, studente Frans en de vriendin van Paul van Vliet, een van de vaste spelers, en de enige vrouw.
Het Leidsch Studenten Cabaret kreeg in 1959 een stevige stimulans toen de studententoneelgroep uitviel die op de Dies, de feestelijke opening van het academisch jaar, een toneelstuk zou verzorgen. Voor het Dies-stuk waren in de Leidse Schouwburg liefst vier avonden gepland, die allevier lang van tevoren waren uitverkocht.

’56

Paul van Vliet maakte deel uit van het bestuur van het studententoneel en kon een alternatief bieden: het al ingespeelde Leidsch Studenten Cabaret nam de Dies-avonden over. De cabaretiers werden onthaald als redders in de nood. Er wachtten hun vier volle zalen en hun naamsbekendheid groeide snel.
Aanvankelijk raakte het Leidsch Studenten Cabaret alleen bekend in Leiden en in studentenkringen. Dat werd anders toen in 1960 de studentensociëteit Minerva afbrandde en het LSC op tournee ging om geld op te halen voor de herbouw van het pand.

Paul van Vliet: *‘Voor die tournee hadden we een grote organisator nodig. We vroegen impresario Ben Essing, die er echter op stond dat hij ons als een professioneel gezelschap kon presenteren, niet als een amateurclubje. En dus kwamen er niet alleen affiches, maar ook advertenties en zelfs commercials in de bioscoop met een dia van ons logo: een mannetje tegen een lantarenpaal en daarbij de tekst van ons programma:* Laat je zoon studeren. *In alle steden waar we optraden, liet hij grammofoonplatenwinkels een etalage voor ons inrichten en nam hij contact op met de plaatselijke pers. We haalden zelfs het Polygoon-journaal. Ben Essing bezorgde ons een modern publiciteitspakket, waarvan we indertijd nog nooit gehoord hadden. We schoten omhoog in de publieke opinie.*
Met die tournee hebben we een fantastisch halfjaar gehad. Bij de première in Leiden zaten het voltallige kabinet en prinses Beatrix op de eerste rij. En in alle steden vormden oud-Leidenaren de kern van ons publiek: ze stonden overal garant voor volle zalen. Het succes was gigantisch en we speelden 100.000 gulden bij elkaar voor Minerva, terwijl we zelf ook leefden van onze optredens. Hoewel we semi-professioneel waren, beleefden we het allemaal met een zorgeloosheid waarover ik me nu nog verbaas.’

stadsschouwburg
redoutezaal
leidsch studenten cabaret
zondag 8 mei 1960 - 20 uur
prijzen der plaatsen: f 2.50 en f 3.75

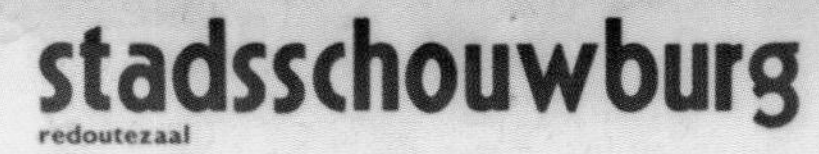

■
Laat je zoon studeren

Laat je zoon studeren
Laat hem voor minister leren
Laat je zoon studeren
Aan een universiteit
Laat je zoon studeren
Om de buurt te imponeren
Laat het circuleren
En je aanzien is een feit.

Mijn zoon bereikt
Wat ik nooit kon bereiken
Roept Vader met een
Krokodillentraan
In mijn tijd was de studie
Voor de rijken
En tegenwoordig voor het rijk
Dus kan hij gaan!

Laat je zoon studeren
Laat hem horen bij de heren
Laat je zoon studeren
Op een beurs of studiebon
Laat je zoon studeren
Om de wereld te regeren
Orders te dicteren
Door een gouden telefoon.

Al kan mama haar jongen
Moeilijk missen
Ze zijn zo aan elkaar
Gehecht die twee
Toch moet zij voor
Zijn bestwil dit beslissen
Want wie niet verder leert
Nou ja, die telt niet mee.

Laat je zoon studeren
En zijn eigen broodjes smeren
Laat je zoon studeren
En het wordt een flinke vent
Laat je zoon studeren
En zich gaan interesseren
Voor het fijne tere
Van een vrouwelijke student.

Studentenstad 'een baaierd
Van verleiding'
Betwijfelt tante Ans
Het zedelijk peil
Maar Vader heeft een
Deugdelijker tijding
Want de professor houdt
Een oogje in het zeil.

Laat je zoon studeren
Laat hem later promoveren
Laat je zoon studeren
Krijgt overwicht en tact
Laat je zoon studeren
En hij wordt zonder mankeren
Een van die meneren
Waar de maatschappij naar snakt!
■

Paul van Vliet ging helemaal op in het theaterleven. Op de middelbare school, in dienst en tijdens zijn eerste studiejaren had hij zich onderscheiden met hockey: in het eerste team van HGC speelde hij zelfs hoofdklasse. Maar de intensieve cabaretoptredens lieten geen ruimte voor de noodzakelijke drie à vier trainingssessies per week, reden waarom hij het hockey liet schieten.
Ook van studeren kwam niet veel: Paul van Vliet zakte voor zijn kandidaatsexamen doordat hij tijdens twee opeenvolgende mondelinge tentamens een black-out kreeg en zich alleen nog cabaretteksten kon herinneren. Dat kostte hem een half jaar. En van hernieuwde inzet voor zijn rechtenstudie kon voorlopig geen sprake zijn, want na *Laat je zoon studeren* wachtte inmiddels een tweede programma: de lustrumshow *Knip me maar*. Het werd een cabareteske revue met veel medewerkers, maar zonder Floor Kist, die het programma wel had helpen schrijven, maar intussen was afgestudeerd en nu in dienst zat bij de marine.
Na de lustrumshow vroegen familieleden en vrienden hoopvol aan Paul van Vliet: 'En nu ga je zeker studeren?' Maar nee, zover was het nog niet. Eerst moest er nog een wereldreis gemaakt worden.

■
Met het Leidsch Studenten Cabaret maakte Paul van Vliet drie lp's bij de Studenten Grammofoonplaten Industrie: het platenlabel van Luc Wijdeveld, die onder meer ook Jaap Fischer in zijn stal had.
In 1960 beleefde Paul van Vliet zijn televisiedebuut bij de VPRO, met een uitzending van de LSC-show *Laat je zoon studeren*.

’56

Paul van Vliet: *‘We hadden met het Leidsch Studenten Cabaret al een paar honderd voorstellingen gespeeld, toen we gevraagd werden voor een spectaculaire reis van drie maanden naar Noord- en Zuid-Amerika. De overtocht werd georganiseerd door het studentenreisbureau NBBS en voorzag erin dat wij de reizigers aan boord vermaakten met onze show. We hebben voor die gelegenheid het Engelstalige programma* Please Don’t Pick the Tulips *gemaakt, waarvoor Floor Kist, die vloeiend Engels sprak, de meeste teksten schreef. Naast Floor en mij ging pianist Kai van Oven mee; Liselore, met wie ik toen al verloofd was, bleef overspannen thuis en werd vervangen door Carla van den Borg.*
De reis begon op de Grote Beer, een oud Liberty-schip, waarin tijdens de Tweede Wereldoorlog Amerikaanse troepen naar Europa werden vervoerd. Dat schip was naderhand verbouwd tot een vrij primitief passagiersschip en gekocht door de Holland-Amerikalijn. Vanwege de weinig stabiele ligging werd die boot ook wel “the Big Dipper” genoemd, want tijdens ruw weer schommelde hij vervaarlijk heen en weer. De eerste keer dat we onder zulke omstandigheden optraden, zongen we in de punt van het schip onder meer het fraaie lied “The sea, the sea, so fancy and so free”, waarbij we net deden of we langzamerhand zeeziek werden. Veel toeschouwers die toch al wat wankel waren, schoten de zaal uit. Samen met hen verdween ook Kai, om doodziek over de reling te gaan hangen. Dat optreden hebben we zonder pianist afgemaakt.
Aan de andere kant van de oceaan hebben we gespeeld in New York en diverse andere Amerikaanse steden, in Canada, op Curaçao, Aruba en Trinidad, in Venezuela en Suriname. Overal waren Nederlandse clubs en traden we op voor drie- à vierhonderd man. Soms stonden we op een biljart, soms op een echt podium, als er maar een piano was. Soms brachten we ons Nederlandstalige programma, soms Engelstalig en soms een mengvorm daarvan. De mensen van het zaaltje waren voor die avond onze vrienden en we gingen van hand tot hand. Het was één groot feest en we hadden altijd wel een fles drank bij ons, als opkikkertje voor momenten van verzwakking.
We kwamen totaal versleten terug en hebben toen besloten dat het afgelopen moest zijn met het Leidsch Studenten Cabaret, anders zou er nooit iets komen van afstuderen. Maar bij het LSC heb ik wel kunnen testen of ik het theater aankon en heb ik op een speelse wijze kennis gemaakt met het vak dat ik later heb gekozen. Die uitgestelde keuze broeide vanbinnen allang.’

ETHER-METER
...studeerde Aardappeleter...

Morgenavond treden Paul van Vliet en Floor Kist voor de ...-camera's op met hun cabaretprogramma „De Aardappeleters". Vijf jaar lang vormden zij de stuwende kracht achter het Leidse Studentencabaret, maar waarschijnlijk zal het morgen de laatste keer zijn, dat ze als studentcabaretiers gepresenteerd worden. Floor Kist is namelijk al afgestu...

Twee jaar lang had Paul van Vliet zijn studieboeken niet of nauwelijks ingezien. Na de ontbinding van het Leidsch Studenten Cabaret sloot hij zich vanaf 1960 dagelijks op in het juridisch studiecentrum Het Gravensteen, waar hij kantooruren maakte om de verloren tijd in te halen: hele dagen, maar niet ’s avonds en in de weekends. Die tijd had hij namelijk nodig om te kunnen schnabbelen, want hij was inmiddels gewend geraakt aan een ruime hoeveelheid zakgeld.
Als pianist en liedjeszanger verzorgde hij tegen betaling het entertainment op bruiloften en partijen. Ook was hij ’s zomers barpianist in de Noordwijkse studentenbar ¿Porqué?, waar hij van vier uur ’s middags tot een uur ’s nachts een zogenaamd ‘wereldrepertoire’ speelde. Drie jaar lang verzorgde hij daar vóór het eten de borrelmuziek en na het eten de dansmuziek.

Paul van Vliet: *'¿Porqué? was ronduit slopend. Ik dronk alles op wat me werd aangeboden en was regelmatig zo bezopen dat ik even de zee in werd gestuurd om af te koelen, daarna speelde ik gewoon weer verder. Op het strand bij Noordwijk sliep ik mijn roes uit en had ik gezelschap van ongelofelijk veel meisjes. Ik heb nooit zo goed piano gespeeld als toen en heb nog altijd een muurvast repertoire uit de fifties. Hoewel ik naderhand altijd met professionele pianisten heb opgetreden, heb ik in elk van mijn shows steevast één of twee stukjes zelf gespeeld. Maar barpianist is een verwoestend leven voor iemand zonder zelfdiscipline. Na die drie zomers was ik steeds als een natte krant, terwijl het seizoen dan nog moest beginnen.'*

Voor de krant *Het Vaderland* schreef Paul van Vliet twee jaar lang een wekelijkse column onder het pseudoniem Jantje van Leyden. Daarin besprak hij allerhande Leidse onderwerpen. De krant hoopte op die manier een studentenpubliek aan te spreken dat naderhand het abonneebestand zou kunnen versterken.
Maar er waren nog tal van andersoortige werkzaamheden waarmee hij zijn studie bekostigde.

Paul van Vliet: *'In 1962 had tv-maker Gerrit den Braber een commercieel programma geschreven voor Sikkens Lakfabriek, die het nieuwe product Autoflex wilde presenteren. Daarvoor werden alle Nederlandse autolakkers en garagehouders in een bepaalde week naar Sassenheim gehaald, waar ze werden onthaald op een leuke dag in de Sikkens-kantine. Hans Swelheim en ik hadden de hoofdrollen in een musical die daar werd opgevoerd, met sketches en liedjes over Autoflex.*
We begonnen om half tien 's ochtends, direct na de peptalk van de Sikkens-directeur, terwijl de gasten net achter de koffie met cake zaten. Gerrit den Braber en componist Joop Stokkermans hadden zich ernstig verdiept in het product Autoflex, dat in één nacht droog bleek te zijn. En wij kregen de autolakkers zover dat ze al 's morgens vroeg zaten mee te brullen met een Autoflex-lied:

"Oh, oh, oh, oh, Autoflex
Wint voor ons de race
Oh, oh, oh, oh, Autoflex
Hup met die spuit en klaar is kees!

In één nacht is-tie voor de bakker
'S Avonds kaal naar bed
en 's morgens glanzend wakker.

Oh, oh, oh, oh, Autoflex...etc."

Later dat jaar vroeg Gerrit den Braber mij als presentator van het talentenjachtprogramma Nieuwe Oogst, *waarin ik het tv-debuut van Liesbeth List heb kunnen aankondigen als "de Nederlandse Juliette Gréco". Naar aanleiding daarvan vroeg de AVRO me vervolgens als presentator voor* Flits, *het veertiendaagse actualiteitenprogramma dat de voorloper was van* Televizier. *In die rol was ik de opvolger van Willem Duys en moest ik in elk programma vijf of zes vraaggesprekken doen, commentaar geven en de boel aan elkaar praten. Dat gebeurde allemaal live in Studio Irene en werd in één enkele dag voorbereid. De regisseur was Fred Oster. Een vaste gast was circusdirecteur Toni Boltini, die voor de publiciteit weer een aap had laten ontsnappen en dan met een televisiegeniek jongetje,*

'56

dat het beest zogenaamd gevonden had, kwam vertellen waar zijn show nog verder draaide. Bij het aaien van zo'n aap ben ik een keer heftig in mijn hand gebeten.
Ik was eerlijk gezegd niet zo goed in dat presentatiewerk voor de televisie. 's Ochtends kreeg ik op de redactie zes onderwerpen op, waar ik me dan in de loop van de dag in moest verdiepen, zodat ik vanaf half acht 's avonds live de interviews kon doen. Van half zeven tot half acht zat ik dan op de wc, de enige rustige plek in het hele gebouw, mijn teksten te leren en op lengte te brengen. De kwaliteit van mijn prestaties was nogal wisselend, ook al omdat ik geen enkele scholing had in het presenteren. Na een goede start deed ik het steeds minder. Uiteindelijk vroeg een ingezondenbrievenschrijver: "Kan die bewegende schemerlamp niet van het scherm?" Na één seizoen ben ik er na onderling overleg dan ook mee gestopt. Dat was het einde van mijn tv-carrière.'

■

Kijken of meneer Van Vliet al wakker is
Paul van Vliet: *'Mijn huisgenoot Peter Lens, een medicijnenstudent, en ikzelf wilden weg van het Rapenburg, omdat we daar nooit verder zouden komen met onze studie. In molen De Valk aan de Beestenmarkt woonde de 84-jarige molenaar Willem van Rhijn, die na de dood van zijn twee zussen eenzaam was achtergebleven en wel kamers wilde verhuren. Hij deed het op voorwaarde dat we met hem zouden ontbijten en dat damesbezoek om elf uur 's avonds vertrok.*
Dat ontbijten was voor mij een probleem, omdat ik door de cabaretoptredens vaak pas om drie uur 's nachts in bed lag. Maar Peter liep zijn co-schappen, dus kon hij 's ochtends met de oude man aan tafel zitten. Dan dronken ze thee uit een pot die nooit schoongemaakt werd, maar waar Van Rhijn elke dag een nieuw schepje thee in deed, alvorens er water op te gieten.
Voor het damesbezoek hadden we een andere oplossing. Peter en ik hadden allebei een halve cirkel op een verdieping van de molen. Wij lieten onze dames 's avonds door de voordeur naar buiten en haalden ze via de achtertrap weer binnen. 's Ochtends herhaalde dat ritueel zich andersom: dan belde zo'n dame aan de voordeur weer aan. De molenaar zei dan: "Kijken of meneer Van Vliet al wakker is," en riep naar boven: "Meneer Van Vliet, er is bezoek voor u!"
Vanuit die molen zijn Liselore en ik ook getrouwd, op 19 april 1963, in mijn laatste studiejaar. Ik werkte toen al bij Flits*, waardoor de tv erbij was om ons huwelijk te verslaan. De volgende dag stond in de krant: "Flitsend" huwelijk. Liselore en ik zijn toen gaan samenwonen op een verdieping aan het Pieterskerkhof, ook in Leiden. Het was een echt studentenhuwelijk, met bij elkaar gezochte spulletjes. In de kelder onder onze verdieping heb ik mijn dozen met plakboeken, teksten en andere archiefspullen uit mijn beginjaren neergezet. Die zijn bij een lekkage allemaal verloren gegaan – voor de tweede keer verloor ik alle gegevens over mijn verleden – waardoor mijn archief pas in 1964 begint.'*

PRINSES BIJ LEIDS CABARET

■

In de tussentijd had Paul van Vliet op het punt gestaan om te stoppen met zijn studie. De bekende regisseur Karl Guttmann had hem namelijk zien spelen in het Haagse theater Diligentia, en vroeg hem voor zijn toneelgezelschap Ensemble. Sinds hij op elfjarige leeftijd had opgetreden voor het schoolkamp had Paul van Vliet naar het toneel gewild, maar die keuze had hij steeds uitgesteld. Nu wilde hij die kans grijpen. Maar professor Huib Drion, die Paul van Vliets scriptie 'Eigen schuld van de benadeelde' (over de rol van de benadeelde in het straf- en schuldproces) begeleidde, liet zijn student bij zich komen en bepraatte hem. Het zou zonde zijn om de rechtenstudie zo kort voor het einde weg te gooien; een theatercarrière kon altijd nog.
Paul van Vliet liet zich overtuigen. En in 1963 studeerde hij daadwerkelijk af. Bij het behalen van zijn meesterstitel kon hij kiezen uit maar liefst vijf aanbiedingen voor een verdere carrière:
- het advocatenkantoor van mr. J.J. Polak in Rotterdam nodigde hem uit voor een stage;
- de afdeling Leven van verzekeringsmaatschappij Nationale-Nederlanden bood hem een vaste baan aan;
- Bij de Koninklijke Shell kon hij komen werken op de afdeling Public Relations in Rotterdam;
- het Haagse dagblad *Het Vaderland* had, na het succes van zijn serie columns, een plaats voor hem op de stadsredactie;
- professor Huib Drion vroeg of hij zijn assistent wilde worden.

„Flitsend" huwelijk
het Leidse stadhuis
'63

’56

Paul van Vliet: *‘De Rotterdamse acteur Steije van Brandenberg, die het tweede LSC-programma “Knip me maar” geregisseerd had, zag wat in me. Hij had een paar jaar voor mijn afstuderen tegen me gezegd: “Als je ooit besluit om dit vak te kiezen, kom dan naar me toe, dan zal ik het je nog één keer afraden.” Dat heb ik hem beloofd. Nadat Drion mijn scriptie had beoordeeld, zei hij: “Als die jongen zich kwaad maakt, zou hij een proefschrift kunnen schrijven.” Mijn vader meldde al verheugd aan de familie: “Paul wordt professor!” Maar op de dag na mijn afstuderen maakte ik bekend dat ik alle aanbiedingen opzijschoof, omdat ik cabaretier wilde worden.*
Het heeft een tijd geduurd voordat het daarna weer goed is gekomen met mijn vader, maar later werd hij mijn grootste fan.
Die avond werd ik op mijn afstudeerfeestje zo dronken, dat ik ’s nachts uren voor de spiegel schijn te hebben opgetreden. De volgende ochtend zei Liselore, met wie ik toen al getrouwd was: “Je moet kiezen voor je oudste liefde.”
Ik heb me gehouden aan mijn belofte en ben naar Steije gereisd. Die nacht heeft hij me alles verteld over het vak. Als een advocaat van de duivel ondervroeg hij me scherp en testte hij mijn antwoorden, om te zien of ik bestand zou zijn tegen de eisen van het theater.
´s Morgens om vijf uur zei hij: “Ik zou het maar doen.” We ontbeten aan de Rotterdamse haven met koffie en gebakken mosselen, waarna ik de eerste trein naar Leiden heb genomen. Ik werd cabaretier. Vanaf dat moment ging ik op zoek naar een eigen theater. Ik tintelde van opwinding, want het ging nu echt gebeuren. Ik had de knoop doorgehakt en heb daar sindsdien nooit een seconde spijt van gehad. Aan mijn jarenlange twijfel was een einde gekomen.
De eerste twee jaar van mijn loopbaan als beginnend cabaretier heb ik gecombineerd met een assistentschap bij professor Huib Drion, omdat ik met PePijn nog geen geld verdiende. Ik gaf werkcolleges “Burgerlijk recht in de praktijk” aan jongerejaars.’

■

Lege glazen

Lege glazen, vuile borden, schone kelen
't Is het einde van een doordeweekse dag
Als de meester de rapporten uit zou delen:
Onvoldoende voor je vlijt en je gedrag
Schorre kelen, lege glazen, vuile borden
Had de wereld niet iets nuttigers verwacht?
Zijn we er vandaag wel wijzer op geworden?
Hebben wij wel aan ons levensdoel gedacht?

Want daar in de hoek zit een ijverige
student
Die heeft geen plezier in plezier
't Is duidelijk dat hij zijn lessen al kent
Zijn enig vertier dat zit hier
Wij zijn met zijn voorbeeld wel blij
Maar houden zijn tempo niet bij...

Lege glazen, vuile borden, schone kelen
't Is het einde van een doordeweekse dag
't Leek zo makkelijk je dagen in te delen
En het maandgeld leek een vorstelijk bedrag
Schorre kelen, lege glazen, vuile borden
Is de toekomst wel voldoende overdacht?
Want het uitzicht is ellendig kort geworden
En het is zo'n mooie roeping die ons wacht.

Want daar in de hoek zit een ijverig student
Die heeft al een meisje gevraagd
't Is duidelijk dat hij het leven al kent
Hij is – zogezegd – al geslaagd
Wij zijn met zijn voorbeeld wel blij
Maar houden zijn tempo niet bij...

Lege glazen, vuile borden, schorre kelen
't Is het einde van een welbestede dag!
Wat kan hij daar in die hoek ons eigenlijk
schelen
Hij die straks in een bureaustoel zitten mag
Schorre kelen, lege glazen, vuile borden
Zijn voor hem – en zijn gezin – niet
weggelegd
Als je ziet hoe hij een burger is geworden
Kwam hij nog niet eens zo schitterend
terecht.

Want straks in de hoek zit diezelfde student
Voor huiselijke taken gereed
't Is duidelijk dat hij zijn plichten al kent
Niet morsen met as op het kleed!
Wij hielden zijn tempo niet bij
Maar het laatst en het best lachen wij...

■

■
Opnieuw Minerva

Paul van Vliet: *'Toen Floor Kist en ik het verzoek kregen om in 1999 een avond op te treden ter gelegenheid van het veertigjarig bestaan van het herbouwde Minerva-pand, hebben we na lang dubben besloten het nog één keer te doen. We gingen repeteren en zongen alle teksten nog foutloos, met dezelfde gebaren als toen. Na zoveel jaar. Voor die avond in Minerva bleken duizenden aanvragen te zijn, de zaal was afgeladen vol. Toen wij daar op het toneel stonden, zag iedereen met een dikke strot zijn jeugd weer terug. Met tranen in de ogen van het jeugdsentiment zongen de mensen de liedjes zachtjes mee: "Is er een notabel in de zaal", "In Leiden sind die Nächte lang" en het weemoedige "Lege glazen, vuile borden, schone kelen". Een paar generaties studenten waren opgegroeid met die liedjes, die nog jarenlang gezongen werden op de studentenvereniging. Na afloop hebben we de cd* Laat je zoon studeren, *met al die bekende nummers, uitgereikt aan het hoofd van de brandweer van destijds. Als Minerva die nacht weer af zou branden, had hij in ieder geval de cd alvast.'*

■

■
In Leiden sind die Nächte lang

'63

In Leiden sind die Nächte lang
So viele, schöne Stunden lang
Die wil'ch beschäftigt sein
Und jede Stunde, die ist mein.

Wenn wir bei Nacht in Breestraat stehen
Und träumend nach Minerva sehen
Wenn Mondschein auf die Trambahn fällt
Vergessen wir die ganze Welt!

In Leiden sind die Nächte
Lang und nicht allein
Zum Schlafen gemacht
In Leiden sind die Mädchen schön und
Erst so richtig munter bei Nacht.

In Leiden ist der Morgen kühl
Am Rapenbahn noch kein Gewühl
Mein Mädel komm, und sei nicht bang
In Leiden sind die Nächte lang.

■

PePijn geeft Den Haag zijn eigen cabaret

Goede start van groep van Paul van Vliet

Geen verbouwingsrommel meer, niet langer een stal, nee PePijn heeft een theatertje. Een theatertje dat er zijn mag, net als het gezelschap dat er optreedt. Na in 86 panden te hebben gekeken, na met honderden mensen te hebben gesproken, na leuren om geld en vergunningen, was het zo ver. Donderdagavond beleefde PePijn, het cabaret van mr. (pardon) Paul van Vliet zijn première.

Den Haag heeft zijn eerste, eigen, vaste cabaret, een Haags cabaret van het begin: Goede vrienden blijven, glimlachjes en toastjes van een echt Haagse cocktailparty, tot het einde: Verlangt u nog niet naar huis ?Den Haag is de enige(?) stad in Nederland waarop nog geen liedje gemaakt was. Was: want Rob van Kleeveld, de pianist van PePijn, en Paul van Vliet maakten het liedje: Den Haag.

Den Haag met zijn lege paleizen de stad waar altijd de westenwind waait. Den Haag met zijn geur van een oud-Indisch pension en waar Couperus op zolder vergeelt.

Liselore Gerrisen zong, in een schitterend haute couture gewaad: Voor mij hoeft het niet, waarin zij met dingen de draak stak die voor haar niet, maar wèl voor veel andere vrouwen hoeven. Samen met Van Vliet (haar man) bracht zij een schitterende Johan en Marie op de -lanken. Het paar dat liever hun spelletje blijft spelen, dan te gaan leven zoals het eigenlijk zou moeten. Spelletje?

Wij leven in een spelletjesland. Er is zo veel te leren van kwartetten, ganzeborden en alle vogeltjes vliegen .....

HELEMAAL HAAGS

Helemaal Haags was ook het broodje tartaar dat Paul van Vliet bij Fred Hugas kwam nuttigen Junith Bosch zong met een lief stemmetje als het mannetje PePijn de nummers van de overige drie aan elkaar. Ook ernstig kan PePijn zijn. Zwart-wit, het schaakspel tussen de rassen, kreeg na even stil nadenken een daverend applaus. Deutschland bei Nacht werd in het Duits gebracht, waardoor de zware, zwoele sfeer nog beter uitkwam. De twee stoere matrozen en de lichte juffrouw die Alles „für Muttie tut". Actueel ook Rosemarie, het rooms katholieke meisje dat verliefd is op de protestantse Lodewijk.

PePijn heeft zijn stal omgebouwd tot een theatertje. Paul van Vliet en de zijnen zijn er gelukkig mee, en Den Haag is dat ook. Vlieg er eens uit! naar het theatertje in de Nieuweschoolstraat.

Tegen brandende achtergrond treedt jong „Pepijn" naar voren

„Le roi est mort, la reine est morte, vive le jeune prince", zei burgemeester Kolfschoten gisteravond na afloop van de galavoorstelling van het jonge cabaret en theater „Pepijn". De burgemeester was bewogen om een duidelijk emotievolle avond. Het eerste deel van het Pepijn-programma had hij niet bij kunnen wonen door de grote brand van K. en W. „Beter zo, dan andersom", zei hij tot Paul van Vliet en zijn medewerkers. „dit is een betere volgorde van gebeurtenissen". Den Haag heeft een grote slag ontvangen door het zo wreed ten onder gaande gebouw.

Het was een wrange noot dat juist op de avond waarop Den Haag zijn eerste cabaret-theater kreeg, het grootste theater voor de stad verloren ging. Het dreigde zelfs een stempel op de avond te drukken omdat de burgemeester niet verscheen, alleen mevrouw Kolfschoten, omdat de hoofdcommissaris van politie afwezig moest zijn en ook andere gasten waarschijnlijk door die brand verstek lieten gaan. Maar het elan waarmee dit jonge cabaret zijn gala-avond inzette, bracht de onrust snel naar de achtergrond. In de pauze arriveerde zowel burgemeester Kolfschoten als de hoofdcommissaris van politie om het tweede cabaretdeel bij te wonen. „U kunt mij vast tot uw cliëntele rekenen", zei de burgemeester, die duidelijk liet blijken ook het eerste deel nog eens te willen zien, omdat hij zo van cabaret houdt, zei hij. En duidelijk liet hij die privé-liefde gelden naast zijn officiële waardering namens het gemeentebestuur voor deze aanwinst voor de residentie.

Burgemeester Kolfschoten las tot slot een telegram aan het jonge cabaretgezelschap voor waarin prinses Beatrix haar gelukwensen met de opening en een succesvolle toekomst aanbood.

Voor Paul van Vliet en de zijnen een dubbel memorabele avond. Zelden zal de opening van een theater zijn samengevallen met de zo desastreuze vernietiging van een ander.

Het Vaderland

• V.l.n.r. Paul van Vliet, Ferd Hugas, Liselore Gerrits, Judith Bosch en Rob van Kreeveld. De vijf enthousiastelingen van Pepijn

1964-1971

PePijn

Tijdens zijn rechtenstudie was Paul van Vliet bevriend geraakt met Ferd. Hugas, een medestudent met dezelfde belangstelling voor muziek en theater. Hugas verdiende zijn geld met allerlei baantjes, speelde toneel, volgde lessen aan de mimeschool van Wil Spoor en worstelde voortdurend met de vraag of hij zou stoppen met zijn studie of niet.
Na het afstuderen van Paul van Vliet waren Ferd. Hugas en hij het over een aantal dingen eens: ze mochten de wereld hun veelbelovendheid niet onthouden en er moest hoognodig een Haags cabaretgezelschap komen, dus zouden zij een eigen cabaret beginnen. Ook stond hun helder voor ogen dat hun cabaret een eigen theater zou moeten hebben. Wat dat betreft hadden ze zich beroemde voorbeelden gesteld: fin-de-siècletheaters als Le Chat Noir in Parijs, die via Duitsland ook populair geworden waren in Nederland, getuige het cabarettheater van Eduard Jacobs aan de Amsterdamse Warmoesstraat van rond de eeuwwisseling. Plus natuurlijk het meer eigentijdse Amsterdamse Tingeltangel-theater van Sieto Hoving, het eerste vestzaktheater in Nederland.

Paul van Vliet: *'Ferd. Hugas was een echte compagnon en een makker, toen ik hem bij mijn plannen betrok: ik vermoedde bij hem talent en hij kon goed meedenken. Net als Floor Kist vormde hij een mooi contrast met mij. De combinatie van spelen en een eigen theater vond ik een must, dus zo moest het gebeuren. Zelden ben ik van iets zo overtuigd geweest als toen. Na het zwalken tussen al die keuzes voor mijn toekomst was het heerlijk om bevrijd te zijn van de twijfel: ik was tomeloos gemotiveerd en dat straalde ik ook uit. Ik praatte iedereen plat die op mijn pad kwam, waardoor de mensen begonnen te geloven dat het inderdaad van groot belang was dat er een Haags cabaret met een eigen theater zou komen.*
Onroerendgoedmagnaat Reindert Zwolsman had een meerderheidsbelang verworven in de Exploitatiemaatschappij Scheveningen en was bezig het Kurhaus, het Circustheater en ander onroerend goed in de badplaats op te kopen. Dus riep iedereen: "Je moet naar Scheveningen!" Maar ik wilde per se naar de Haagse binnenstad. Maandenlang hebben Ferd. Hugas en ik het hele centrum van Den Haag afgezocht naar een geschikt pand waar we ons eigen theater zouden kunnen beginnen, een plek waar we zelf de baas waren, konden repeteren en op het toneel konden testen wat we waard waren.
We bekeken leegstaande huizen, garages, kelders en horecabedrijven van binnen en van buiten. Tot we uiteindelijk in 1964 de ideale ruimte vonden in de Nieuwe Schoolstraat, vlak bij mijn vroegere ouderlijk huis, in wat mijn ouders altijd "de garage

van Beekman" noemden, een voormalige kachelwinkel. Dat was ten slotte een opslagplaats geweest voor consumptie-ijs van het merk Vami. "Dat doe je ons toch niet aan?" vroeg mijn vader, toen hij hoorde waar wij ons theater gingen beginnen. Maar toen was er al geen houden meer aan.'

■

PePijn

Paul van Vliet: *'Voor de naam van het theater hadden we oorspronkelijk alleen de beginletters van mijn beide voornamen: Pieter Paul. Vervolgens zijn we in de encyclopedie gaan zoeken en kwamen PePijn tegen. Let op: dat hebben we altijd geschreven met die twee hoofdletters! Mijn vader heeft daar een voorlopig logo voor gemaakt, een soort maskertje waarin de twee P's waren verwerkt. Ontwerper Ab Gratama abstraheerde dat naderhand tot het huidige logo.*
Op het moment van onze keuze was Pepijn een nog volkomen onbekende naam. Door onze vele fans is onze theaternaam echter over heel Nederland verspreid. Alle jongens die Pepijn heten, zijn na 1964 geboren. Hun naam betekent "kleine zoon", en dat geldt ook voor Theater PePijn: dat is een kind van me.'

■

Het pand aan de Nieuwe Schoolstraat werd Theater PePijn. De ontelbare moeilijkheden bij de verbouwing en de financiering van PePijn heeft Paul van Vliet later op hilarische wijze verwerkt in het nummer 'Theatertje', waarmee hij in 1965 het ICC-concours voor jonge cabaretiers won. Ferd. Hugas en hij begaven zich brutaalweg naar de aloude Haagse herenmodezaak Eduard Pelger, waar ze de eigenaar wisten te overtuigen van de noodzaak om de mannen van PePijn aan te kleden met smokings en andere herenmodeartikelen. Zij kregen de gevraagde pakken inderdaad gratis, tegen de belofte dat de naam van het bedrijf genoemd zou worden in het theaterprogramma van PePijn.

Paul van Vliet: *'Het leuke van Theater PePijn is dat we het hebben zien veranderen van een kaal pakhuis tot een werkelijk uniek theater. De architecten Carel Wirtz en Ruud Koning hebben een prachtig ontwerp gemaakt, waardoor een ruimte gecreëerd werd die tot op de dag van vandaag functioneert: een zaaltje met een*

bar, een ruimtelijk perfecte indeling en een bijzondere kleurstelling. Zowel de spelers als het publiek hebben PePijn vanaf het eerste moment omarmd.
Maar voordat de aannemer kon beginnen, moesten we één groot gevecht leveren met de overheid, de brandweer en bouw- en woningtoezicht voor de benodigde ontheffingen en vergunningen. Sieto Hoving heeft ons daarbij royaal geadviseerd, daar ben ik hem altijd dankbaar voor geweest. Hij heeft ons gewezen hoe we het moesten aanpakken. Je moet namelijk mensen overtuigen die geen idee hebben wat jij in je hoofd hebt. We hadden natuurlijk niet de vereiste diploma's en ervaring, maar ik heb mijn meestertitel bewust gebruikt. Daardoor dachten ze: "Die Van Vliet is niet op zijn achterhoofd gevallen, die zal wel weten wat hij doet."
Er moest geld komen. We hadden zelf geen cent en de banken zagen niets in onze plannen. Maar Heineken leende mij 30.000 gulden, op voorwaarde dat wij driemaandelijks onze boeken lieten controleren door accountant Van der Veen in Rotterdam (Als Ferd. en ik bij hem geweest waren, zei hij bij ons vertrek altijd: "Heren, denk eraan, hard werken en zuinig zijn.").
Bij Niemeijer kon ik 10.000 gulden lenen, op voorwaarde dat wij Niemeijer-tabakswaren en koffie zouden verkopen en er de eerste veertien dagen een specialist van Niemeijer aanwezig zou zijn om onze koffie te keuren.
En van het Nederlands Zuivelbureau kreeg ik 5000 gulden los, op voorwaarde dat we Hollandse kaas verkochten: dat resulteerde in het befaamde Plankje PePijn, twaalf blokjes kaas op een houten plankje, dat we na de voorstelling serveerden met wijn.
Maar nog altijd hadden we een tekort, want we bleken uiteindelijk 64.000 gulden nodig te hebben voor de verbouwing en de inrichting. Het lukte ons nog om hier en daar kleinere bedragen te lenen. En toen langzamerhand steeds meer mensen erin begonnen te geloven dat het ons zou lukken, startte de heer A.B. de Vries, de directeur van het Mauritshuis, de actie "100 x 100", waarbij honderd prominente Hagenaars elk honderd gulden doneerden om ons op gang te helpen.'

'71

Internationale klasse

Paul van Vliet: *'Een maand voordat ons theater openging, begon Ramses Shaffy in het Mirandapaviljoen in Amsterdam met* Shaffy Chantant. *Ik ging er natuurlijk naartoe en onderging zijn voorstelling als een langdurige elektrische schok. Hij was geweldig en had fantastische mensen om zich heen: Polo de Haas, Liesbeth List, Lousje Hamel en als gast Joop Admiraal. De hele jetset van Amsterdam zat te kijken en iedereen was het erover eens dat Shaffy internationale klasse had. Kunnen we daar met PePijn ooit tegenop, vroeg ik me verbijsterd af. Het heeft een paar dagen geduurd voordat ik mijn zelfvertrouwen weer terug had.'*

Vive le petit prince

Paul van Vliet: *'Het theater en ons programma waren op het nippertje klaar. Vrienden, familieleden, iedereen had meegeholpen, tot en met de laatste vertimmeringen. Bij de galapremière zaten alle genodigden te wachten in smokings en avondjurken. Burgemeester Kolfschoten zou de opening verrichten. Maar juist die avond brandde het grootste theater van Den Haag, het gebouw voor K&W, tot de grond toe af. Als hoofd van de brandweer moest Kolfschoten daar bij zijn, waardoor hij het grootste gedeelte van de première moest laten schieten. In de loop van de avond kwam hij echter toch nog. Hij sprong op het toneel, nat bestoven door het bluswater en sprak de historische woorden: "La grande reine est morte, vive le petit prince!"* (De grote koningin is dood, leve de kleine prins!).'

Vrienden, familieleden, iedereen hielp mee aan Theater PePijn, ook met de laatste vertimmeringen. De kern van cabaretgroep PePijn bestond naast Paul van Vliet en Ferd. Hugas uit Liselore Gerritsen en het eerste jaar ook Judith Bosch. Liselore Gerritsen was met haar prachtige verschijning, donkere stem en grote zeggingskracht een van de verrassingen van het eerste programma. Lidewij de Iongh, de vriendin van Ferd. Hugas, deed het licht. Na lang zoeken werd ook de allround pianist gevonden waarnaar de groep op zoek was: de Haagse conservatoriumstudent Rob van Kreeveld. PePijn kon van start.

Tegen brandende achtergrond treedt jong „Pepijn" naar voren

1996

„Le roi est mort, la reine est morte, vive le jeune prince", zei burgemeester Kolfschoten gisteravond na afloop van de galavoorstelling van het jonge cabaret en theater „Pepijn".

PePijn geeft Den Haag zijn eigen cabaret

groep van Paul van Vliet

’71

Paul van Vliet: ‘*PePijn was de vervulling van een droom. Toen we op 18 december 1964 opengingen, had ik het gevoel dat ik opnieuw geboren werd. We hadden allemaal een groot en warm gevoel voor dat kleine theatertje. Nooit in mijn leven ben ik bij iets anders zo betrokken geweest, van de kleinste kopspijker tot de optredens. We deden alles zelf: kaartjes verkopen, mensen naar hun plaats brengen, publiciteit, het licht, de bar, schoonmaken. Zodra we gespeeld hadden, sprongen we van het toneel om de mensen zo snel en zoveel mogelijk van bier en wijn te voorzien. Want onze omzet bepaalde het tempo waarin we onze schulden konden afbetalen.*

Het eerste jaar bleef ik werkcolleges geven, terwijl ik alle teksten schreef voor onze programma’s. Liselore schreef later ook en zong vanaf 1967 eigen teksten. Ze was sterk beïnvloed door de Duitse liedkunst en sprak die taal ook vloeiend, dankzij haar Duitse moeder. Als ze gewild had, had ze in Duitsland een grote ster kunnen worden, maar Liselore heeft een haat-liefde-verhouding met het theater. Judith Bosch vormde in onze groep het gewenste contrast met Liselore: zij speelde het mannetje PePijn. En Rob van Kreeveld als pianist en componist was een absolute vondst, een geniale jongen met een geweldige natuurlijke techniek. Door hem kreeg onze muziek allure. Ons programma stond stevig in de traditie van het Nederlandse cabaret, maar onze close-harmonyzang was spectaculair. Hoewel geen van de spelers noten kon lezen, leerde Rob ons een perfect op elkaar afgestemde samenzang: hij met zijn kopstem, Liselore de alt, Ferd. de tenor en ik de bas. Dat was een van onze sterkste punten.

PePijn had maar 100 zitplaatsen; na een ingrijpende verbouwing hebben we er daar uiteindelijk 104 van weten te maken. De pers en het publiek waren razend enthousiast over het theater en ons programma. Tot onze stomme verbazing waren vrijwel al onze voorstellingen vanaf het begin uitverkocht. Steevast waren al onze toegangskaarten veertien dagen van tevoren schoon op, zeven jaar lang. We propten de zaal zo vol dat er vaak wel 130 of 140 mensen zaten, in het gangpad, soms op het toneel en zelfs bij elkaar op schoot. Zulke dingen zouden elders ondenkbaar zijn, maar niet in PePijn.

'64...

De Jury van het ICC- Concours met Hetty Blok, Wim Ibo, Conny Stuart en Albert Mol. Wim Sonneveld was al weg.

Wij vormden een hecht groepje, met daaromheen onze vriendenkring, waarvan Theater PePijn het centrum was. Daar spraken we af, en we waren er dag en nacht. We hadden er onze eigen kroeg, die jarenlang het langst openbleef van heel Den Haag – om geen last met de politie te krijgen, hielden we de deur dicht, maar al onze vrienden kenden de klopcodes. Het was allemaal zeer avontuurlijk en we beleefden het in een gezamenlijke roes. We gingen zo intensief met elkaar om dat we zelfs op vakantie over grote afstanden naar elkaar toe reisden en direct na thuiskomst weer contact zochten.'

■

Typisch Haags

Paul van Vliet: *'Hoewel alleen Rob, Ferd. en ik Hagenaars waren, en Judith en Liselore niet, vond men ons eerste programma* Oh, pardon *typisch Haags. Mensen drukken graag stempels. Afgezien van het liedje "Den Haag met je lege paleizen" en een scène in een Haagse broodjeszaak zat er weinig Haags in. Wel presenteerden we de show in smoking, was de aankleding van het programma stijlvol en hanteerden we een mild-satirische, soms romantische toon. Ik heb onze stijl later "menselijk engagement" genoemd, in tegenstelling tot politiek engagement, dat het kenmerk was van veel andere jonge cabaretiers in die dagen.'*

■

■

Altijd beter

Paul van Vliet: *'In de oorlog hielden de mensen elkaar voor: wacht maar tot het vrede wordt! En het werd vrede. Daarna zeiden ze: wacht maar tot de wederopbouw! En de welvaart kwam. In mijn meest beïnvloedbare jaren, tussen mijn achtste en vijfentwintigste, werd het altijd beter. Dat idee heeft zich in me vastgezet: het vertrouwen dat de dingen goed zullen aflopen. Vaak tegen beter weten in en ondanks de melancholieke aard die ik van mijn moeder heb meegekregen. Ook als ik somber ben, ga ik ervan uit dat het moet lukken om de toestand te verbeteren. Als je erop let, zie je dat het altijd de mensen met zo'n houding zijn die in staat zijn om iets tot stand te brengen.*

Het bewustzijn dat alles beter, vrijer en mooier werd, duurde tot het begin van de jaren zeventig. Tot die tijd was er geen sprake van werkloosheid en konden veel jongeren na hun studie, net als ik, kiezen uit een groot aantal mogelijkheden. Ik heb er nooit over nagedacht wat we zouden moeten gaan doen als het allemaal mislukte. En juist door dat ongebreidelde en ongefundeerde optimisme is het waarschijnlijk gelukt.'

■

■

Het enige cabaretconcours

Paul van Vliet: *'Tegenwoordig zijn er vele, maar in de jaren zestig was het ICC-concours het enige concours voor aankomende cabaretiers. Het ICC, genoemd naar het gelijknamige paviljoen in het Vondelpark, was eerder gewonnen door Rudi Carell en Jasperina de Jong. Opgestookt door mijn omgeving besloot ik in 1965 om ook een keer mee te doen. De deelnemers moesten zich in het Nieuwe De La Mar-theater in Amsterdam presenteren voor de jury in een lege zaal. Op het balkon zaten de toenmalige coryfeeën van het Nederlandse cabaret: Wim Sonneveld, Conny Stuart, Wim Ibo, Hetty Blok, Albert Mol en voor de muziek Cor Lemaire. Tegen die mensen keek ik in die dagen huizenhoog op: samen met Wim Kan en Toon Hermans hadden zij de Nederlandse kleinkunst stevig in handen.*

’71

Ik zong het liedje "De aardappeleters" en deed het nummer "Theatertje", over de totstandkoming van Theater PePijn. Een liedje voor een lege zaal is nog wel te doen, maar het is moeilijk om een conference te houden voor een zwart gat. Door de jury werd niet gelachen en het is lastig om niet in de war te raken als er geen lach komt op momenten waarop je dat gewend bent. Maar ik kwam erdoorheen en mocht samen met zes anderen op een zaterdagmiddag de eindronde in.

Die middag zat de hele zaal vol met gewoon publiek en aanhang van alle deelnemers. De jonge talenten stonden stijf van de opgefokte spanning. Toen bekendgemaakt werd dat ik had gewonnen, volgden de bekende taferelen: vreugdekreten en gejuich, maar geen tranen, want huilen deed je toen nog niet. Het was prettig te horen dat de jury het niet moeilijk had gehad bij de keuze en mij unaniem de beste vond. De winst was een goede stimulans voor mijn naamsbekendheid.'

■

PePijn had Den Haag al stormenderhand veroverd en beleefde met ICC-winnaar Paul van Vliet ook een landelijke doorbraak. Daarvoor zorgde de bekende promotor Jo van Doveren, de man die Jacques Brel en Charles Aznavour als eerste naar Nederland had gehaald en ook de promotie deed van de circussen Sarasani en Strassburger. Hij bracht PePijn in september 1965 naar Amsterdam, waar de groep enthousiast werd ontvangen.

Paul van Vliet: *'Jo van Doveren was een legendarische man, een sterk op Frankrijk gerichte, artistieke Bourgondiër met een circusbibliotheek van drieduizend boeken. Hij zag iets in ons en wij hebben veel aan hem te danken gehad. Door hem speelden we in de kleine zaal van het Concertgebouw: hij had goed gezien dat daar ons publiek zat. En als we speelden stónd Jo van Doveren achterin de zaal.*

Samen met Karel Wunnink, de directeur van theater Carré, belegde Jo van Doveren in Hotel des Indes een bijeenkomst met Ferd. en mij om onze eerste Nederlandse tournee te regelen. Aan het eind van het gesprek

Lidewij en Jo van Doveren

’64…

zei Van Doveren: “Nu nog wat afspraken over geld.” Hij zei dat een oude theaterwet wilde dat zoiets als volgt gaat: iedereen zet op een papiertje wat de verdiensten van de groep zullen worden, en daarvan wordt dan het gemiddelde genomen. Ineens kreeg ik argwaan. Onze uitkoopsom was op dat moment 650 gulden per avond. Daar zouden ze toch niet onder gaan zitten? Bang dat onze onervarenheid zou worden afgestraft, zette ik 1400 gulden op mijn papiertje. Ferd. had 750 gulden staan, Wunnink 650 en Van Doveren 800. Ik schaamde me dood, maar de teerling was geworpen: we kregen 900 gulden per avond uitgekeerd.
Jo van Doveren had een feilloos gevoel voor publiciteit en wist goed hoe hij een jonge groep in de markt moest zetten. Als er bijvoorbeeld een leeuwtje geboren werd in een dierenpark bij Tilburg, moesten wij daar even naartoe. Dan zat hij daar met een fotograaf en bezorgde hij de foto bij de plaatselijke krant, die zo mooi kon meewerken aan gratis promotie voor ons optreden in de Tilburgse schouwburg, twee weken later. Zulke dingen deed Van Doveren, die groot gezag had bij de Nederlandse pers en alle belangrijke journalisten kende. Toen hij las dat Boswinkel van het Handelsblad *onaardig over ons schreef, zette hij Boswinkel en mij aan een tafeltje in hotel Americain in Amsterdam om eens te praten. Dat leverde een prachtig interview van een halve pagina op in diezelfde krant.’*

OPUS 2
CABARET
PePijn

Pepijn-vlag op Euromast

In een Eend door het land

Paul van Vliet: *‘In 1963 kocht ik mijn eerste auto, een 2CV. Die Eend heb ik gekoesterd. Als ik hem toesprak, deed hij het altijd. Maar in 1966 reed ik hem helemaal aan barrels tegen een lantarenpaal, total loss. Omdat ik gedronken had, ging ik gauw naar huis. Een uur later ben ik met Ab Gratama, onze ontwerper, naar de restanten van mijn Eend gaan kijken, maar toen was er al politie bij, dus zijn we hem snel gesmeerd. De volgende dag ging ik me melden op het politiebureau. Het was een week na de Jas van Claus, dus iedereen kende me inmiddels. Mijn Eend was weggesleept, die heb ik nooit meer teruggezien. En ze moesten natuurlijk een proces-verbaal invullen. Had ik wat gedronken? Nee, hoor! Iedereen lachen. In die tijd maakte niemand zich nog erg druk over alcohol en verkeer.*
Kort daarna heb ik een nieuwe Eend gekocht. Ferd. Hugas had er ook een. Als we ergens anders moesten spelen, reden we daarheen, met in onze Eenden een paar lampen, een stoel en wat koffers. Meer hadden we niet.’

Den Haag met je lege paleizen

Wij hebben in Den Haag zo bedroevend weinig dingen
Waarvan je mooi gevoelig en lekker kunt staan zingen
Want wij werden nooit belegerd of verwoest in vroeger dagen
En behalve in de Kamers is hier niemand ooit verslagen
Wij hebben niet eens Haags Ontzet met dankdienst in de kerken
Wij weten niet van wanten of van Grote Waterwerken
En misschien verklaart dat ook waarom er in de lange loop der tijd
Aan ons brave 's-Gravenhage nooit een liedje is gewijd.

'71

Den Haag met je lege paleizen
Den Haag waar de westenwind speelt
Den Haag waar de wijzen in 's lands dienst vergrijzen
En waar op de zolders Couperus vergeelt
Den Haag met je standen en rangen
Den Haag met de geur van een Indisch pension
Je kunt je karakter in één woordje vangen:
In dat beetje gewichtige
Tikkeltje schichtige
Altijd voorzichtige woordje: Pardon.

Wij die ternauwernood de naam van stad verdienen
Wij staan bij onze torens niet een nummertje te grienen
Wij smijten zelden 'trossen los'. Wij hebben geen rivieren
Maar enkel maar één haventje met veel te korte pieren
Wij voelen nooit de hartenklop voor machtige bedrijven
Er kleeft maar weinig zwart en zweet aan onze nette lijven
Vandaar ook dat niemand ooit bij dauw bij dag bij nacht
Een mooi gevoelig liedje voor 's -Gravenhage heeft bedacht.

Den Haag met je lege paleizen
Den Haag waar de westenwind speelt
Den Haag waar de wijzen in 's lands dienst vergrijzen
En waar op de zolders Couperus vergeelt
Den Haag met je standen en rangen
Den Haag met de geur van een Indisch pension
Je kunt je karakter in één woordje vangen:
In dat iets afgemetene
Beetje gespletene
Ook wat beschetene woordje: Pardon.

’64

Voor nog veel meer publiciteit zorgde Paul van Vliet op 10 maart 1966 in de Ridderzaal. Prinses Beatrix trad daar in ondertrouw met Claus von Amsberg en de gemeente Den Haag had geregeld dat vertegenwoordigers van de Haagse kunstwereld zouden optreden voor het jonge paar: het Residentie Orkest, het Danstheater, Albert van Dalsum namens de Haagse Comedie, het mannenkoor Die Haghezangers en cabaretier Paul van Vliet van het ruim een jaar oude Theater PePijn.

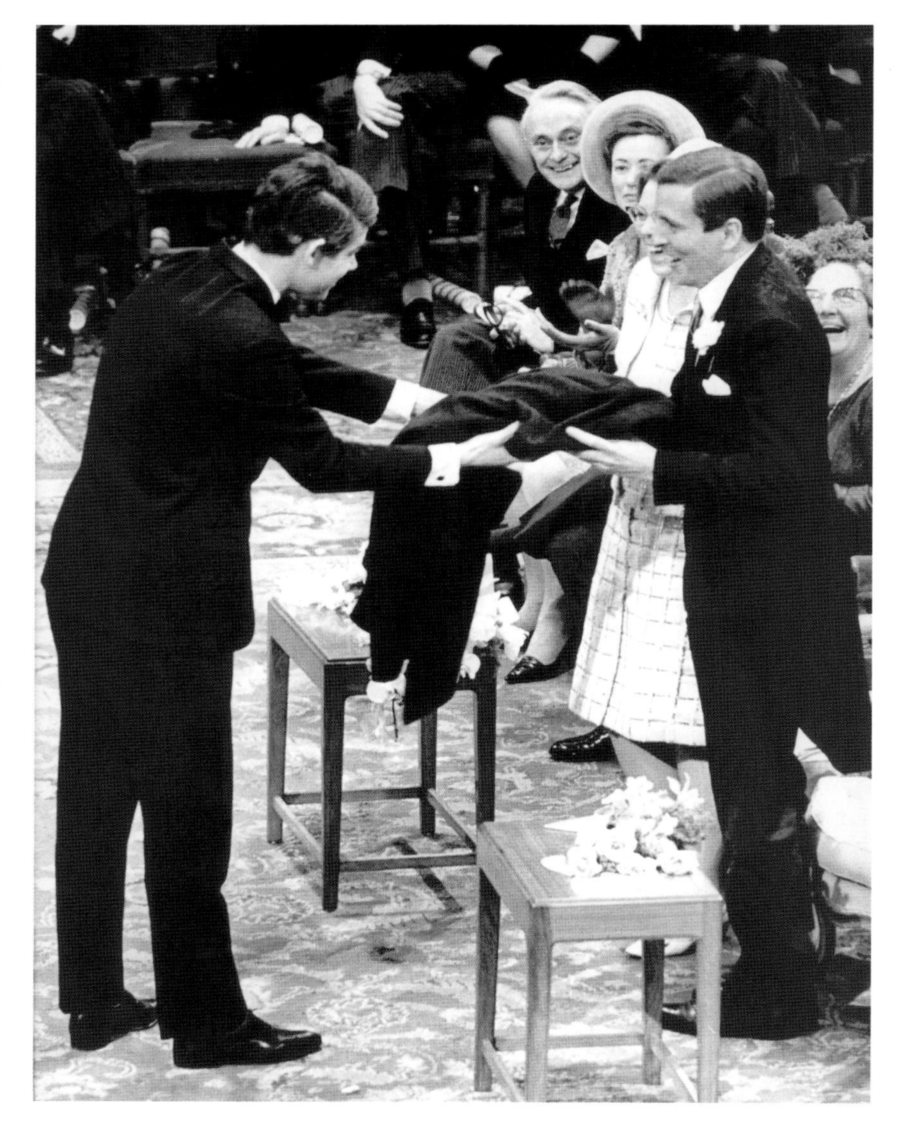

Paul van Vliet: *‘Ik zong die middag samen met Die Haghezangers “Den Haag met je lege paleizen” en “De Hollander”, een liedje over het Hollandse volkskarakter. En aan het eind van mijn optreden gaf ik het paar een aantal geschenken. Freule Wittewaal van Stoetwegen, het kamerlid dat voorzitter was van de Stichting Nationaal Geschenk, had de mensen opgeroepen om niet zelf cadeautjes te sturen, omdat Beatrix en Claus dan bedolven zouden worden onder de zoutvaatjes, jamlepels en asbakjes. Omdat niemand zoiets na de waarschuwing van de freule nog zou durven geven, had ik daarom een zoutvaatje, een jamlepel en een asbakje voor hen gekocht.*
Bovendien had ik bij de Haagse herenmodezaak Eduard Pelger een grijze herenoverjas aangeschaft, een demi-saison, een typisch Nederlandse tussenjas. Dat had ik gedaan omdat ik in een interview had gelezen dat Claus geen overjas had en die ook niet wilde dragen. En dat kan vanzelfsprekend niet in Nederland, met ons druilerige klimaat. Dus kreeg hij die van mij. Ik had wel wat voorbereid, maar niet helemaal woord voor woord, in een zorgeloosheid die ik tot de dag van vandaag niet helemaal begrijp. Wel had ik van tevoren wat losse grappen rond die jas verzonnen, maar het hele verhaal was grotendeels

geïmproviseerd. Het was voor het eerst dat een cabaretier het Koninklijk Huis zo vrijmoedig toesprak, en dat nog wel live voor de NOS-tv, voor het hele Nederlandse volk. Het ongehoorde succes van dat optreden is alleen te begrijpen vanuit de politieke situatie van toen in Nederland. Er waren pro's en contra's rond Claus, met spraakmakende provorellen. Alle autoriteiten die ermee te maken hadden, zoals premier Cals, de Amsterdamse burgemeester Van Hall en ook de koninklijke familie zelf, voelden zich een beetje onbehagelijk. Het hele Nederlandse volk was gespannen. Toen ik mijn verhaal over die jas deed, begonnen ze in de zaal onbedaarlijk hard te lachen, op het hysterische af. De regisseur bracht de voluit lachende gezichten van de kort tevoren nog zo nerveuze hoogwaardigheidsbekleders goed in beeld. Het werd een soort happening. Helemaal omdat Beatrix, Claus en ook koningin Juliana tranen van het lachen moesten wegwissen. Iedereen veerde op: goddank, er kan eindelijk gelachen worden rond het huwelijk!

Door de tv werd dat een nationale ervaring, die 's avonds nog eens opnieuw werd uitgezonden. Toen ik na het optreden het Voorhout op liep, kwamen er allemaal mensen naar me toe die me een hand wilden geven of me wilden aanraken en me verzekerden: "Wat was dit uniek!" We speelden die avond met PePijn ons programma Opus 2 en daar ontstond een hele oploop voor het theater, er stonden wel honderd mensen die mij wilden zien en me cadeautjes kwamen brengen. De volgende morgen wachtte er een twaalftal journalisten voor mijn deur, schrijvende pers en tv- en radiomensen, die me allemaal wilden interviewen. Ik werd gebeld door alle actualiteitenrubrieken, inclusief Willem Duys. Van de ene op de andere dag was ik een Bekende Nederlander. Ik wist absoluut niet wat me gebeurde. Iedereen had het erover, ik was het gesprek van de dag en stond groot op de voorpagina's. Het koninklijk paar was ook heel positief: ik kreeg een leuke, handgeschreven bedankbrief en naderhand een uitnodiging voor hun huwelijk in de Nieuwe Kerk in Amsterdam. Een paar weken later werd ik ontboden door burgemeester Kolfschoten, die me een herdenkingsmedaille opspeldde, een speciale onderscheiding voor het huwelijk.

Later kwam Claus met Beatrix naar een voorstelling in PePijn, maar zonder die jas. Hij excuseerde zich: "Ik draag hem niet, maar geef hem aan mensen die bij Drakenstein in de tuin willen wandelen." Dus hij had de jas nog wel. Bij de geboorte van Willem-Alexander – en later ook die van Amalia – heb ik exact zo'n jas van Pelger gestuurd, maar dan in een babymaat. Vanaf dat moment werd ik door Het Parool "Oranje Paultje" genoemd en heette ik in andere kranten wel "De Hofnar". Dat heeft de kritische toon van de links-progressieve pers tegenover mij versterkt: die vonden me toch al "te lief" en "te vrijblijvend", in vergelijking met het harde, satirische cabaret dat in die tijd opbloeide. En toen bleek ik nog pro-Oranje te zijn ook!'

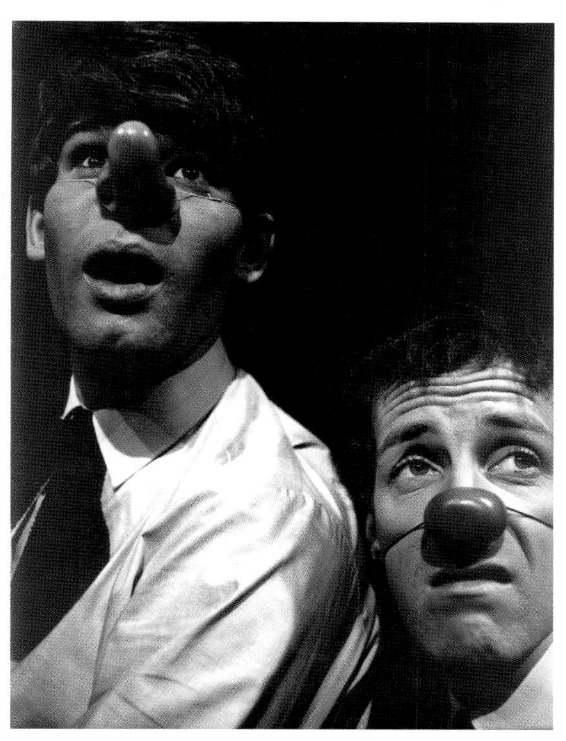

'64

■

De Hollander

Hij zou graag wat losser willen leven
Waarbij hij alles van zichzelf gewoon op tafel smijt
En niet meer zo verkrampt met z'n gezicht op hallef zeven
Eens vrij zijn van zichzelf en van z'n houtenklazigheid
Hij zou zich graag ook zwierig willen kleden
En dwars door 't calvinistische fatsoen
Los van alle schuldgevoel en zomaar zonder reden
Op een stille zondagmiddag eens iets rustverstorends doen…

Maar 't is een Hollander
En dan komt het daar niet van
Want ach, een Hollander
Die wordt daar zenuwachtig van
Die zegt meteen: doe niet zo gek
En krijgt zo'n teruggetrokken nek
Hij zegt: ach nee zeg 't idee zeg!
En hij binnenvettert door
En dat zwierige komt om
In de nuchtere rekensom:
Het zou wel leuk zijn
Maar wat koop je daar nou voor?

Hij zou graag eens in vervoering raken
En niet vergiftigd door die eeuwige detailkritiek
Een werkelijk grote visie duidelijk willen maken
Met machtige gebaren en met fraaie retoriek
Hij zou zo graag eens soepel willen dansen
Zijn lichaam lekker los zijn ogen dicht
Net zoals de Italianen en zoals de Fransen
Z'n lichaam laten wiegen tot het eerste morgenlicht…

Maar 't is een Hollander
En dan komt het daar niet van
Want ach, een Hollander
Die wordt daar zenuwachtig van
Hij voelt z'n lichaam als een last
En in dat lichaam zit hij vast
Dan klapt hij dicht
Met een gezicht
Van 't Christelijk Jongemannenkoor
En onder 't melkboerenhondenhaar
Houdt hij z'n hersens bij elkaar
Met de simpele berekening:
Wat koop je daar nou voor?

Hij zou zo graag wat minder gauw gegriefd zijn
En minder stug en in zichzelf en minder uit één stuk
En hij zou zo graag eens openlijk en reddeloos verliefd zijn
En dansend door de straten willen zingen van geluk
Hij zou zo graag eens hardop willen snikken
En rustig laten zien: ja – kijk ik grien!
In plaats van in een hoekje
Dan zo'n beetje moeilijk zitten slikken
Hij zou zo graag, hij zou zo graag…
Maar hij laat dat nooit zien!

Want 't blijft een Hollander
En dan komt het daar niet van
Want ach, een Hollander
Die wordt daar zenuwachtig van
Die kan z'n gevoelens nergens kwijt
Door z'n gebrek aan openheid
Hij duwt dat terug
En strekt z'n rug
En leeft weer ongemakkelijk door
En hij hervindt zijn zekerheid
In een kwasi-onverschilligheid
Terwijl hij zachtjes mompelt:
Wat koop je daar nou voor!

■

’71

■

Dag, stiefvader

Paul van Vliet: *‘Beatrix was in Leiden een jaargenote van mij, we zijn allebei aangekomen in 1956. Zij was een fan van het Leidsch Studenten Cabaret en ging altijd naar onze voorstellingen. Je kwam elkaar overal tegen. Ze is op mijn uitnodiging (“Komt u gerust een keer langs!”) zelfs ooit bij mij in molen De Valk geweest, om te kijken hoe we daar woonden. Op haar aanbeveling heeft het LSC een keer op paleis Soestdijk opgetreden bij de verjaardag van koningin Juliana. En ik ben ook geweest op het feest in Huis Ten Bosch, ter gelegenheid van het afscheid van Beatrix uit Leiden. Ik heb veel respect voor haar.*

Je kunt ook erg lachen met koningin Beatrix. Ze wíl graag lachen en in haar familie wordt veel gelachen, met zelfspot ook. Ik behoor niet tot haar intimi, ben meer een verre kennis. Bij een geboorte of sterfgeval schrijf ik haar wel eens een brief, en dan krijg ik altijd een brief terug. Verder niet. Op haar vijftigste verjaardag trad ik in Paleis Noordeinde op met Floor Kist, en ook bij het huwelijk van Willem-Alexander en Máxima was ik uitgenodigd.

Beatrix heeft in september 2004 het Haagse theater Diligentia heropend. Ik deed daar toen een speciale voorstelling. De Duitse schandaalbladen drukten daarna een foto af waarop de koningin en ik lachend en gearmd de zaal uit liepen en suggereerden dat ik “ihrer neue Liebe” zou zijn. Kort daarna kwam ik bij het jaarlijkse diner van de Skippers van de KLM prins Willem-Alexander tegen. Hij gaf me een hand en zei: “Dag, stiefvader.” Verbaasd vroeg ik: “O, u hebt het gelezen? En uw moeder ook?” “Ja,” antwoordde hij, “we hebben erg gelachen.” De Oranjes zijn een goed publiek, met een prima gevoel voor humor.’

■

Königin Beatrix:
So glücklich an der Seite ihrer Jugend-Liebe

Der lebensfrohe Künstler Paul van Vliet hat Hollands Monarchin wieder zum Strahlen gebracht

Etwas an ihrem Lächeln ist seit kurzem anders als sonst. Es ist so beschwingt und unbeschwert, wie man es bei Königin Beatrix (66) lange nicht gesehen hat.

Gibt es einen Grund dafür? Seit der Eröffnung des Den Haager „Diligentia Theaters“ glauben die Holländer es jedenfalls zu wissen. Denn da kam ihre Königin nicht allein, sondern in männlicher Begleitung: An ihrer Seite war Paul van Vliet, ein in Holland sehr beliebter Sänger und Kabarettist. Er hat eine Stimme, so weich wie die von Herman van Veen – und ein großes Herz.

Die beiden kennen sich seit der Studienzeit

Klar, dass Beatrix und dieser hoch gewachsene, charmante und gut aussehende 69-Jährige an diesem Abend alle Blicke auf sich zogen, und Hauptgesprächsstoff waren. Tuschel, tuschel – schnell sprach sich herum: Paul van Vliet ist eine alte Jugend-Liebe der Königin! Die beiden studierten Ende der 50er gemeinsam an der Leimener Universität Rechtswissenschaften. Danach ging jeder seiner Wege. Jetzt haben beide nach langen Jahren wieder zueinander gefunden.

Das neue Glück ist der Monarchin zu gönnen. Seit fast drei Jahren ist sie Witwe. Mit dem Tod von Prinz Claus verlor sie nicht nur die Liebe und den Mann ihres Lebens, sondern auch ihren wichtigsten Berater und Freund.

Königin Beatrix wirkt wie befreit

Nie ließ Beatrix sich anmerken, wie sehr sie unter der Einsamkeit litt – aber an der Seite des fröhlichen und humorvollen Künstlers wirkt sie glücklich und wie befreit.

Doch das Schicksal geht manchmal seltsame Wege: Während Beatrix wieder Freude am Leben gefunden hat, gibt es bei Sohn Willem-Alexan-

der Sorgen: Seit den olympisch Spielen kriselt es in seiner mit Prinzessin Maxima (**Ne Post** berichtete).

„Mit 66 Jahren, da fängt Leben an, mit 66 Jahren, da man Spaß daran.“ Das wis auch die Holländer. Und würden ihrer Königin ein ne Glück gönnen. „Sie sind doch richtig schönes Paar – und müssen ja auch nicht gleich raten“, sagen die Leute auf Straße. **Pia**

Ungewöhnlich beschwingt ließ sich Königin Beatrix von Paul van Vliet zur Theater-Eröffnung führen. Die beiden machten einen sehr vertrauten Eindruck

'64

Paul van Vliet is driemaal geridderd. Eenmaal in de orde van Oranje Nassau (1987) en eenmaal in de orde van de Nederlandse Leeuw (2001). Nadat hij tijdens een staatsiebezoek van de Zweedse koning in 1976 voor deze hoge gast in Carré een speciale voorstelling in het Engels had gespeeld, ontving hij de ridderorde van de Poolster.

Het intermezzo met de Jas van Claus viel vlak voor de eerste grote tournee van PePijn door Nederland, georganiseerd door Jo van Doveren en Karel Wunnink. Er werd een grote vrachtwagen ingeschakeld voor de nog schaarse rekwisieten, met op de zijkanten het opschrift 'Cabaret PePijn' en daaronder 'O.l.v. Paul van Vliet'. Drie maanden duurde de tournee, en al die tijd waren overal in het land alle voorstellingen uitverkocht.

Paul van Vliet: *'Iedereen kende mij ineens en de mensen verwachtten net zo'n sensatie mee te maken als bij de Jas van Claus. Maar in plaats van topamusement kregen ze een leuk programma van een beginnende cabaretgroep. Het heeft een tijdje geduurd voordat de kloof tussen de hoge verwachtingen en onze verrichtingen gedicht was en alles weer wat normaler werd. Na de zomer, in september 1966, konden we weer gewoon spelen. Dat was voor de rest van het gezelschap ook prettig, want toen waren we weer gelijk. Zoals dat hoorde.'*

Je staat te lang
Paul van Vliet: *'Jo van Doveren en Karel Wunnink zorgden ervoor dat we bij onze eerste tournee door Nederland een eigen vrachtauto en toneelmeester Johan Mattijsen meekregen. Iedereen noemde hem Ome Joop. Hij was een oude rot in het vak, die nog met Snip & Snap, Buziau, Lou Bandy, de Bouwmeester-revue en Wim Kan had gereisd. Toen hij bij ons kwam, had Ome Joop al veertig jaar theater achter de rug. Hij waakte als een vader over ons. Met onze Eenden reden Ferd. en ik op de Afsluitdijk achter de vrachtwagen van Ome Joop: hij hield ons uit de wind.*
Ome Joop is tot zijn dood in 1978 bij me gebleven. Ik heb heel veel van hem geleerd qua mentaliteit. Hij had de oude instelling tot het theater: als je een voorstelling brengt, heb je een verantwoordelijkheid tegenover het publiek en de schouwburg waar je speelt. Je dient je daarom ook altijd respectvol te gedragen. Dat is de basis voor een theatercarrière. Ik heb dan ook tot 1992, toen ik het ziekenhuis in moest, geen enkele voorstelling afgezegd. Soms stond ik met veertig graden koorts op het toneel, maar afzeggen was er niet bij, dat deed je niet. En een beetje koorts speelt wel lekker, als het niet te lang duurt.
Ome Joop stond bij al mijn voorstellingen met zijn stofjas en zijn uitgerookte sigarenpeuk wijdbeens en met zijn handen op de rug naar me te kijken vanuit de coulissen. Af en toe zei hij dan: "Je staat te lang." Dan moest er een minuut uit zo'n nummer, daar had hij een feilloos gevoel voor. Ik heb later nog vaak moeten denken: wat zou Joop hiervan zeggen?
Hij was een schat van een man, zo warm en zo absoluut één brok theater. Ome Joop beschermde me door dik en dun, hij had overal gezag. Op zijn sterfbed heeft hij Chris

van Bree, mijn geluidsman, opgedragen: "Zul je op die jongen letten, want nou moet jij het doen." Dat heeft Chris goed onthouden: hij was een bonk van een kerel met een heel gevoelige kant. Op alle reizen heeft hij daarna goed op me gepast. Ik ging 's nachts nooit ergens een café in zonder hem. Dat was nodig ook, want mensen kunnen soms zonder reden heel agressief worden. Dan staat iemand ineens met een stukgeslagen bierflesje tegenover je en zegt: "Jij denkt zeker dat je heel wat bent, hè?"' ■

Ome Joop Mattijsen

'71

Tussen 1964 en 1971 maakte PePijn vier programma's (*Oh, pardon*, *Opus 2*, *Dag en Nacht* en *Opus 4*), de lp *Cabaret PePijn* en enkele tv-shows. Ieder seizoen ging de groep drie maanden op tournee. Paul van Vliet kreeg er de kans om zijn talent verder te ontwikkelen en ervaring op te doen met alle facetten van het theater. Zonder spectaculaire gebeurtenissen of rellen speelde PePijn honderden voorstellingen.

Paul van Vliet: *'Jo van Doveren organiseerde onze jaarlijkse tournee, maar verder deden we alles zelf. Ferd. deed het geld, ik de publiciteit en de rest. En we kregen steeds meer werk. Ook omdat we behoefte kregen aan een beetje privé-leven, merkten Ferd. en ik in 1967 dat vooral het zakelijke gedeelte ons boven het hoofd groeide. We hebben toen als zakelijk leidster Annet Riezebos aangetrokken, die 25 jaar gebleven is. Ik heb mensen vaak lang aan me gebonden. Annet deed ook de organisatie van onze tournees, nadat Jo van Doveren in 1968 overleed.*
Na vijf jaar begon het, ondanks alle successen, te rommelen in ons hechte gezelschap. Liselore wilde haar teksten meer in haar eigen sfeer brengen en Ferd. neigde steeds meer naar musicals en toneel. Na een emotionele bijeenkomst was de tweedeling een feit: Liselore en Ferd. deden hun nummers in het eerste gedeelte van de avond, terwijl ik het gedeelte na de pauze in mijn eentje voor mijn rekening nam. PePijn was een groepje solisten geworden.
In Theater PePijn hebben we de groep daarom in juni 1971, in aanwezigheid van alle betrokkenen, vrienden en familieleden, ontbonden. Wim Ibo beschreef de sfeer van die avond als "de geforceerde vrolijkheid die soms op een begrafenis hangt". We kregen werkelijk tientallen brieven met smeekbedes om niet uit elkaar te gaan en samen in Theater PePijn te blijven. Maar de beslissing was onomkeerbaar.
Dat deed pijn, want PePijn is jarenlang het hart geweest van ons leven. Ferd. maakte aan het eind van elke avond de kas op, Lidewij deed het licht en de bar, Liselore maakte de zaal schoon, ik de toiletten. Pianist Rob was om niet te achterhalen redenen altijd vrijgesteld van schoonmaakwerkzaamheden, maar scheurde wel de kaartjes bij de ingang. We stimuleerden mensen om vroeg te komen, want dat was goed voor de omzet: "Als u bijtijds komt, bent u zeker van een goede plaats." Dan legden ze hun jas op een stoel en gingen wat drinken. We deden het allemaal samen en dat was heel intensief. Rob is nog tot 1977 als muzikaal leider bij mij gebleven. Liselore begon aan een serie eigen programma's onder de titel Een klein concert, *met onder meer Harry Sacksioni en Laurens van Rooijen. Ferd. ging na zeven jaar samenwerking de wereld van het grote toneel en de musical in. Het is nadien raar gegaan met ons: ik ben met zijn vrouw Lidewij getrouwd en zijn kinderen Manuel en Laurien zijn bij ons komen wonen toen ze acht en tien jaar waren. In het begin was dat moeilijk, en ontliepen we elkaar, maar het is allemaal goed gekomen. Hij is ook hertrouwd en onze relatie is uitstekend. Lidewij heeft me veertig jaar lang van dag tot dag gevolgd en is de steunpilaar in mijn leven. Met Liselore heb ik nooit ruzie gehad, we zijn simpelweg uit elkaar gegroeid. Zij is een eigen carrière begonnen. We blijven elkaar volgen in het werk en hebben nog vaak contact; wij zullen tot onze dood aan elkaar verbonden blijven, op een afstand.'*

avond
n zee
et
paul van vliet
m.m.v. gasten en het kwartet rob van kreeveld

Groeten uit Scheveningen

SCHEV. KURHAUS

een avond aan zee
met
paul van vliet
m.m.v. het kwartet rob van kreeveld

kurzaal scheveningen
vanaf 2 juli dagelijks behalve maandag en dinsdag; aanvang 20.30 uur
circus theater scheveningen
vanaf 30 juli dagelijks behalve maandag en dinsdag; aanvang 20.15 uur

kaartverkoop dagelijks van 10.00 tot 16.00 uur; telefonisch van 11.00 tot 16.00 uur, nummer 51 24 01 (kurzaal), nummer 55 88 00 (circus theater) en bij de bespreekbureaus.

1970-2002

Een Avond aan Zee

Aan het eind van de jaren zestig was de oude Kurzaal in Scheveningen in onbruik geraakt. Projectontwikkelaar Reindert Zwolsman had een groot deel van het onroerend goed in de badplaats gekocht en had meer interesse in expansie en de winst van de Exploitatie Maatschappij Scheveningen dan in culturele uitstraling. Op een winterdag in januari 1970 liep Paul van Vliet door het versleten en verlaten gebouw, samen met Piet van Dusseldorp, de toenmalige directeur van de Scheveningse theaters.

Paul van Vliet: *'Ik keek rond in de Kurzaal, een mooie oude zaal, waar gedurende bijna honderd jaar alle groten uit het vak gestaan hebben. Het was niet echt een theater, meer een feestzaal waar van alles kon. En ik vroeg aan Piet: "Kan ik hier niet iets leuks doen?" En hij antwoordde: "Ga je gang. Je mag hem deze zomer hebben." Bij mij begon toen iets te twinkelen en algauw kwam ik met het idee, dat een traditie zou worden:* Een Avond aan Zee met Paul van Vliet. *Die zomer werd de oude Kurzaal omgebouwd tot een café-chantant met duizend zitplaatsen, tafels en stoelen die cabaret gezet waren, vier buffetten, waxinelichtjes tussen de stoelen, priklampjes en honderden meters rode en witte zijde, die het plafond verlaagden en een intieme sfeer creëerden.*
En ik had intussen een programma geschreven. Scheveningen en de zee inspireerden tot allerlei teksten. Het leuke van het project was dat iedereen het zag zitten: de gemeente, de Stichting Promotie Scheveningen, de Maatschappij Zeebad, allemaal liepen ze warm voor een herwaardering van Scheveningen in zijn nadagen. Entertainment is in een badplaats als Scheveningen namelijk van groot belang. In een klimaat als het onze moet je namelijk meer bieden dan alleen een strand, daar heb je de allure nodig van casino's, festivals, theater, muziek. Er is in Scheveningen lang in het wilde weg gebouwd, zonder enige visie. Pas nu zie je weer een teruggroei naar wat ooit geweest is.'

Terwijl Paul van Vliet dat voorjaar nog bij Cabaret PePijn speelde, begonnen de voorbereidingen voor *Een Avond aan Zee met Paul van Vliet*. De directie van het Kurhaus bood de kaarten voor de show onder meer aan in de vorm van een arrangement, compleet met een diner, een overnachting en een ontbijt. Via de VVV's in het hele land waren tickets te bestellen. Bij wijze van hoge uitzondering – die normaliter alleen voor circussen gemaakt werd – gaf de gemeente Den Haag toestemming om het programma aan te kondigen met borden die tegen de Haagse lantarenpalen werden bevestigd.
De organisatie toonde een gedrevenheid die enthousiasmerend werkte: niemand kon eromheen dat er iets bijzonders ging

„Een avond aan Zee met Paul van Vliet"
Theaterhappening die een eclatant succes kan worden
Van statige cabaretier tot showman van allure

gebeuren in Scheveningen. Overal hingen de affiches met de golfjes, die het herkenbare beeldmerk zouden worden van Paul van Vliets *Avond aan Zee*.
Vanuit het hele land kwam het publiek toegestroomd, aangelokt door de feestelijke ambiance, de nostalgie van de Kurzaal en het in alle kranten bejubelde programma, dat een zorgeloos en zomers karakter had. Paul van Vliet verzorgde zelf het eerste en laatste deel van zijn show, terwijl het middendeel gereserveerd was voor een gast, meestal een vrouw. Dat waren onder meer Liesbeth List, Adèle Bloemendaal, Jasperina de Jong, Thérèse Steinmetz, Willeke Alberti, Liselore Gerritsen en Seth Gaaikema. Voor het eerst van zijn leven werd Paul van Vliet begeleid door een orkest van vier man, samengesteld en geleid door Rob van Kreeveld.
Aanvankelijk waren er vier avonden per week gepland, maar dat werden er al snel vijf, want de toeloop was geweldig. Dat kwam onder meer door Paul van Vliets liedjes, zoals het ontroerende 'Meisjes van dertien' en de zomerhit 'Alie van der Zwan', die in het streng christelijke vissersdorp de nodige opschudding veroorzaakte, ook al omdat een redersvrouw zo bleek te heten. Maar er was één man die op een wel heel bijzondere manier bijdroeg tot het succes van de *Avonden aan Zee*: Bram van de Commune.

Paul van Vliet: '*Brams optreden was hilarisch, echt het hoogtepunt van iedere avond. Hij was mijn eerste grote komische type. Bij het Leidsch Studenten Cabaret zat al een voorloper van Bram, die woonde in het "oud-minister Rutten-studententententenkamp". Bram van toen is overgegaan in Bram van de Commune in 1970. Precies op het goede moment had ik iets spraakmakends in handen, een deel van het publiek kwam er speciaal voor.*
Bram was het slotnummer van de avond, het laatste halfuur, en daar verheugde ik me altijd op. De zaal leefde dan op: ha, daar is-ie! Vaak liep het programma uit, omdat ik helemaal op hol sloeg. Bram barstte uit zijn voegen, hij was vrolijk, hij was high; en ikzelf ook een beetje. Als Bram - grap, stap - de uitbouw van het toneel betrad, ging de zaal kolken. De mensen rolden over elkaar van het lachen. Dat heb ik daarna niet zo vaak meer meegemaakt. En Bram kon zich van alles permitteren, hij begon bijvoorbeeld uit te leggen waarom een grap leuk was. En als hij vond dat er niet genoeg gelachen werd, zei hij: Ik vind hem zelf wél goed.

■

Die is goed, joh!

Bram van de Commune: *'En ook een hoop grappen, joh, bij ons in de commune! Grappen aan de lopende band, weet je wel. En ik mag wel verklappen dat ik dan een van de gangmakers daarbij ben. Toevallig wél, weet je wel.*
's Kijken of ik voor jullie niet een voorbeeld heb van zo'n grap. Moet ik even een sterke uitzoeken, weet je wel. Oja, ik weet er een, die is goed joh! Die grap die kan helemaal niet meer, weet je wel. Daar kom ik helemaal voor naar voren.
Moet je horen, verleden week was dat. (Ja, die is te gek, die grap.) Moet je horen, verleden week toen komt Thijs Overmaat bij me. Thijs Overmaat van tent 7, en die zegt tegen mij: Bram heb jij nog stuf? Ik zeg: Thijs, voor jou altijd. En ik geef hem een vlakgom. Goed is die, hè? Oeoeh!
Ja, want moet je horen, het sterke van deze grap is namelijk dit, dat Thijs Overmaat bedoelt met "Bram, heb jij nog stuf" :heb jij nog hasj? Weet je wel. En dat ik dat dan zogenaamd niet begrijp, weet je wel. Ja, want stuf is ook vlakgom, weet je wel! En dan zo, wham, recht voor z'n raap, weet je wel! Ja, joh, join reality, weet je wel!'

■

■

Goed hè, oeoeh!

Paul van Vliet: *'Van een* Avond aan Zee *kwamen een lp en een tv-show. Daardoor werd Bram algauw een nationale figuur. Zijn kreten "Wham, recht voor z'n raap", "Goed hè, oeoeh!" werden gevleugelde woorden, die te pas en te onpas werden gebruikt, ook in reclames. Overal in het land werden ineens Bram-contests gehouden, waarbij gekeken werd wie het beste Bram na kon doen. De best gelukte Bram-creaties kwamen vervolgens in een speciale tv-uitzending. Toen ik in 1971 een edison kreeg voor* Avond aan Zee, *heb ik het nummer van Bram voor die gelegenheid herschreven in "Bram in de RAI". Daarin kondigde hij aan in de politiek te zullen gaan, met de nieuwe partij "Bram, Seventy Wham". De piratenzenders draaiden beide Bram-conferences helemaal grijs en mensen kenden hele stukken uit het hoofd.*

'02

Langzamerhand kreeg ik het idee dat Bram me boven het hoofd groeide: de geest was uit de fles en wilde er niet meer in. Als ik niet uitkeek, zou mijn eigen creatie de rest van mijn werk overvleugelen. Dus heb ik Bram op de televisie bij Willem Duys laten aankondigen dat hij weg zou gaan. Hij ging op reis, om zichzelf te ontdekken. De volgende dag stond hij langs de snelweg met een bord "Tibet".
Ik had simpelweg genoeg van Bram. In cafés en op straat zagen ze me alleen nog als Bram en op den duur vond ik het niet leuk meer om Bram te doen. Je moet wel van je komische types blijven houden, anders gaat het niet meer. Daarom moest Bram weg. Maar we hebben wel erg met hem gelachen.'

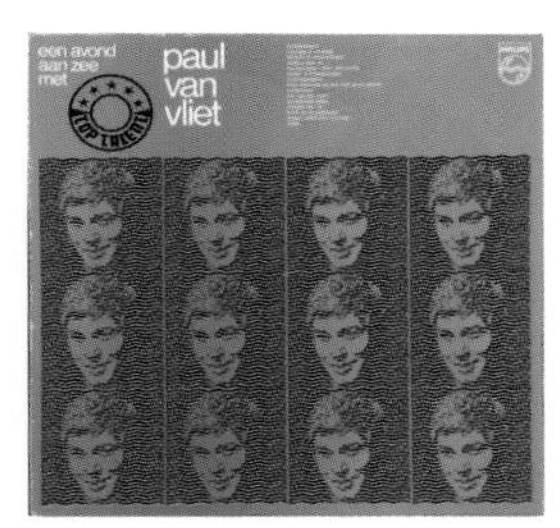

■

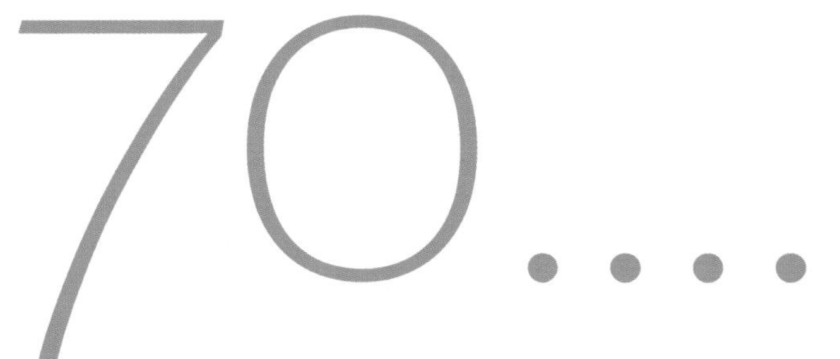

Het eerste kwartet van Rob van Kreeveld, met Peter Ypma, Joop Scholten en Koos Serierse

In de zomer van 1970 brak Paul van Vliet definitief door met zijn *Avond aan Zee*. Na afloop bleek dat de kassa van het Kurhaus het ongebruikelijke bezettingspercentage van 110 had genoteerd. Iedere avond was het oorspronkelijke stoelenplan namelijk ontoereikend gebleken, waardoor er altijd stoelen moesten worden bijgezet.

Paul van Vliet: *'Het was echt één groot feest. Ik had voor het eerst een eigen orkest, dat me door het programma heen droeg, en een groot publiek, dat me een enorm gevoel van welbehagen gaf. En ik was ook nog eens verliefd. Ik zweefde door de zomer. Het leek wel of alles toen pas echt begon. Ik kreeg bij die* Avonden aan Zee *het gevoel dat ik het, na zeven jaar in een ensemble te hebben gespeeld, ook alleen kon, terwijl ik daar tot dan toe altijd aan had getwijfeld. Ik was klaar voor de grote zalen en een breder publiek.'*

Natuurlijk kwam er na het succes van 1970 ook in de zomer van 1971 een serie *Avonden aan Zee*. De opzet bleef hetzelfde, met de jazzy band van Rob van Kreeveld, gasten in het middendeel en mooie liedjes als 'De zee'. De grote trekkers waren nu echter twee geheel nieuwe komische types: Majoor Kees en de Boer.

Paul van Vliet: *'Wat Bram was bij de eerste* Avond aan Zee, *was Kees bij de tweede. Zijn typetje had ik overgehouden aan mijn eigen diensttijd en in een voorstadium al eens uitgeprobeerd als ze me vroegen: "Doe eens iets leuks." Maar het echte nummer Majoor Kees had ik geschreven voor een speciaal optreden van PePijn voor de vliegbasis Valkenburg. Het lekkere aan Kees was dat hij zo oeverloos dom kon brullen, wat heerlijk was om te spelen.*
En hij paste schitterend in de tijd: overal in de samenleving was democratisering het toverwoord, dus was zelfs het absurde idee bespreekbaar dat het leger gedemocratiseerd zou worden. Dat was het geheim van Kees. Plus natuurlijk zijn trefwoorden: "geworden geworden", "de hartelijke garoeten" en vooral ook "Vragen? Geen vragen", waarmee ik onderwijzend Nederland jarenlang tot wanhoop gedreven moet hebben.
In diezelfde show zat ook de Boer, die op boerenslimme wijze een fake-boerderij had opgezet, ter lering en vermaak van de stadse lieden, die dachten er kennis te kunnen maken met het echte landleven. "Dat zijn leuke dingen voor de mensen," zei hij steeds, en iedereen zei het hem na. Dat nummer had ik tijdens de zomer geschreven. Wim Kan speelde toen in het Paviljoentheater – hij hield van kleine zalen – en ik ging vaak even buurten. Ik vertelde hem dat ik die middag het nummer van de Boer had geschreven en liet hem dat horen. Corry en hij moesten erom lachen en hij vroeg of ik het diezelfde avond zou durven spelen. Dat heb ik gedaan, de mensen brulden werkelijk van het lachen en ik wist: ik heb er weer een!'

■

Het koffertje van Paul

Paul van Vliet: *'Toen ik Wim en Corry Kan voor het eerst mijn nummer van de Boer voorspeelde, kreeg ik van Corry – die altijd kleine dingetjes bij zich had – een koetje dat gemaakt is van metalen schroeven. Dat zit in het koffertje dat ik al vanaf mijn twaalfde heb: een oud poppenkoffertje van mijn zusje. Het is over de hele wereld met me meegegaan.*
In het koffertje zitten mijn schminkspulletjes, een borstel, wat briefjes, een button

van PePijn, manchetknopen en een vrachtautootje met het opschrift "Paul van Vliet Theatershow", dat ik gekregen heb van mijn lichtman Wim Dresens, bij onze eerste Amerikaanse tournee. Verder nog van alles, zoals een tuinkaboutertje, dat ik van Lidewij kreeg omdat er tijdens mijn eerste onemanshow Noord-West *steeds een tuinkabouter op het toneel stond. En een beeldje van een koorknaap, dat Liselore me gaf omdat ze vindt dat ik een dappere zanger ben. Eén keer in een halve eeuw had ik mijn koffertje niet bij me, op een avond dat ik moest optreden in Groningen. Ik voelde me zo ongelukkig dat ik bij Assen op het punt stond om terug naar huis te gaan en het op te halen, maar daar was het te laat voor. Die hele avond heb ik een unheimisch gevoel gehad.'*

■

'70

■

Alter ego

Paul van Vliet: *'Al die komische types ben je natuurlijk zelf, maar ze zijn toch ook een ander. Voor het publiek is dat niet te snappen, maar voor mij zijn het medespelers, die meereisden met de show. Ik deed wel eens Majoor Kees als toegift. Dan wenkte ik hem, het voelde alsof hij daar echt tussen de coulissen op me stond te wachten. Uiteindelijk ging ik hem halen. Dan stond hij daar ook, zette een pet op en marcheerde het toneel op. Zo'n komische man is een alter ego geworden, die niet*

weg is na de show, maar met je meereist, onzichtbaar maar voelbaar.'

■

Ook de zomers daarna bleef Paul van Vliet zijn *Avonden aan Zee* spelen in de Kurzaal. Ieder jaar was het echter weer spannend of de zomerserie zou kunnen doorgaan. Projectontwikkelaar Bredero, die onder meer het Kurhaus van Zwolsman had overgenomen, aarzelde steeds tussen restauratie en afbraak. Overal om het Kurhaus heen verschenen puinhopen, want het Palais de Dance ging tegen de vlakte en ook de omliggende hotels werden afgebroken, zodat het aloude pand in een soort bouwput kwam te staan.
Dat het gebouw er nu nog altijd staat, is te danken aan het Comité Behoud Kurhaus, waarvan Paul van Vliet een actief lid was. Als waardering voor zijn inzet voor het behoud van de Scheveningse cultuur kreeg hij in 1985 een eigen lounge in het gerestaureerde Kurhaus. Vijf jaar later ontving hij de Fred Beugelingprijs van de Verenigde Scheveningse Ondernemers.
In 1975 werd het Kurhaus gesloten voor een ingrijpende verbouwing, maar speciaal voor Paul van Vliet bleef de Kurzaal in de zomer nog één keer open. De kranten meldden: '*Avond aan Zee* gaat toch door. Paul van Vliet kan blijven spelen in zijn geliefde Kurzaal.' Om het gebouw waren ijzeren hekken geplaatst en bij stille nummers kon het publiek in de verte de honden van de bewakingsdienst horen blaffen.
Na vier weken stak Paul van Vliet begin augustus met een fanfareorkest voorop en het publiek achter zich aan het Gevers Deynootplein over van het Kurhaus naar het Circustheater, dat voortaan zijn vaste 'zomerhuis' zou worden. Zijn hechte band met Scheveningen bleef bestaan, want de *Avond aan Zee*-traditie werd in het Circustheater voortgezet tot de dag van vandaag.

Paul van Vliet: *'De combinatie Scheveningen, zee, Paul van Vliet bleek te kloppen. Ik heb me altijd erg thuis gevoeld bij de zee. Voor mij waren de* Avonden aan Zee *keer op keer een hoogtepunt in het seizoen. Ik schreef er vaak aparte teksten voor, en ook speciale liedjes, zoals "Alie van der Zwan", "De zee", "Boven op de boulevard", "Het Noorden" en "Klein jongetje op een heel groot strand". Vanuit mijn kleedkamer liep ik altijd even in kamerjas en op blote voeten naar de zee om te zwemmen, dan ging ik eten en vervolgens spelen. Als ik de rest van het jaar met mijn shows het land in ging, zeiden veel mensen: "We wachten wel tot je in Scheveningen staat." Daar heb ik ook altijd de meeste vrienden en bekenden in de zaal gehad, waarna de avond na afloop met muziek en drank doorging tot soms onwaarschijnlijk laat. Ik speelde er soms wel twee maanden achter elkaar. Het waren fantastische zomers.'*

De zee

De zee heeft me verteld dat ze zo moe is
Zij zei dat ze er zeer beroerd aan toe is
Zij zei: wat is daar toch bij jullie aan de hand?
Wat doen jullie toch tegenwoordig allemaal op dat land?
Zij zei: er komen tegenwoordig steeds meer van die dagen
Dan kan ik alle vuile rotzooi haast niet meer verdragen
Dat zei de zee die me vertelde dat zij moe is
Die zei dat zij er zeer beroerd aan toe is.

'02

Zij zei: ik hoor dat er bij jullie af en toe wel een rapport verschijnt
Dat na de eerste onrust dan weer ergens in een la verdwijnt
Van de ene of andere waardeloze functionaris
Die vanwege het toerisme niet wil weten dat het waar is
Dat het waar is dat ik er zeer beroerd aan toe ben
Dat het waar is als ik zeg dat ik zo moe ben.

Vader Kan met zijn zonen bij de afbraak van Scheveningen.

Vroeger vond ik het fijn wanneer het zomer was geworden
Met al die mensen en die kinderen dat was gezellig hoor maar nú?
Nu heb ik vaak de neiging om te roepen als ze komen:
Blijf maar liever weg niet te dichtbij dat is slecht voor u
Dat zei de zee die me vertelde dat zij moe is
Die zei dat zij er zeer beroerd aan toe is.

Soms in november en december word ik nog wel eens giftig
Maak ik me net als vroeger nog wel weer eens driftig
Dan ram ik op die degelijke nieuwe Delta-dijken
En ik hoop dat ik iemand daarachter zal bereiken
Ik hoop dat er een paar mensen daar zullen zijn misschien
Die de reden van mijn radeloze woede willen zien
Maar het houdt niet op het gaat maar door het komt erger telkens terug
En ik denk: dit heeft geen zin en ik trek me maar weer terug
Dat zei de zee die me vertelde dat ze moe is
Die zei dat zij er zeer beroerd aan toe is.

Toen zweeg de zee en ik stond daar in de zomernacht
Ik zei: kan ik iets voor je doen misschien?
De zee heeft even nagedacht
Toen zei zij: zo overbodig als het was in vroeger dagen
Zo nodig is het nu om water naar de zee te dragen.

Dat zei de zee die me vertelde dat zij moe is
Die zei dat zij er zeer beroerd aan toe is
En als de zee zegt dat zij moe is
Wil dat zeggen dat het land er zeer beroerd aan toe is.

'70

■

Humor moet ernstig worden gebracht

Paul van Vliet: *'In die beginjaren heb ik veel gedronken, maar nooit voor een voorstelling. Een paar seizoenen lang dronk ik in de pauze jonge jenever met cola, omdat ik daar zo lekker op speelde. Tot ik een keer bij een opname van mezelf een zweem van een dikke tong bespeurde: toen heb ik die gewoonte radicaal afgeschaft. Je speelt niet goed met drank op, want het gaat ten koste van je timing, en dat is schadelijk voor de humor. En het is volstrekt dodelijk als je jezelf leuk begint te vinden. Humor moet ernstig worden gebracht. Terwijl je ernst juist heel licht moet brengen, anders wordt het te zwaar. Je moet altijd tegen het karakter of de emotie van je personage in spelen, dan wordt het veel echter.*

Als iemand ongelukkig is of worstelt met zijn emotie, zie je bijvoorbeeld vaak dat hij onbeholpen glimlacht. Zo moet je het ook op het toneel doen: "Ga nou niet weg, joh", bijna verontschuldigend klein. Dat is veel mooier dan pathos. Zoals Jacques Brel, een van mijn idolen, "Ne me quitte pas" zingt: heel licht en juist daarom zo adembenemend mooi. En zoals Toon Hermans het leukst was als hij serieus bleef in zijn komische nummers, want die heilige ernst maakte dat zo buitensporig grappig. Dat was ook het leuke aan Majoor Kees: in zijn domheid was en bleef hij bloedserieus.'

■

■

Onderweg ben ik iets van die improvisatie kwijtgeraakt

Paul van Vliet: *'Veertig jaar geleden zag ik Herman van Veen voor het eerst optreden in theater Diligentia in Den Haag, en toen dacht ik meteen: dat is een grote. Maar ook: hij doet dingen die ik deed toen ik nog op school zat. Dat was een schok voor me. Indertijd schreef ik namelijk stukjes absurdistische humor, die ik later nooit meer gebracht heb in mijn programma's. Juist toen ik die muzikale springerigheid en de clowneske improvisatie van Herman van Veen zag, besefte ik het verschil met mijn eigen werk. Mijn programma's waren toen – en zijn dat nog altijd – veel verzorgder en doordachter: ik zocht altijd naar een mooie evenwichtige opbouw, een contrast tussen ernst en humor, dacht lang na over de lijnen in het programma en heb mijn hele carrière lang weinig geïmproviseerd. Onderweg ben ik iets van die improvisatie kwijtgeraakt. Het is best mogelijk dat Leiden daar invloed op heeft gehad: die academische wereld, en zeker de wereld van het corps, was intellectualistisch. Het was niet zo belangrijk of je een "leuke" jongen was, maar wel of je een "spitse" jongen was. De mores vormden een keurslijf, waarmee je in de groentijd al kennismaakte. Hoewel ik me in de rest van mijn leven nooit aan anderen heb aangepast, heb ik in die eerste studiejaren wel intensief meegedaan op een manier waarop je geacht werd je te gedragen. Pas met het Leidsch Studenten Cabaret heb ik me daarvan losgemaakt en ging ik een eigen weg.*

Een andere invloed is ongetwijfeld het juridische denken geweest. De laatste tweeënhalf jaar van mijn studietijd ben ik echt het recht in gedoken, en ik vond het nog leuk ook. Ik ging verbanden zien, het belang en de invloed van het recht in de samenleving. Daar heb ik me helemaal op geworpen. Maar het juridisch denken redeneert altijd naar een conclusie toe, die vaak al vaststaat als je eraan begint: je wilt ergens terechtkomen, zodat je handig en slim naar dat belang toe redeneert. Dat soort denken sluit fantasie uit, want daar is geen plaats voor; wel voor taalvaardigheid en spitsvondigheid. Maar niet voor de zijpaden, want dan verlies je het doel waarvoor je bent ingehuurd uit het oog.

Het heeft voor mij vrij lang geduurd voordat ik weer vrij durfde te schrijven en emoties durfde toelaten. Pas nadat Cabaret PePijn was opgeheven, durfde ik het intellectuele keurslijf helemaal los te laten. De oeverloze vrijheid die ik toen voelde sloeg over op mijn schrijven; soms dacht ik sneller dan ik kon schrijven en bediende ik me in de eerste versie van zulke stukken van een eigen soort steno, gekrabbelde teksten met grote gaten erin, die ik pas later invulde. Dat gebeurde zowel met liedjes als met komische stukken. De rest van mijn carrière is dat altijd een signaal voor me geweest dat ik beet had.'

■

’02

■

Noordzee
(vrij naar Hildegard Knef)

Ik hou niet van die zinderende hitte van ’t Zuiden
Van die indringende zon die alles ontdekt
Ik hou niet van die glasharde staalblauwe hemel
Van dat grasloze land dat zich lusteloos strekt.

Ik hou niet van die luie en stoffige middag
Waarin alles wat leeft voor de zon is gevlucht
Ik hou niet van de barsten in de keiharde bodem
En ik word nerveus van die trillende lucht.

Ik hou van de donkere kleuren van ’t Noorden
Van het grijs en het groen en hun veilige rust
Ik hou van ’t voorzichtige licht van de morgen
Op de knisperenden duinen van de Hollandse kust.

Ik hou van de adem die je ziet in de kilte
Van de zwiepende striemende regen op zee
Ik hou van de nevel en zijn beschermende stilte
Van de inktzwarte nacht van november-aan-zee.

Ik hou van de kust waar het water kan kolken
De schelpen en het hout voor het spelende kind
Ik hou van de schuimende zee en de wolken
Met krijsende meeuwen die dansen in de wind.

Ik hou van de wieren die de pieren begroeien
Van de bruisende branding in de zakkende zon
Ik hou van de kleuren die zachtjes vervloeien
Aan de kust van mijn jeugd
Waar alles begon.

En met nieuwe muziek en met andere woorden
Zal ik daar altijd verwonderd weer staan
En zingen over de zee van het Noorden
Daar voel ik me thuis want
Daar kom ik vandaan.

■

Het Circustheater

paul van vliet
kwartet
rob van kreeveld
met
dick v.d. capellen
hans beths
joop scholten
Nieuw
progr.
febr. '72
20.15 uur
Kaartverkoop en
Paul van Vliet
PHILIPS
one man show
Noord West

1971-1973

Noord-West

Na de grote doorbraak bij de eerste *Avond aan Zee*, in de zomer van 1970, was Paul van Vliet aanvankelijk van plan verder te gaan met een nieuwe cabaretgroep. Het liep echter heel anders, want vanaf 1971 stond hij twee jaar lang op de planken met zijn eerste onemanshow, *Noord-West*.

Paul van Vliet: *'Cabaret PePijn was verleden tijd en ik wilde aanvankelijk een nieuwe groep oprichten met Rob van Kreeveld als muzikaal leider. Maar Nick van den Boezem vroeg me: "Waarom geen onemanshow?" Daar was* Een Avond aan Zee *een soort opmaat voor geweest, solo met een band erachter. En ik raakte er steeds meer van overtuigd dat ik het kon.*
Nick van den Boezem was een precieze, erudiete man, die als regisseur begonnen was bij Vara-radio en daarna bij de afdeling drama van Vara-tv werkte. Bij Dag en Nacht, *het derde programma van PePijn, had ik behoefte aan een nieuwe visie, een objectief nieuw oog. Daarom vroeg ik hem om ons te coachen. Ik noem dat bewust geen regie, want cabaret laat zich lastig regisseren.*
Toen ik op Nicks aanraden koos voor een onemanshow, werd hij mijn coach. Drie shows lang is hij dat gebleven. Nick was een stuk ouder dan ik, had veel ervaring en was breed ontwikkeld. Hij schreef zelf ook, kon zich goed inleven in mijn teksten en heeft me vooral in die beginjaren gestimuleerd, gevoed en bestookt met ideeën.
Dat heeft me veel zelfvertrouwen gegeven.
Als ik nu terugkijk, sta ik verbaasd over mijn eigen oeverloze brutaliteit uit die beginjaren. Mijn houding straalde uit: ik weet hoe het moet, ik weet wat we gaan doen. En dus begon ik een eigen groep in een eigen theater met een eigen onderneming.
Ook toen ik alleen doorging, vroeg iedereen om me heen altijd: "Paul, wat gaan we doen?" Dan gaf ik dat aan, niet autoritair, maar wel dwingend. Klaas van Dijk, een van mijn latere musici, heeft eens tegen me gezegd: "Jij geeft altijd de schijn van overleg, maar doet ondertussen wel je eigen zin." Ik leg de mensen om me heen blijkbaar wel beslisbare dingen voor, maar blijk dan al te weten wat ik wil.
Maar zonder die mentaliteit krijg je niets van de grond!
Als beginnend artiest heb je het recht om een periode met oogkleppen op, "one-trick minded", je eigenwijze weg te gaan. Theater vraagt dat soort egocentrisme, de grote pretentie om daar te gaan staan, zeker met eigen teksten, woorden, gedachten. "Jongens, hier ben ik, vind mij mooi en goed en aardig!" Als het goed is, verandert dat mettertijd, maar in die eerste jaren heb je die eigenzinnigheid nodig om door je eigen twijfel heen te duwen.'

Met Nick van den Boezem

'71

■

Ik kon niet ophouden met schrijven

Paul van Vliet: *'Ik was na PePijn van iets bevrijd: voor het eerst kon ik voor mezelf schrijven. Tot die tijd schreef ik altijd voor het ensemble: eerst voor de anderen, dan pas voor mijzelf. Nu hoefde ik geen duetten en sketches meer te schrijven voor de groep, maar mocht ik alleen aan mezelf denken. Ik kon gewoon niet ophouden met schrijven. Voor de première van* Noord-West *hield ik zelfs nog teksten over.*
En ik kon vervolgens ook niet ophouden met spelen. Vijf dagen per week stond ik met Noord-West *op het toneel en dan deed ik daar ook nog in het Rotterdamse Hofpleintheater op vrijdag en zaterdag een nachtprogramma achteraan. "Doen we toch?" zei ik opgewekt; dan ging ik een halfuurtje liggen en was ik daarna weer fit om het nachtpubliek aan te kunnen. Ik heb die eerste onemanshow heel lang gespeeld, vijf of zes keer in de week. In totaal waren het ruim vijfhonderd voorstellingen, allemaal vol.'*

■

Noord-West bevatte klassiek geworden liedjes als *De zee* en *De Heilige Kuip*, over voetbal als nieuwe religie. Daarnaast waren er vier grote komische nummers: naast de gids in het Van Rappartreservaat voor Uitgestorven Nederlanders en de lange monoloog *Partnerruil* (volgens Rudi Carell het beste Nederlandse cabaretnummer ooit) waren de Boer en Majoor Kees als twee zekerheden meegenomen van *Een Avond aan Zee*.

Paul van Vliet: *'Toon Hermans zei, nadat hij de show gezien had, tegen me: "Je bent gek, je doet veel te veel grote komische nummers in één programma. Die moet je over jaren verdelen!" Maar ik haalde mijn schouders op: "Ach, ik schrijf wel weer nieuwe." Maar hij had gelijk, ik heb nadien nooit meer zo oeverloos geschreven als voor* Noord-West, *dat daardoor een uitzonderlijk rijk en vol programma was.*
En het kwam op dat moment natuurlijk zeer goed uit dat ik met Majoor Kees en de Boer een paar aansprekende types had. Van de Franse theatermaker Jean Anouilh had ik geleerd wat het geheim was van een goed komisch type: een duidelijk herkenbaar karakter, een komische conflictsituatie en dan pas de tekst. En beslist niet andersom, anders krijg je gewoon een grappenmaker met een pet op en dat is geen echte humor. Het werkt niet als je iemand in een kapiteinsuniform simpelweg een kwartier lang grappen over de scheepvaart laat vertellen. In de afgelopen veertig jaar heb ik gemerkt dat Anouilh gelijk had: als de situatie en het karakter van de persoon goed zijn, komen de grappen vanzelf. Humor moet ergens logisch zijn.
Ik ben nu eenmaal geen conferencier die een serie grappen vertelt. En ook niet iemand om wie de mensen gaan lachen als ik opkom. Ze worden wel stil, maar dat is iets anders. André van Duijn en Corrie van Gorp kunnen gewoon tien minuten achter elkaar tussen de rijen publiek door lopen en dan liggen de mensen blauw. Zoiets hoef ik niet te proberen. Dan zeggen ze: "Ga jij eens een behoorlijk lied zingen."'

Meisjes van dertien

Hebben van die wapperende voeten
Lopen altijd overal tegenop
Weten helemaal niet wat ze moeten
Kauwen dus de hele dag maar drop
Moeten oude jurken van hun grote zusjes aan
Die hun moeders hen nu juist zo énig vinden staan
Houden niet van zomerkampen moeten daar toch heen
En zijn daar met z'n honderden verschrikkelijk alleen...

Meisjes van dertien – niet zo gelukkig
Meisjes van dertien – er net tussenin
Te groot voor de poppen – te groot voor de merels
Te klein voor de liefde – te klein voor de kerels
Met een glimmende neus
En met knokige knietjes
En in hun dagboek
Staan de kleine verdrietjes
Meisjes van dertien – vlak voor 't begin
Meisjes van dertien – er net tussenin.

Hebben van die dromerige koppies
Hebben van dat dunne steile haar
Willen niet meer samen met de jongens
Willen nou alleen nog met elkaar
Giechelen bij de naam van 't onbereikbare idool
Giechelen om hun vader en de leraren op school
Giechelen van ongemak en giechelen van spijt
Giechelen zich een weggetje naar een betere tijd...

Meisjes van dertien – niet zo gelukkig
Meisjes van dertien – er net tussenin
Te groot voor de poppen – te groot voor de merels
Te klein voor de liefde – te klein voor de kerels
Nog nergens een vrouw – ja van boven voorzichtig
Maar verder nog nergens – nog te dun en te spichtig
Meisjes van dertien – droom er maar van
Meisjes van dertien – giechel maar an!

'73

Met Toon Hermans en Annet Riezebos na de show

’71

De werktijde

Majoor Kees: *‘Dan deelt Kees mede, dat de werktijde zulle worde teruggebracht geworde tot de vijfdaagse gevechtsweek. An de vijand zijn stukke verzonde geworde, waarin de vijand wordt medegedeeld geworde, dat het nou verders géén zin meer heeft het vaderland binne te valle tussen des vrijdags 17.00 uur en des maandags 09.00 uur, daar dán niet op enige weerstand van betekenis behoeft te worde gerekend geworde.’*

■

En dan lach je je te barsten!

De Boer: *'Zo hebben mijn vrouw en ik dat gadegeslagen, dat verlangen naar het landleven en we hebben een boerderij gesticht in een compleet nieuwe opzet.*
We hadden nog één oude bouwval behouden en daar kunnen nou stadse mensen voor 35 gulden per dag het eenvoudige boerenlandleven aan den lijve ondervinden. En dan lach je je te barsten! Verdomd als 't niet waar is.
Want kijk, die stadse mensen willen dan vooreerst graag het krieken van de dag meemaken. Daar hebben wij het volgende op gevonden. Dan gaan mijn vrouw en ik vroeg weg van onze moderne bungalow, wij sluipen de bouwval binnen, rammelen daar wat te heen en te weer met melkbussen en melkemmers en daarna gaan wij weer te bed. En voor de laatkomers doen we dat om half elf nog een keer. Ja, dat zijn leuke dingen voor de mensen.
En als ze dan bij ons zijn, dan willen ze ook graag de eieren van onder de kip vandaan halen. Daar hebben wij het volgende op gevonden. Wij kopen die eieren in de supermarkt van de heer A. Heijn, leggen die zo acht, negen stuks bij elkaar, douwen daar een kip op; of een haan, want ze zien het verschil toch niet! En dat die kip daar mooi op zitten blijft, voeren we die kip dan wel librium 10. Ja, dat zijn leuke dingen voor de mensen.
En dan willen ze ook graag de eenvoudige boerenmestlucht ruiken. En daar hebben we het volgende op gevonden. Wij hebben een overeenkomst gesloten met de Airwick-fabrieken en die brengen exclusief voor onze boerderij in spuitbussen op de markt: Airwick Strontspray! Ja, dat zijn leuke dingen voor de mensen.'

■

Het kantoor van PePijn op het Smidswater

De zaak

Paul van Vliet: *'Vanaf het begin van mijn carrière heb ik altijd onafhankelijk willen zijn van impresario's. Ik wil de boel nu eenmaal graag zelf in de hand houden en vind het moeilijk om iemand boven me te hebben die zegt hoe ik de dingen moet doen. Ook mijn regisseurs zijn altijd eerder coaches geweest. Dat komt door mijn diepe behoefte om onafhankelijk te zijn, zowel artistiek als financieel als organisatorisch.*
In het begin was die keuze onbewust. Ik wilde een theater en een eigen groep, en de leiding daarvan deed ik dan zelf wel. Dat betekent automatisch dat je verantwoordelijk bent voor alles: het programma, de theatertechniek, de planning, de publiciteit, het drukwerk, de administratie, de correspondentie, alles. Je kunt, net als bij de show, niemand de schuld geven als er iets misgaat, want je bent zelf de eindverantwoordelijke.
De eerste jaren van PePijn deed ik dat samen met Ferd. Hugas: hij het geld plus de administratie – het dubbeltabulaire kas- en bankboek, bijgenaamd "het Lel" – en ik de rest. Het grote voordeel is dat dan alles je ogen passeert, omdat je je zelf met letterlijk alles bezighoudt. Daardoor kreeg ik een intensieve scholing in het theater als bedrijf. En ik had ook nog wat aan mijn rechtenstudie, want ik heb geen schrik van contracten. De meeste artiesten besteden alle rompslomp rond hun contracten uit, omdat die gesteld zijn in een taal die ze niet kennen. Maar ik kan ermee omgaan en lees vooral ook de kleine lettertjes, omdat daar vaak tricky dingen in staan.'

Zaken doen met Ferd. Hugas

Paul van Vliet: *'Hoewel ik, zeker in de beginjaren, zelf het hele bedrijf runde, heb ik wel altijd hulp gehad bij de zakelijke leiding. Vooral met geld was dat nuttig, want daar kan ik niet mee omgaan: ik geef het veel te makkelijk uit. En ook in onderhandelingen met medewerkers ben ik altijd meer dan schappelijk geweest. Mijn groep behoorde altijd tot de best betaalde musici en technici van Nederland. In de loop der jaren ben ik op het gebied van geldzaken heel zorgvuldig begeleid: Gerard van der Veen heb ik, nadat ik mijn schuld aan Heineken had afbetaald, aangehouden als mijn privé-accountant. Hij heeft me jarenlang begeleid en geadviseerd. Ook zette hij de nieuwe structuur van PePijn op. Daarin werden ondergebracht: a. mijn show, b. alle artistieke producten van Liselore, en c. het theater. Eind jaren zeventig nam Pieter Hekman mijn financiën over. Hij was een degelijke accountant, die bergen werk heeft verzet voor Theater PePijn en voor mij een pensioenfonds heeft opgebouwd. Sinds 1996 doet het financiële bureau van Jos en Theun de Graaf mijn geldzaken: ook degelijke mensen van het onkreukbare type dat je op financieel gebied graag achter je hebt staan.'*

In 1967, toen het organisatorische werk rond Theater PePijn langzamerhand te veel was geworden voor Paul van Vliet en Ferd. Hugas, werd een zakelijk leidster aangetrokken: Annet Riezebos. Aanvankelijk combineerde ze het werk voor PePijn met een betrekking bij het organisatiebureau Holland Organising Centre en later met Lumen, het impresariaat van cabaretier Fons Janssen.
Maar vanaf 1969 werkte ze exclusief voor PePijn, aanvankelijk alleen, later met een secretaresse en een boekhouder.
Het eerste kantoor was gevestigd aan het Smidswater in Den Haag, enkele huizen verwijderd van het pand waarin Paul van Vliet en Liselore Gerritsen woonden.
Toen zij naar Breukelen vertrokken, verhuisde het kantoor naar hun vroegere woonhuis. Dat werd opgeleverd in vijf verdiepingen: de onderste twee waren verhuurd, op de tweede verdieping waren de administratie van Theater PePijn en de boekhouding ondergebracht, op de derde verdieping had Annet Riezebos haar kantoor. En op de zolderetage heeft Paul van Vliet nog altijd zijn Haagse pied-à-terre. Het pand is eigendom van PePijn Beheer, zijn pensioenfonds.

Paul van Vliet: *'Annet Riezebos is een kwarteeuw lang mijn zakelijk leidster geweest. Zij was een legendarische vrouw, ongetrouwd, dynamisch, goudeerlijk, zeer aanwezig, kritisch, met een hart van goud en soms keihard. In heel Nederland kende iedereen uit het vak haar, want ze was een vrouw waar je niet omheen kon. Ze heeft mij en mijn shows als het belangrijkste in haar leven gezien en vocht waar nodig als een leeuwin voor me. Haar omarming verstikte me ook wel eens, want niets mocht buiten haar om, ik was van haar, zelfs op het privé-vlak. Als het via haar liep, was het goed. Ze schermde me soms wat overdreven af, maar haar toewijding en hart voor de zaak waren boven alle lof verheven. We hebben echt lief en leed van ons beider levens samen gedeeld, veel gelachen en gehuild, en soms stormachtige ruzies gehad. Maar zij was zo eerlijk dat het zelfs na knetterende onmin toch altijd weer goed kwam. Voor al mijn familie en vrienden was ze een instituut, een kanjer. Letterlijk en figuurlijk een zware vrouw, die kon drinken als een kerel.*

Annet Riezebos

Na 25 jaar ging ze met pensioen en dat vond ze heel moeilijk. "Jij gaat toch ook niet met pensioen?" mopperde ze tegen me. Maar haar afscheid was een schitterend feest in het Circustheater, waarbij heel theater-minded Nederland aanwezig was. Ze is toen door iedereen toegesproken, onder meer door burgemeester Havermans en natuurlijk mijzelf. Enkele jaren later is ze overleden.
Annet werd in 1992 opgevolgd door Joke van Rossum, die voor me gewerkt heeft tot 1994, toen ik "My Fair Lady" ging doen en het kantoor twee jaar "geslapen" heeft: alleen de zaken van Theater PePijn en de boekhouding gingen toen door. Annet was van de oude stempel en tikte brieven in viervoud met carbonpapiertjes en typex. Na haar zocht ik een modernere vrouw – en beslist weer een vrouw, want mannen hebben de neiging een competitie met je aan te gaan. Joke deed op dat moment de publiciteit bij het Rotterdamse Luxor Theater. Ze was een lange, doortastende meid met leuke ideeën. Bij ons vond ze alles ouderwets en ze wilde meteen het logo van PePijn restylen, maar daar was ik tegen. Joke stond echt aan de frontlinie van het moderne leven, wat voor de rest van ons een verfrissende impuls was. Alleen kon ze net zomin als ik met geld omgaan, terwijl Annet en later Inge met mijn geld nog zorgvuldiger zijn dan met hun eigen geld. Daar stond tegenover dat Joke me bijzonder goed wist te verkopen. Ze had het over mij als over "het product Paul van Vliet".
Sinds 1996 werkt Inge van der Werf voor mij. Zij is echt een lot uit de loterij: ook heel charmant en eerlijk, maar uiterst zakelijk en een kei in onderhandelen. Met haar eigen theaterbureau Unlimited behartigt ze de belangen van een honderdtal Nederlandse acteurs, voor wie ze contracten afsluit met producties in de ruimste zin van

het woord. Voor mij doet ze echt "total management", ook mijn privé-zaken. Haar assistente Merijn de Haas is speciaal voor mij in dienst. Het werk op kantoor bestaat voornamelijk uit het boeken van tournees, contacten met theaters, publiciteit, contacten en contracten met televisie, platenmaatschappijen, uitgeverijen, regelwerk rond boeken, columns, interviews

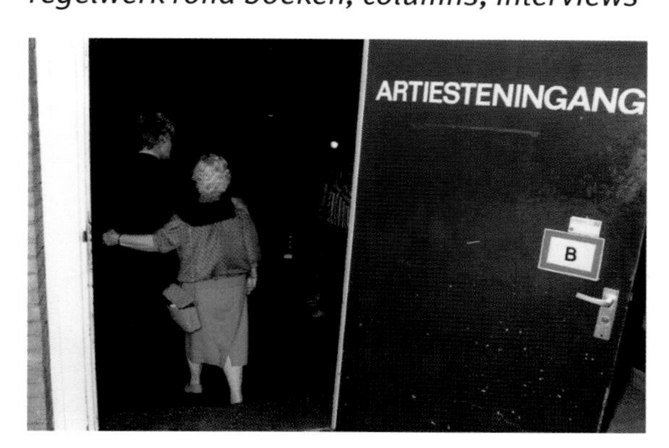

en internationale reizen. Ook al mijn werkzaamheden voor Unicef gaan via kantoor, want daar houden ze mijn agenda bij. Aanvragen voor interviews, openingen van tentoonstellingen en supermarkten, radio- en televisiewerk, bijwonen van feesten en partijen, schrijven van gelegenheidsstukjes en al dergelijke andere vragen – waarvan er dagelijks minstens vijf binnenkomen – worden via mijn kantoor afgehandeld. Ik begin iedere dag met bellen naar kantoor, om alle lopende zaken te bespreken. Alles gaat in overleg, Inge neemt nooit beslissingen buiten mij om.
Dat kantoor in Den Haag is door acteur Henk van Ulsen "Het Hoge Huis" genoemd, omdat het met voorsprong het hoogste pand aan het Smidswater is. Het is een belangrijke plek voor mij. Nog altijd vind ik het een lekker gevoel dat mijn zaken in een eigen kantoor zijn ondergebracht. Op de verdiepingen waar nu Unlimited en PePijn zitten, hangen alle affiches van 1960 tot nu, plus allerlei foto's en krantenknipsels. Mijn hele artistieke en zakelijke leven is daar samengebald. En daar vergaderen we ook, liefst op vrijdagmiddag aan het eind van de middag, omdat we dan na afloop de werkweek kunnen wegdrinken, net als op een echt kantoor.'

■

Ik ben naar kantoor
Paul van Vliet: *'Ik heb altijd tegen Inge gezegd: "Mocht ooit de tijd komen dat niemand mij meer voor iets vraagt, dan moeten jullie maar fantasiedingen voor me verzinnen, manifestaties waarbij mijn aanwezigheid van groot belang is. Zodat ik tegen Lidewij kan zeggen: ik ben naar kantoor."'*

■

Inge van der Werf

■

Onder cabaretiers is een zakelijke bedrijfsopzet, zoals Paul van Vliet die gekozen heeft, vrij zeldzaam. Alleen Herman van Veen (met Harlekijn) en Youp van 't Hek (met Hekwerk) hebben hun activiteiten op een vergelijkbare manier in een bedrijfsvorm ondergebracht.

■

■

Artiest en Bekende Nederlander
Paul van Vliet: *'Bij de opening van het academisch jaar heb ik in Antwerpen een keer een rede gehouden waarbij ik betoogde dat ik in feite met zijn tweeën ben: de artiest en de Bekende Nederlander. Het gaat natuurlijk om de artiest, die in het begin van zijn carrière bekendheid en erkenning zoekt, en dus publiciteit nodig heeft om de markt te veroveren met zijn artistieke product. Daarvoor maak je dan gebruik van talkshows, interviews en andere vormen van free publicity, om bekend te worden bij het publiek.*
Als je succes hebt en op de tv komt, is het gevolg dat je een Bekende Nederlander wordt. En als je niet oppast, gaat die Bekende Nederlander een eigen leven leiden, losgekoppeld van de artiest.

Wanneer de artiest zijn artistieke product niet goed bewaakt, dreigt het gevaar dat de Bekende Nederlander de artiest gaat overvleugelen. Dan word je verhandeld los van je artistieke product. En daardoor verkommert en verschraalt je creativiteit, met als resultaat dat de artiest wordt uitgehold en in de verdrukking komt. Waardoor hij samen met de Bekende Nederlander uiteindelijk in de afgrond tuimelt.
Ik ben door mijn zakelijk leidsters en adviseurs altijd afgeschermd, zodat de Bekende Nederlander niet te veel aandacht kreeg. Zelf heb ik mijn programma's altijd als de enig zinvolle publiciteit gezien, de rest is bijzaak en gebakken lucht. Wim Kan zei ooit tegen me: "Jongen, zorg dat jij de media gebruikt en niet andersom." Dat heb ik altijd als criterium gehad.'

■

Paul van Vliet: *'De enige commercial die ik ooit gedaan heb, was een campagne voor Kenmore-overhemden, helemaal aan het begin van mijn carrière. Dat was een beetje gelikte reclame, waarin ik eigenlijk niet thuishoorde. Daar heb ik altijd nog spijt van. Sindsdien heb ik nooit meer commercials gedaan, al heb ik wel fantastische aanbiedingen gehad. En dan doet zich een merkwaardig verschijnsel voor: hoe langer je weigert, hoe hoger het aanbod. In 1983 heb ik op het punt gestaan om een tv-commercial voor Robeco te doen, omdat ik daar onwaarschijnlijk veel geld voor kreeg. Ik zat op dat moment tussen twee shows in en de voorbereiding van mijn nieuwe show – die altijd wel een paar ton kost – kon ik er vrijwel geheel van betalen. Het ging over een nieuwe manier van sparen en de eerste regel van het script van die commercial luidde: "Paul van Vliet kijkt vertrouwenwekkend in de camera." Lidewij zei tegen me: "Je bent een tijd niet op tv geweest, en nu zou je voor het eerst in een commercial gaan spelen die ook nog eens over geld gaat? Dat moet je niet doen." Ik heb toen een uur door de polder lopen plussen en minnen, waarna ik gebeld heb dat ik het niet deed. Daar ben ik nog altijd blij om.*
Het is grappig om te merken dat mensen het niet begrijpen als je nee zegt tegen geld. Multimiljonair Maup Caransa wilde mij ooit in zijn hotel laten optreden tijdens beide kerstdagen. Annet vertelde hem dat ik de kerstdagen reserveerde voor mijn familie, waarop Caransa 5000 gulden per avond bood. Toen ik daarop nee zei, verhoogde hij dat tot 10.000 gulden. Na heen en weer bellen werd dat 20.000, 30.000 en zelfs 40.000 gulden per avond. Voor Annet en mij werd het echt een prestigekwestie. Caransa riep op een gegeven moment vertwijfeld: "Maar iedereen heeft toch zijn prijs?" Waarop Annet fijntjes antwoordde: "Paul niet."
Veel later kwam ik Caransa ergens tegen. Toen zei hij: "Dat heb ik nooit begrepen. Bent u soms schatrijk?" Ik antwoordde: "Dat niet, maar ik ben op Kerstmis niet te koop."
Het is een rustig idee om nee te zeggen, ook als je je dat eigenlijk niet kunt permitteren. Ik vind dat cabaretiers eigenlijk geen reclame moeten doen. Voor acteurs ligt dat anders, want die spelen rollen. Wij spelen onszelf. Op den duur word je als cabaretier jezelf. Ik geloof dat ik op toneel steeds meer mezelf geworden ben: nu is er geen wezenlijk verschil meer tussen mij en de man op het toneel. Vroeger was ik veel meer de toneel-Van Vliet, nu ben ik dezelfde man als anders, behalve bij komische types. Hoe natuurlijker, hoe mooier. Daarom zijn artiesten op leeftijd vaak zo interessant: ze komen dicht bij zichzelf.'

Paul
van
Vliet

1974-1977

Tien jaar onderweg

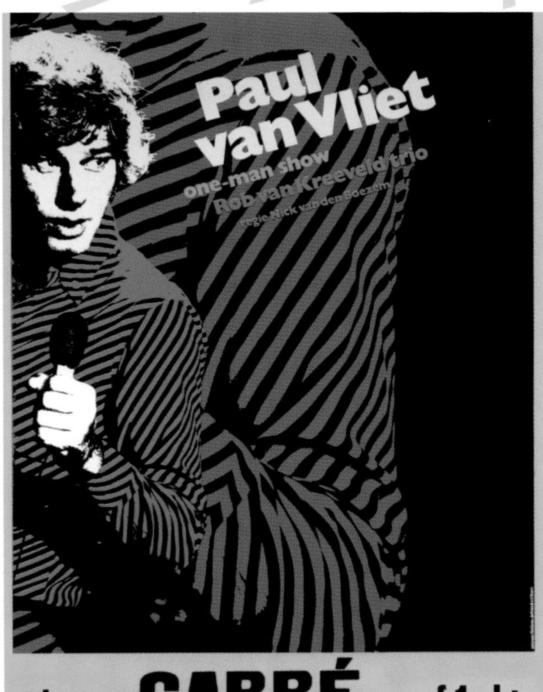

Met *Noord-West* bereikte Paul van Vliet het grote publiek en landelijke bekendheid. Er gingen al stemmen op dat de positie van de traditionele 'Grote drie' in de cabaretwereld – Wim Kan, Toon Hermans en Wim Sonneveld – met de komst van deze nieuweling niet onaantastbaar meer was.
Zijn eerste onemanshow zou later de enige blijken die al helemaal klaar was toen Paul van Vliet hem begon te spelen. Aan alle andere onemanshows heeft hij gaandeweg nog van alles versleuteld. Dat gebeurde ook bij *Tien jaar onderweg*, waarmee hij drie jaar lang getourd heeft.

Paul van Vliet: *'Altijd wanneer een onderdeel van een show me na een tijdje verveelt, gooi ik dat er meteen uit en vervang ik het door iets nieuws. En het is wel vaker voorgekomen dat een show aan het begin nog niet helemaal goed was, zodat ik nog wat moest repareren. Maar met* Tien jaar onderweg *had ik echt een structurele fout gemaakt in de opzet. De afzonderlijke nummers waren bijna allemaal wel goed, maar ik had het onzalige idee opgevat om als rode draad door de hele show "de enige sprekende mimespeler" te doen. Dat leek me nou echt leuk! Maar het werkte niet, want het was zelf niet grappig genoeg en sloeg bovendien alle nummers stuk. Pas te laat zag ik in dat je een programma nooit te veel aan een rode draad moet opknopen, want die rode draad ben je als cabaretier zelf!*
Die show probeerde ik een week voor de première uit in Laren, voor een zaal vol Gooise artsen. De eerste helft liep helemaal niet. Toen ben ik na afloop op een kruk op het toneel gaan zitten en heb ik gezegd: "Mensen, het is duidelijk, dit was niet goed." Daar hebben we toen heel onderhoudend over gepraat. Ik heb met de zaal besproken wat er nu eigenlijk misging. Daar kwam veel uit waar ik wat aan had.
Ik kwam die zaterdagavond thuis en heb die nacht en ook de hele zondag non-stop zitten schrijven, met een pot zwarte koffie en een slof Caballero binnen handbereik. Lidewij heeft mij die zondag intensief geholpen. Twee nachten lang heb ik niet geslapen, alleen maar in een koortsige roes zitten schrijven en alles omgegooid.
Op woensdag zouden we spelen voor de Haagse politie, in het Congresgebouw. De dag ervoor hadden we een repetitie. Het hele gezelschap kwam om de vleugel staan. Ze zagen het na Laren somber in. Zo'n show betekent twee à drie jaar werk en zij verbinden hun lot onvoorwaardelijk aan het mijne.
Gelukkig kon ik hen een totaal herschreven show voortoveren: "Jongens, we gaan het helemaal anders doen!"

We repeteerden en zowel op woensdagavond als bij een optreden op donderdagavond verliep het allemaal goed, en op vrijdag bij de laatste try-out zelfs prima. Maar op zaterdag, bij de grote première in het Rotterdamse Luxor Theater, was ik doodmoe, waardoor het een hele strakke avond werd. Daarna hadden we een feest in het café onder De Doelen, maar daar heerste dezelfde lauwe sfeer als bij de voorstelling. Op maandag bleek de pers verdeeld, sommige recensies waren positief, maar de Volkskrant *schreef "Paul van Vliet: fantasieloos" en* Het Parool *"Paul van Vliet: zwak".'*

Na die première nam Paul van Vliet een dubbele beslissing, die van groot belang zou zijn voor de rest van zijn carrière. Hij zag voortaan af van echte premières met veel pers en genodigden.

Paul van Vliet: *'Met premières is het nooit zoals met een echt publiek, iedereen zit daar met een houding van "laat maar eens wat zien" en het wordt pas echt leuk als je ontspannen bent. Dat kun je leren. In de tweede helft van mijn carrière heb ik vergelijkbare avonden altijd goed doorstaan en groeide ik zelfs bij zo'n voorstelling. Toen overkwam het me nooit meer dat ik met een droge bek een voorstelling verziekte. Ik moet uitstralen dat ik het enorm naar m'n zin heb en niks leukers zou weten. "He rises to the occasion," zei Annet Riezebos, mijn manager, in zulke gevallen. En daar had ze gelijk in: ik kon me er op den duur echt aan optrekken. De speler Paul van Vliet kent geen twijfel meer, maar de schrijver nog altijd wel: die zie ik als twee aparte personen en die kunnen elkaar behoorlijk dwarszitten. Als ik een slechte tekst heb geschreven, kan ik die met pure bluf nog wel een tijdje opkloppen, maar na hooguit 20 à 25 keer moet hij er echt uit. Dat is het voordeel als je zelf je teksten schrijft: dan kun je een show naderhand nog repareren.*
Na die moeizame avond in het Luxor Theater heb ik voortaan veel meer try-outs gedaan, die ik dan geruisloos laat overlopen in de "echte" voorstellingen. Daardoor sla ik de première in feite over. En ik heb "Paul in het klad" geïntroduceerd: dat zijn leesvoorstellingen in kleine zaaltjes en soms zelfs bij mensen thuis, met een publiek van tachtig of negentig mensen. Dan sta ik met het script van de voorstelling in de hand, kan ik dingen uitproberen en kunnen mensen reageren. Je kunt van alles doen, omdat het klad is. Dat is ook aantrekkelijk voor de toeschouwers, want die voelen zich meegenomen in jouw fantasie, weten dat het programma nog niet af is en denken met je mee. Soms levert dat een briljante suggestie uit de zaal op, een grap die je zo in je show kunt gebruiken. Die leesvoorstellingen werkten zo goed dat Youp van 't Hek er later ook mee is begonnen.'

Ondanks de verdeelde pers werd *Tien jaar onderweg* een groot succes. De première was namelijk de enige matige avond geweest. Overal in het land stonden lange rijen liefhebbers voor kaarten tot ver buiten de theaters waar Paul van Vliet zou komen optreden. Kaarten werden per advertentie verkocht voor twee-, driehonderd gulden. Het programma liep uiteindelijk drie volle seizoenen.

Paul van Vliet: *'Dit is qua hoeveelheid publiek mijn meest succesvolle onemanshow geweest. Nooit heb ik meer zo'n hausse gehad, zo'n druk op de kassa; de kaarten waren niet aan te slepen, het ging maar door. Ik stond vijftien weken in Scheveningen, drie maanden in Rotterdam en in Amsterdam zes weken in het*

De PePijn-familie in 1974

In de rij voor het Luxor Theater

In de rij voor de show. Zes uur 's morgens. Vanwege de kou mag het publiek binnen wachten.

'77

Nieuwe De La Mar-theater. Daar stonden de mensen tot voorbij hotel Americain in de rij. Toen kwam Carré-directeur Guus Oster kijken, samen met zijn adjunct en opvolger Bob van der Linden, en hij constateerde: "Nu ben je rijp voor Carré." Daar heb ik toen eerst op een zondag een proefvoorstelling gespeeld voor een vereniging en vervolgens in de herfst van 1976 vijf weken gestaan. De mensen stonden om half zes 's morgens in de rij met het ochtendblad, koffie en dekens tegen de kou, om maar aan kaarten te komen. In Carré waren bij Stien van de kassa een week van tevoren alle kaarten weg. Guus Oster heeft toen in de krant laten zetten: "Paul van Vliet breekt naoorlogs Carré-record."
Daardoor werd Toon Hermans boos. In hoeveelheid publiek had hij natuurlijk meer toeschouwers getrokken dan ik. Hij wilde toen met een notaris de boeken van Carré laten onderzoeken, maar dat vond Guus Oster niet goed. Die onmin met Toon heeft helaas lang doorgesudderd. Hij had in die tijd een dip in zijn carrière en kreeg de zalen soms niet vol, die bij mij allemaal uitverkocht waren. In een interview heeft hij toen gezegd dat ik arrogant was en een toontje lager moest zingen.
In een dagboek dat ik maakte voor NRC Handelsblad*, heb ik toen geschreven over een voorstelling van Toon: "Hij was weer ouderwets aan het knokken en dat stond hem goed." Dat was waarderend bedoeld, maar Toon was weer boos, omdat hij dacht dat ik hem ouderwets vond. Op initiatief van Henk van der Meijden, die ik al kende van mijn tijd bij de* Nieuwe Haagsche Courant *en die goed bevriend was met Toon, hebben we ons toen verzoend. Ik ging met een grote bos bloemen naar Toon in Hilversum. Nadat we vijf minuten stug en ongemakkelijk bij elkaar hadden gezeten, riep Toons vrouw Rietje vanuit de keuken: "Is het nu weer goed tussen jullie? Want ik vind het maar kinderachtig gedoe!" Daardoor schoten we allebei in de lach. Tot zijn dood zijn we sindsdien goed met elkaar omgegaan.*
Bij de opening van zijn tentoonstelling in het Singer Museum in Laren en bij het jubileumfeest van honderd jaar Nederlands cabaret heb ik twee keer recht uit het hart in het openbaar over Toon gesproken. Want ik vond hem een unieke man, een universeel kunstenaar, een dichter, een speler, een denker en een hartveroverende clown.'

Het verhaal van het Nieuwe Gooi

Paul van Vliet: *'In 1976 gingen Liselore en ik op de boerderij wonen waar ik nu nog altijd woon. Een jaar later waren we uit elkaar en gescheiden. Dat kwam allemaal voort uit een argeloze en zorgeloze omgang tussen een grote groep artiesten. Liselore werd verliefd op musicus Ruud Jacobs, ik was het al op Lidewij, de vrouw van Ferd. Hugas. Ruuds vrouw Thea was verliefd op Thijs van Leer, terwijl Thijs' vriendin Roosje een verhouding had met Paul Buckmaster, de arrangeur van Elton John.*
Daar vertel ik niets nieuws mee, want dat hele palet werd in 1977 breed uitgemeten in de roddelbladen. Henk van der Meijden had het in Privé *over "Het verhaal van het Nieuwe Gooi". Iedereen mocht er uitvoerig over meelezen. Onze vrienden wisten het, maar onze ouders nog niet. Mijn vader en moeder woonden toen in een verzorgingstehuis in Den Haag, waar medebewoners die bladen anoniem onder de deur door schoven.*
Het heeft zich in de loop van 1978 allemaal gevoegd. De kinderen van Ruud Jacobs bleven bij hun moeder, Thea en Thijs kregen zelf kinderen en Lidewij kwam met beide kinderen, Manuel en Laurien, bij mij wonen. Vooral omdat iedereen van onze groep het belang van de kinderen voorop bleef stellen, zijn we er allemaal goed doorheen gekomen.'

In *Tien jaar onderweg* zat een geheel nieuw komisch type: baron Taets van Avezaethe. Hij was heel anders dan Bram van de Commune, de Boer en Majoor Kees, maar sloeg wel direct aan bij het publiek.

Paul van Vliet: *'In de tijd voor de show – het jachtseizoen voor materiaal, waarbij ieder bericht een grap of een idee kan opleveren – las ik in de krant dat een schapenkudde in Oost-Nederland een herder zocht. Men had een advertentie geplaatst, "Kudde zoekt herder", waarop gesolliciteerd was door tientallen intellectuelen, die de behoefte voelden hun gewone leven te ontvluchten.*
In diezelfde tijd was er een adellijke heer die zijn landgoed ter beschikking stelde van een camping, omdat hij het onderhoud van zijn voorouderlijke woning niet meer kon betalen. Die combinatie leverde baron Taets van Avezaethe op: een edelman die een schaapskudde begon.
Ik heb me laten voorlichten over de schapenfokkerij en ben vervolgens in de huid gekropen van de baron: afkomstig uit een adellijk geslacht met een stamboom tot 1030, een beetje gedegenereerd, wat rammelend in zijn voegen en met een eigenaardig gebit. Ik gaf hem een minzaam karakter, want hij was een man met plezier in het leven, die alles wat zijn pad kruiste prettig gek vond. Zoals ook het fokken van schapen. En hij had een typisch adellijke hekel aan het linkse kabinet van Den Uyl uit die tijd.
De baron bewoog wat slap, want hij had een oud karkas, wat ook zijn manier van spreken en zijn rare lachje bepaalde. Als zulke dingen elkaar versterken, weet je dat je een echt karakter te pakken hebt, een levend mens. Kijk maar naar Bram: die is een optimist, dus deint hij verend door het leven en heeft hij beweeglijke handen. De Boer staat met beide poten stevig in de vette klei en hij is slim, dus heeft hij ook een slimme nek en een grijnslach. Majoor Kees staat ook zwaar, maar anders, want hij is dom en heeft ook een dom, hard geluid. Zo hebben al die mannen hun eigen specifieke fysionomie, verschijning, lichaamsbouw, houding, gebaren en taalgebruik: dat is voor mij een ijzeren wet bij types.
Het beste bewijs dat Taets echt was, kreeg ik in Deventer, waar in hotel De Keizerskroon op een ochtend zomaar drie Taetsen tegelijk binnenkwamen, met Schots geruite petten, plusfours en loden jassen.
En ze praatten ook nog net zoals Taets! Geen wonder dat de mensen zeiden: ik ken zo iemand, hij is zo levensecht. Dat is ook nodig, want als je zo'n type op het toneel zet, moet het binnen twintig seconden herkenbaar zijn: "O ja, zo'n man." Anders werkt het niet.'

’77

Dat was een pestzooi

Baron Taets van Avezaethe: *‘Het is een vrolijk bedrijf die schapenfokkerij. De gewone schapen, dat zijn ook zulke aardige meiden: de ooien. Die scheer ik zelf. In het begin had ik wel moeite om ze achterover in die stoel te krijgen. Als je dât gezien had, zeg. Dat was een pestzooi. Nu eens lag ik*

onder dan weer lagen zullie boven. Maar dat scheren is effe een slag, hè. Je moet de ooi even stevig omklemmen en dan met de ladyshave even razend snel “zoef”. Als je ’t effe doorhebt is ’t een fluitje van een cent.’

Veilig achterop

Ik heb soms van die akelige dagen
Dat alles me te groot wordt en te veel
En wat ik aangehaald heb
Kan ik slecht verdragen
En alles wat ik nog moet doen
Grijpt me naar de keel
Ik word al zenuwachtig wakker
Dat wordt alleen maar erger
Door dat driftige gejakker
Met een koffer vol verantwoordelijkheid
Waaraan ik me vertil
En honderdduizend dingen die ik eigenlijk niet wil
En ik moet nog zoveel doen
Ik moet nog zóveel doen
Kan ik nou vandaag niet weer eens even net als toen…

Veilig achterop
Bij vader op de fiets
Vader weet de weg
En ik weet nog van niets
Veilig achterop
Ik ben niet alleen
Vader weet de weg
Vader weet waarheen
Ik weet nog hoe het rook
Ik weet nog hoe het was
Met m'n armen om hem heen
M'n wang tegen z'n jas
Vader weet de weg
Ik weet nog van niets
Veilig achterop
Bij vader op de fiets.

En ik heb zo vaak een onbestemd verlangen
Een zeurderig gevoel van droevigheid
En dat verlangen dat kan dagen blijven hangen
En waar ik ga of lig of sta
Ik raak het niet meer kwijt
Niks is leuk en niks is boeiend
Alles is vervelend en mateloos vermoeiend
Een lusteloze levenloze wezenloze heer
Die treurig zit te kijken
Naar de wereld en het weer
En ik moet nog zoveel doen
Ik moet nog zóveel doen
Kan ik nou vandaag niet weer eens even net als toen…

Veilig achterop
Bij vader op de fiets
Vader weet de weg
En ik weet nog van niets
Veilig achterop
Ik ben niet alleen
Vader weet de weg
Vader weet waarheen
Ik weet nog hoe het rook
Ik weet nog hoe het was
Met m'n armen om hem heen
M'n wang tegen z'n jas
Vader weet de weg
Ik weet nog van niets
Veilig achterop
Bij vader op de fiets.

’77

Techniek

In zijn shows heeft Paul van Vliet altijd de uiterste aandacht besteed aan theatertechniek. Het Leidsch Studenten Cabaret onderscheidde zich al door de aankleding, met kostuums, decors en een uitgebreid lichtplan. Bij de inrichting van Theater PePijn werd een aanzienlijk bedrag uitgetrokken voor een lichtset en lampen. Maar decors raakten bij PePijn en ook in Paul van Vliets verdere professionele carrière steeds meer in onbruik.

onze show Dag en Nacht*, maar toen ik theater Diligentia binnenkwam om die te bekijken, dacht ik meteen: dit is het niet. Ik ben toen gaan eten met Nick van den Boezem, die dat programma coachte. Hij zei voorzichtig: "Ik geloof niet dat die decors bij jullie passen." Meteen heb ik een harde beslissing genomen en tegen de ontwerper en decorbouwer gezegd: "Pak maar in." Dat was een grote teleurstelling voor die mensen, want iets waaraan ze lang hadden gewerkt verdween nu naar de brandstapel.*

Paul van Vliet: *'Net als muziek heb ik licht en geluid altijd als een wezenlijk onderdeel van mijn shows gezien. Eigenlijk heb ik na het Leidsch Studenten Cabaret nooit echt decors gehad. Wel hadden we bij PePijn in 1967 decors laten maken voor*

Maar je moet als artiest kiezen voor de inhoud van je programma. In mijn onemanshows is het licht altijd het decor geweest. Het geluid is de vertaling van mijn teksten naar het publiek: het is uiterst belangrijk dat wat je zegt en zingt

1

bij het publiek in het goede klankregister aankomt. Een geluidsman is letterlijk met een draad aan je verbonden, hij vertaalt jouw emotie naar de zaal toe. En het licht onderstreept die emotie. Je moet dus een muzikale belichter hebben, want het licht danst mee op het ritme van de muziek en ook de intensiteit van het licht varieert met het volume van de klanken. Daarom heb ik, net als bij mijn muzikanten, altijd de hoogste eisen gesteld aan mijn licht- en geluidstechnici: ik ben altijd met de beste beschikbare mensen op tournee gegaan.'

2

Paul van Vliet: *'Een onemanshow is allerminst een eenzaam avontuur, want ik was bijna altijd met vier of vijf technici en vier of vijf muzikanten op stap. Het is echt een bedrijf, een klein circusje dat door Nederland en Vlaanderen trekt. Die jongens zie je tijdens zo'n tournee van twee à drie jaar meer dan je eigen gezin, ze zijn bijna familie voor me. Ze leven met je mee, kennen al je emoties en delen in zowel je successen als je wanhoop. Het wel en wee van ons tienen en onze gezinnen, plus de drie man op kantoor, hangt af van onze show. Ik heb ook altijd tegen mijn zakelijk leidsters gezegd dat ze voor de jongens net zo goed moesten zorgen als voor mij, want zij zetten zich voor me in. Veel van hen zijn ook heel lang bij me gebleven.*
Met mijn belichters heb ik altijd veel gefilosofeerd over bijvoorbeeld de manier waarop het licht mee vibreert met een liedje. Licht is erg bepalend in mijn shows: het kan een nummer platgooien of omarmen. Huib Snijders, Wim Dresens en de laatste jaren Rob Munnik, de vroegere en huidige belichter van Herman van Veen, zijn over de hele wereld met me meegereisd.
Met mijn geluidsman heb ik een heel intense band, want hij zit in de zaal, tussen het publiek. Hij hoort en voelt dus ook de reacties van de toeschouwers. Mijn geluidsman weet precies hoe ikzelf er die avond aan toe ben en wat de stemming in het publiek is. In de pauze komt hij mij dat vertellen en na afloop hoort hij het eindoordeel van de mensen. Chris van Bree is tot 1986, toen hij overleed, mijn geluidsman en bodyguard geweest. Sindsdien heeft Piet Nieuwint zijn taak overgenomen. Met allebei die jongens heb ik twintig jaar lang lief en leed gedeeld, in het vak, maar ook privé.'

3

4

5

1. Wim Dresens
2. Rob Munnik
3. John de Bruin
4. Ton Bemener
5. Wies Baaten
6. Chris van Bree
7. Piet Nieuwint

6

7

■

Je moet schmink niet zien

Paul van Vliet: *'Voor de schmink gaat er niemand mee op tournee, want dat doe ik zelf. In mijn koffertje zit wat make-up en een haarborstel, maar ik schmink me bijna niet. Een enkele keer werk ik even wat wallen onder mijn ogen weg, als het de avond tevoren erg laat is geworden. Je moet schmink niet zien. Het is zo gauw te veel.'*

■

paul van vliet
vandaag of morgen
met lex jasper · wijnand blok · frank noya · hans beths
chris van bree · wim dresens · john de bruin
CIRCUSTHEATER SCHEVENINGEN
vanaf dinsdag 3 juli dagelijks behalve op zondag en maandag (en niet op dinsdag 17 juli) 20.15 uur.
Plaatsbespreken: vanaf HEDEN bij de bespreekbureau's van de Haagsche Courant, Het Vaderland, de Posthoorn en de V.V.V.-kantoren.
Vanaf dinsdag 26 juni steeds één week vóór de verlangde voorstelling aan de kassa van het Circustheater van 10-16 uur;
telefonisch van 11-16 uur nummer 070-55.88.00. Op zondag is de theaterkassa gesloten.

Vandaag of morgen

1978-1980

In 1978 werd Rob van Kreeveld ernstig ziek en moest Paul van Vliet noodgedwongen op zoek naar een nieuwe muzikale leider. Het duurde bijna een half jaar voordat hij iemand vond die precies was wie hij zocht: Lex Jasper. Die samenwerking resulteerde ook in een veranderde klankkleur voor de nieuwe show, 'Vandaag of morgen'.

Paul van Vliet: *'Met Lex Jasper ging ik van de herfst naar het voorjaar. Rob was een briljant musicus, maar ook een man van zware akkoorden, diepe en donkere klanken. Lex was een veel lichter mens, ook in zijn muziek. Dat was te merken in mijn derde onemanshow, waarin de liedjes weer een heel bijzondere plek innamen. In deze show zong ik "Ik mis je kleine hoofd op mijn grote witte kussen" en "Ik wil geen kind". En aan het eind eerst "Er is nog zoveel niet gezegd" en dan als slotnummer "Ik drink op de mensen". Op dat stuk van de show verheugde ik me altijd erg. Als je speelt is het ongelofelijk belangrijk dat de laatste twintig, dertig minuten van je show kloppen, want daar werk je naartoe. Je weet dat zo'n finale nog komt, dan speel je vanzelf beter. Ook als de avond minder begint, denk je dan: ik krijg jullie – en mezelf – nog wel!'*

In deze show gaf Paul van Vliet de avond voor het eerst een vrij serieus einde. Voor de laatste twee liedjes was het namelijk de beurt aan Arie, wel een type, maar niet echt een komische man.

Paul van Vliet: *'Arie is echt een Carmiggelt-achtig soort grinniknummer. Hij is geboren tijdens een kladavond. Iemand uit het publiek vroeg waar ik mijn ideeën vandaan haalde en ik antwoordde dat ik veel opschrijf: losse zinnen en halve liedjes, soms maar één regel, die ik dan later uitwerk. Ik gaf als voorbeeld dat ik kort daarvoor een man in een café had horen zeggen: "Weet je wat het is, het is allemaal niks, uiteindelijk is het allemaal niks." Floor Kist zei: "Daar moet je iets mee doen. Prompt heb ik daar toen een groot nummer van vijftien minuten van gemaakt, over een doodgelopen man die aan de bar met een soort harde humor zijn verhaal vertelt.'*

■

Arie: *'Weet je wat het is, Max? Het is allemaal niks. Uiteindelijk is het allemaal niks. Geef mij een Spaatje. Ja, je hoort het goed: een Spaatje! Ik mag niet meer drinken. Dan maar Spa-water. Dat je godverdomme nog zóver moet komen dat je het laffe zweet van druipgrotten gaat zuipen! Allemaal niks. Ik mag niet meer drinken, niet meer roken en niet meer werken. Ik moet het kalm an doen: strets.'*

■

Vandaag of morgen is ook de show met de grote, Shakespeariaanse sterfscène van de koning. Paul van Vliet schreef dit nummer oorspronkelijk ter gelegenheid van de galavoorstelling bij het 175-jarig bestaan van de Koninklijke Schouwburg in Den Haag, in april 1979. Er werd die avond zo gelachen om het gezwollen taalgebruik en de brallerige manier van acteren dat hij besloot de kreperende monarch ook op te nemen in zijn onemanshow.

'78...

Paul van Vliet: *'Dat nummer heb ik hardop pratend en dichtend geschreven in mijn werkkamer. Al dichtend liet ik mezelf daarbij sterven, om te kijken hoe dat voelde. Als een vreemde me daarbij bezig had gezien, zou hij beslist een psychiater hebben gebeld. Het was heerlijk om te doen, zo'n lange sterfscène waar maar geen eind aan kwam. Ik kon als een echte "ham actor", met alle pathos die daarbij hoort, mooi liederlijk doodgaan: dat is de wens van iedere acteur. Het leuke van tekstschrijven is dat je elke denkbare situatie kunt laten gebeuren. Je mag op het toneel niet roken, behalve als ik in mijn script zet dat ik rokend op een kruk zit, en dan mag het wel. Als ik schrijf dat er een koning opkomt, komt er straks ook een koning op!'*

’80

■

De stervende koning:
Een dolk doorklieft mijn ribbenkast
De dolk van een verrader
Dit is een laffe vadermoord
En helaas ben ik de vader.
Hij kwam van achteren op me af
Mijn trouweloze zoon
En stootte met een laffe stoot
Zijn vader van de troon.
Het staal drong in mijn zachte rug
En werd door niets gestuit
De punt van achteren erin
En van voren er weer uit.
Toen klonk zijn akelige lach
En hij vluchtte ijlings heen.
En met de kille adem van de dood
Liet hij mij hier alleen.

De grote sterfscène begint
En ik voel me al wat zwakjes
Dus mensen: even géén gehoest
En geen gekraak met zakjes!
■

’78

■

Ik wil geen kind

Wanneer je zegt: ik wil geen kind
Er is geen toekomst meer voor kinderen
Dan zeg je eigenlijk: er is geen toekomst meer voor mij.
Wanneer je zegt: ik wil geen kind
Er zijn geen kansen meer voor kinderen
Dan zeg je eigenlijk: mijn eigen kansen zijn voorbij.

Dan veeg je met een grote zwaai van tafel
Wat nu en in 't verleden ondanks alles is bereikt
De grootse dingen die de mensen doen en deden
De wonderen waar de wereld ondanks alles toch mee is verrijkt.

Wanneer je zegt: ik wil geen kind
Dit is geen wereld meer voor kinderen
Dan zeg je eigenlijk: dit is geen wereld meer voor mij.
Wanneer je zegt: ik wil geen kind
Er is geen ruimte meer voor kinderen
Dan zeg je eigenlijk: er zit geen ruimte meer in mij.

Dan geef je alle kinderen een brevet van onvermogen
Dan zeg je dat je niets meer van kinderen verwacht
Dan kijk je naar het leven met de dood al in je ogen
En je hebt daarmee je eigen toekomst omgebracht.

■

'80

■

Ik mis je kleine hoofd

Ik mis je kleine hoofd op mijn grote witte kussen
Ik mis de donkere vlek van je zachte blonde haar
Ik mis je kleine handen met mijn grote hand ertussen
Het strelen van mijn schouder met een slaperig gebaar.

Ik mis je in het bed waarin we ons verstopten
Ik mis het hoopje kleren op de grond en op de stoel
Ik mis de warme kuil waarin alle dingen klopten
Jij weet wat dat betekende – jij weet wat ik bedoel.

Overdag dan gaat het wel
Met bezig blijven – brieven schrijven
Allerhande dingen op een draf
Bezig blijven – mensen bellen
Orde op de zaken stellen:
Een druk bedrijvig baasje leidt zich af.

Overdag dan gaat het wel
Zelfs beter dan ik dacht
Maar de dag is tijdelijk
En de klok tikt onvermijdelijk
Met domme regelmatigheid
Naar: Heren het is de hoogste tijd
Naar huis
Naar boven
Tanden poetsen – lezen – licht uit – nacht.

Ik mis je kleine hoofd op mijn grote witte kussen
Ik mis je warme adem in mijn haar en in mijn nek
Ik mis je kleine voeten met mijn grote been daartussen
Het verliggen van je lichaam waardoor ik even werd gewekt.

Het is gek ik sliep zo vaak alleen voor ik je leerde kennen
En ik heb dat nooit ervaren als gemis of als verdriet
Maar sinds jij bij mij binnenstapte zal het nooit meer wennen
Overdag dan gaat het wel maar 's nachts dan gaat het niet.

Ik mis je kleine hoofd op mijn grote witte kussen
En kan dan in de morgen ook de wereld niet goed aan
Ik mis je kleine voeten met mijn grote been ertussen
Want groot wil nog niet zeggen dat je ook alléén kunt staan!

■

■

Ik drink op de mensen

Ik drink op de mensen
Die bergen verzetten
Die door blijven gaan met hun kop in de wind
Ik drink op de mensen
Die risico's nemen
Die blijven geloven
Met het geloof van een kind.

Ik drink op de mensen
Die dingen beginnen
Waar niemand van weet wat de afloop zal zijn
Ik drink op de mensen
Van wagen en winnen
Die niet willen weten van water in wijn.

Ik drink op de mensen
Die blijven vertrouwen
Die van tevoren niet vragen
'Voor hoeveel' en 'waarom'
Ik drink op de mensen
Die door blijven douwen
Van doe het maar wel
En kijk maar niet om.

Ik drink op het beste
Van vandaag en van morgen
Ik drink op het mooiste waar ik van hou
Ik drink op het maximum
Wat er nog in zit
In vandaag en in morgen
In mij en in jou!

■

Met Frank Noya, Hans Beths en Lex Jasper

Muziek

Paul van Vliet: *'Ik ben opgegroeid met jazz. Op het gymnasium hadden we onder de leerlingen vier stromingen: klassieke muziek, Franse chansons, amusement – zoals Doris Day en Joan Stafford – en jazz. Van jongs af aan heb ik jazz ervaren als mijn muziek, daar liggen mijn muzikale roots. Ik ben opgegroeid met pianisten als George Shearing en Erroll Garner en blazers als Charlie Parker, Miles Davis en John Coltrane. Vanaf mijn middelbareschooltijd ben ik altijd een groot liefhebber geweest van Frank Sinatra, vanwege zijn muzikaliteit, zijn timbre, maar later vooral ook zijn tekstbehandeling: er is geen zanger die een tekst zo kan kleuren als Sinatra. Verder was en ben ik fan van Jacques Brel, de Beatles en de Stevie Wonder van* Songs in the Key of Life. *Geleidelijk aan ben ik steeds meer van klassieke muziek gaan houden, vooral van piano. Mozart, Chopin, Beethoven, Brahms, Schumann, Rachmaninov. Geen twintigste-eeuwers, maar de romantici, want ik ben een zwelger. Ik had Rachmaninov willen zijn. Muziek is door de jaren heen mijn grootste inspiratiebron gebleven. Daardoor kan ik over een dood punt geduwd worden. Muziek brengt me op ideeën, inspireert me tot gedachten, gevoelens en teksten. Vanuit muziek kan ik goed schrijven, ook bij muziek die ik in mijn hoofd hoor of bij het improviseren op de piano. Daarom wil ik op het toneel ook altijd een liveband achter me hebben, een muur van muziek. Ik kijk tijdens de show regelmatig even over mijn schouder, om te zien of ze nog achter me staan, even contact te maken. Ik moet tegen ze aan kunnen leunen, je doet het samen. Ik heb bij sommige nummers wel eens de slappe lach, vooral als ik die jongens achter me in de lach hoor schieten. Dan mag het, die ene avond, zolang het maar geen ingestudeerde slappe lach is. We staan samen op de bühne, als een ensemble. En ook daarbuiten zijn we tijdens tournees op elkaar aangewezen, dat schept een nauwe band. Met de jongens ga ik regelmatig tot vroeg in de morgen op stap. Het is een absolute mannenwereld, waarin veel gelachen wordt. De gesprekken gaan pas over diepere, intieme zaken als ik met een van de jongens apart zit te praten. Dan deel je ineens dingen met elkaar die je zelden of nooit tegen iemand anders zegt.'*

Paul van Vliet: *'Als enige Nederlandse cabaretier heb ik altijd orkesten met een jazzy basis gehad, want al mijn muzikale leiders waren van nature jazzpianisten. Dat heeft gevolgen voor zowel de composities als de manier van spelen: met vrije arrangementen en zonder keurslijf. Het vereist een hoog muzikaal niveau en een goede harmonie binnen de band om gevoelige liedjes als "Meisjes van dertien" of "Het touwtje uit de brievenbus" zo te kunnen spelen. Ik heb muziek altijd als een volwaardige en zelfstandige bijdrage aan de show beschouwd.*

En ook tijdens de show. Dus geef ik graag ruimte voor improvisaties en eigen inbreng. Ik ben bij een voorstelling in Zutphen wel eens vijf minuten gestopt met het zingen van "Meisjes van dertien", omdat Rob van Kreeveld zo lekker bezig was op de piano. En vorig jaar, toen de koningin aanwezig was bij de feestelijke heropening van theater Diligentia, hebben we het strakke schema van de Rijksvoorlichtingsdienst helemaal aan barrels geholpen doordat we twaalf minuten uitliepen: dat kwam omdat Rob zo fantastisch zat te improviseren. Volgens mij genoot de koningin er ook van.

Rob van Kreeveld, die dertien jaar bij me gebleven is, had een geweldige band met een verrassende sound, dat swingde echt. Toen PePijn uit elkaar ging, is Rob nog

zeven jaar bij me gebleven tot hij na mijn tweede onemanshow ziek werd en een lange dip in zijn leven heeft gehad. Hij werd opgevolgd door Lex Jasper, een groot talent, een succesvolle arrangeur en een pianist die zo vingervlug was dat hij de Nederlandse Oscar Peterson genoemd werd. Met straffe hand heeft hij vijf jaar lang het kwartet geleid bij twee van mijn shows. Bij mij is hij voor het eerst gaan componeren. Wat ik erg in hem gewaardeerd heb, is dat hij later een keer tegen me gezegd heeft: "Die jaren bij jou waren de beste van mijn leven." Dat is een uitspraak die ik koester. Ik hoop dat mijn familieleden en vrienden dat ook van me zullen zeggen na mijn dood. Maar Lex is tot nog toe de enige.
In 1983, na het vertrek van Lex, kwam Ben van der Linden, een klassiek geschoolde, Frans georiënteerde en heel precieze man, een groot componist. Hij bleef tot 1988, is toen een tijdje weggeweest, waarna ik hem in 1997 heb teruggevraagd. Hij was gespecialiseerd in elektronica, met een uitgebreid systeem van synthesizers, die aan elkaar gekoppeld waren en een mooi klankdecor van bijzondere geluiden voortbrachten. Maar in 1999 bleek dat we op dit gebied te ver uit elkaar gegroeid waren. Ik wilde terug naar een puurder geluid.
Toen Ben voor de eerste keer wegging, volgde John Eskes hem op. Hij was een muzikale duizendpoot die al onder Ben deel uitmaakte van het orkest, wat een mooie combinatie was, want naast Bens elektronica bespeelde John een scala aan akoestische instrumenten, dertien in totaal, waarvan acht in de show. Toen hij mijn muzikale leider werd, bracht hij pianist Klaas van Dijk in, een boom van een

1.

Groninger met enorme handen, niet alleen een gepassioneerd pianist, maar ook afgestudeerd tandarts. Na zijn studie is hij vijf jaar bij me gebleven. Drie dagen na ons laatste gezamenlijke optreden stond hij al te boren in zijn eigen tandartspraktijk. Af en toe valt hij nog wel eens bij me in. Dat doet hij graag, want hij weet dat hij bij mij niet veroordeeld is tot louter begeleiden, maar muziek kan maken naar zijn eigen inzicht.
Ook John bleef vijf jaar. Na de tweede keer Ben van der Linden kwam Hans Vroomans, die nog altijd bij me is. Hij is geen componist, maar een buitengewoon veelzijdige muzikaal leider, een pure en toegewijde jazzpianist, die zo muzikaal is dat hij de andere vier jongens van zijn jazzy kwintet kan laten opbloeien. Niet voor niets is hij – als pianist van het Metropole-orkest – de favoriet van alle Nederlandse en zelfs diverse Amerikaanse arrangeurs. Met hem ben ik eigenlijk weer teruggekomen bij mijn eigen roots, waar ik met Rob van Kreeveld begonnen ben.'

2.

3.

4.

■

Een bevochten compromis

Paul van Vliet: *'Als ik de tekst van een liedje schrijf, heb ik al schrijvend een ritme of muzieksfeer in mijn hoofd. Dat ga ik uitleggen aan de componist, waarbij ik het melodietje op mijn gebrekkige manier voorspeel. Rob van Kreeveld ging dan componeren, terwijl ik naast hem zat. Ik wist dan al wat er ging gebeuren. Hij speelde iets en ik zei: "Dat was mooi, Rob." Dan keek hij verbaasd op: "Wat was dat dan?" Hij was het alweer kwijt, omdat hij in gedachten alweer veel verder was gegaan. Zijn fantasie is grenzeloos.*

Voor elk van mijn programma's heb ik wel één of twee stukjes muziek gemaakt. Ik lees geen noten en heb geen systeem, maar kom soms wel eens met iets dat origineel is en eigenlijk niet kan. Een enkele keer nemen ze dat dan over. Maar soms is het zo simpel dat ze het bijna niet willen spelen.

Mijn musici hebben bijna allemaal conservatorium gehad en vinden een melodie algauw te gewoon. Terwijl ik in de loop der jaren geleerd heb dat het ook te ingewikkeld kan en dat het geheim van een goed lied is dat de muziek toegankelijk blijft. Daar hebben we wel eens woorden over gehad. Ik noem de muziek bij sommige van mijn liedjes dan ook wel "een bevochten compromis".

Dat bleek bijvoorbeeld bij de "A2 Road Song", die speelt tussen de Bijlmer Bajes en Nieuwegein. Ik had daar een simpel muziekje bij gemaakt, dat het prima deed bij de kladavonden. Maar de verschillende "aangeklede" vormen in de show zelf werkten niet: het geheim van het nummer was weg. Dus heb ik na een try-out in Steenwijk gezegd: "Nu doen jullie voor één keer mijn muziek!" We hebben het op zijn lulligst gespeeld: ik zat op een houtblok, de band in een kringetje om me heen, de drummer met één trommeltje, John Eskes met een rasper op een countrygitaar, pianist Klaas van Dijk met een klein plastic keyboardje en de bassist speelde de contrabas overdwars als een gitaar. Het leek wel kamperen. Ineens was het een klapper, het publiek ging swingend de pauze in.

Over het algemeen hebben mijn musici veertig jaar lang prachtige muziek gemaakt. Geen gewone cabaretmuziek, maar échte muziek, die harmonisch vaak behoorlijk ingewikkeld is. Daar ben ik trots op.'

■

5.

6.

7.

1. Rob van Kreeveld

2. Het kwartet van Lex Jasper met Frank Noya, Wijnand Blok en Hans Beths

3. Ben van der Linden

4. John Eskes

5. Klaas van Dijk

6. Hans Vroomans

7. Ben van der Linden, Peter Heijnen en Martijn Alsters

PAUL
VAN VLIET
NIEUWE THEATERSHOW
LEX JASPER.FRANK NOYA.HANS BETHS.CHRIS VAN BREE.WIM DRESENS.JOHN DE BRUIN
CARRÉ
VAN 1 OKTOBER AF
Dagelijks behalve zo. en ma. 20.15 uur.
Plaatsbespreken reeds 7 dagen van te voren aan de kassa van 10.00-19.00 uur
(zondags 13.00-19.00 uur) tel. 225.225.

1981-1983

Theatershow '81-'82

Paul van Vliet: *'De plaat* September *– een lp met orkest, waar mijn muzikale leider Lex Jasper en ik onze hele ziel en zaligheid in hebben gestopt – zal voor mij altijd verbonden blijven met de zomer van 1981. Daarin gebeurde van alles. Mijn moeder werd ziek en stierf uiteindelijk in september, en ook mijn schoonvader ging dood: tien dagen na haar. In diezelfde maanden moest ik ook een nieuwe show schrijven, de plaat opnemen en een tv-show met collega Henk Elsink voorbereiden. Ik had toen nog de zorgeloosheid van "dat komt wel goed", maar het lukte niet. Voor het eerst redde ik het niet onder hoogspanning.*
Ik had de première van de show afgesproken op 1 oktober in Carré. Maar in september had ik de opname van die plaat, de tv-show en beide begrafenissen. Als ik verstandig was geweest, had ik mijn première wegens overmacht uitgesteld. Want zoals het nu ging, kwam ik met een show die aan alle kanten rammelde. Terecht kreeg ik matige kritieken.
Naderhand heb ik een column geschreven over het mislukken van "Tanja", het grote, gekostumeerde pauzenummer, mijn duurste nummer ooit. Ik heb me daar vreselijk in vergist, want mijn directe omgeving en ikzelf geloofden heilig in "Tanja", maar het nummer deed niks. Ik heb het een paar keer herschreven en toen eruit gegooid. Maar dat was niet het enige, want de show als geheel liep niet. Daarom heb ik uit armoe het tien jaar oude nummer "Partnerruil" teruggehaald uit Noord-West.
Zelfs met veel bravoure waren deze tekortkomingen niet weg te spelen. In elke onemanshow heb ik gaandeweg wel wat moeten repareren, maar deze show heb ik echt grotendeels herschreven. De show had aanvankelijk ook geen goed slot. Dat is desastreus, want dan begin je de avond met een gevoel van onzekerheid, omdat je niet naar een climax kunt toewerken. In de beginweken in Carré ging ik na elke avond onbevredigd naar huis. Dat heb ik pas later kunnen verhelpen door als groot slotnummer Bram van de Commune te laten terugkomen. Bram had in die Baghwan-tijd een goeroe ontmoet, zoals iedereen, droeg een mooi wit gewaad en was weer omgeturnd, op weg naar totale verlichting. Hij tilde de finale op naar de hilariteit die je nodig hebt voor een goede show.
In het voorjaar van 1982 was de show eindelijk zoals hij moest zijn. Toen ik begon met mijn serie in het Luxor Theater in Rotterdam, heb ik daarom de pers opnieuw uitgenodigd. Ik heb het erg gewaardeerd dat ze ook daadwerkelijk kwamen. Het Vrije Volk *schreef toen: "Paul van Vliet ging van een matig herfstrapport naar een goed paasrapport".'*

■

September

Een rode zon
Een stille zee
De nevels in de morgen
Een vogel neemt de zomer mee
De toekomst ligt verborgen
Stilte voor de najaarsstorm
Afscheid van de groene bomen
Heimwee en een nieuw begin
September:
Tijd om thuis te komen.

■

Bram is terug

■

Tanja

(column, eerder verschenen in Het Belang van Limburg*, 1984)*

'81

U weet misschien dat de pauzefinale belangrijk is. Een oude theaterwet wil, dat de laatste vijftien minuten vóór de pauze vaak beslissen over het succes van de avond. Met dat nummer in het hoofd ziet men elkaar terug bij koffie – ijs – limonade – bier en bespreekt men het zojuist gebodene.
De conclusie van dat gesprek bepaalt voor een deel de instelling waarmee het publiek na de pauze weer in de zaal gaat zitten. Verwachtingsvol of sceptisch, voor alles in of op het ergste voorbereid.
Bij de vorige show meende ik het gouden pauzenummer te hebben gevonden. Het idee daarvoor was geboren uit de behoefte van de muzikanten en van de technici één keer op het toneel echt te mogen meespelen.
Ik had daarvoor een verhaal verzonnen over een Russische vrouw van ongehoorde spierkracht en lichaamsomvang: Tanja. Samen met haar zeven zonen zou zij het lied over haar leven zingen. Het verhaaltje had, in tegenstelling tot het nummer zelf, niet veel om het lijf.
Het kwam in het kort hierop neer: de moeder van Tanja heeft een zware bevalling en de verloskundige roept de hulp in van zes trekpaarden. Als de trotse vader het pasgeboren kind in de armen neemt, zakt hij door de vloer. De borstvoeding van de moeder is volstrekt ontoereikend en zij moet dat verder overlaten aan een zochtige koe.
Tanja smijt als kleuter haar familie van de trap, wordt op school in een kooi gezet, verminkt bij het balspel veertien van haar klasgenootjes voor het leven, enzovoort enzovoort. Zij wordt dan gekozen als kogelstootster in het Russische Olympisch team en wordt tijdens de Spelen verliefd op een Amerikaanse zwaargewicht, die zij bij het minnekozen dooddrukt.
Na deze eerste en enige liefdesnacht is Tanja zwanger. Zij baart zeven zonen en wordt, vanwege gemeenschap met de vijand, verbannen uit de Sovjet-Unie. Om aan de kost te komen reist zij daarna met haar zeven zonen zingend door Europa.
Als pauzenummer ('Vedette Américaine' heet dat in jargon) nu voor één seizoen bij de Van Vliet-show.
Voor aankleding en uitvoering hadden wij kosten noch moeite gespaard. Volledige kostumering van zeven kozakken, compleet met bontmutsen, rijk met goudgalon bebiesde rode jassen, leren laarzen, baarden en snorren. Wij bespeelden authentieke Russische muziekinstrumenten, waarop wij drie maanden tot bloedens toe hadden geoefend.
Een van Nederlands eerste dansmeesters had er bij ons een opzwepende choreografie ingeramd en ikzelf trad, als Tanja, op in een oogverblindende japon van zuivere zijde en een écht zwarte pruik tot op het middel.
Wij brachten dat nummer de eerste avond in de heilige overtuiging iets ongelofelijk prachtigs in handen te hebben. Alle elementen voor een groot succes leken aanwezig: een gek verhaal, mooie muziek, prachtige kostuums, opwindende danspassen en acht man op het toneel in een onemanshow.
Maar pers en publiek vonden er geen bal aan. Ze begrepen het niet, vonden het platvloers, te lang en te traag.
Toen hebben wij het nummer radicaal veranderd. Meer beweging, meer tempo, meer lichteffecten, meer grappen en veel korter.
Pers en publiek vonden er nog steeds geen bal aan.
Onder andere omstandigheden gooi ik zo'n nummer er dan uit. Maar in dit geval was dat een beetje pijnlijk. Het was het allerduurste nummer dat ik ooit had gemaakt en nimmer tevoren hadden zovelen zoveel tijd, zoveel talent en zoveel moeite besteed aan zo weinig resultaat.
Toen heb ik Tanja voor de derde keer herschreven en daarna het verhaal over de mislukking van het nummer gespeeld.
De wanhoop van de schrijver met het koortsachtig zoeken naar een nieuwe vorm en aan het slot een panische opeenstapeling van flauwe grappen.
Toen deze versie opnieuw met een nauwelijks welwillende stilte werd ontvangen, heb ik er, in een laatste poging het nummer te redden, een serieus slot aan geplakt. De afgang van een clown, om wie niet meer wordt gelachen, die in vertwijfelde zucht naar de gunst van het publiek dan maar zijn oude successen inzet.
Maar ook dát werd, als veel te melodramatisch, onbarmhartig afgewezen.
Ik heb toen de knoop maar doorgehakt en het nummer definitief geschrapt. Exit Tanja.
Dus:
Te koop aangeboden:
7 kozakkenkostuums, compleet;
1 avondjapon voor zéér grote dame.
Zo goed als nieuw.
Slechts kleine waterschade (ten gevolge van tranen van onmacht).

Paul van Vliet

■

'81

Een beetje geschuffeld

Paul van Vliet: *'In december 1983 trouwde ik met Lidewij. De avond tevoren ging ik naar Van Gils om een trouwpak te halen. Dat bedrijf zat in Nispen, vlak bij Etten-Leur, waar Adidas gevestigd is. En omdat ik de jongens van Adidas goed kende, ging ik daar op weg naar huis even langs met mijn nieuwe trouwpak. Het was aan het eind van de middag en er zaten allemaal sportjongens aan de bar, onder wie Anton Geesink. Het werd erg gezellig en hoewel ik het niet van plan was, heb ik daar een soort vrijgezellenavond gehad. Uiteindelijk kwam ik een beetje geschuffeld thuis met mijn nieuwe pak.*
De bruiloft zelf was heel anders dan destijds met Liselore, alleen al omdat nu de kinderen erbij waren. Ik dacht een intiem feestje te kunnen houden, maar toen we wakker werden, lagen er al zeven fotografen voor de deur van ons huis. Terwijl Lidewij en ik elkaar het jawoord gaven, stond er een heel muurtje fotografen om ons heen. Mijn oude vader timmerde de fotografen boos met zijn stok op hun ruggen, terwijl hij riep: "Ik wil mijn zoon zien, die ja zegt tegen deze lieve vrouw. Zijn jullie gek geworden?"
Lidewij en ik maakten een korte huwelijksreis naar Antwerpen. Toen we de hotelkamer binnenkwamen, troffen we daar een enorm bloemstuk aan. Dat was afkomstig van de Adidas-directie, die erachter was gekomen waar we zaten.'

Jij bent mijn laatste kans

Ik kan niet zonder jou
Een dag een nacht een week een maand
Dat gaat nog zonder jou
Maar op de lange duur kan ik niet zonder jou
Bij jou heb ik gevonden wat ik wou
Ik kan niet zonder jou
Ik hou van jou
Ik kan niet zonder jou

Jij bent mijn laatste kans
Dit is de laatste keer
Als het met jou niet lukt
Dan wil ik het niet meer:
Dat moeizaam zoeken naar elkaar
Dat langzaam wennen aan elkaar
Dat eindelijk zien wat je bedoelt
Voorzichtig weten wat je voelt
En al die tijd besteed aan strijd
Voor vrijheid in gebondenheid
Die liters water in de wijn
Op de lange weg naar samenzijn.

Als het met jou niet lukt
Dan doe ik het niet meer
Jij bent mijn laatste kans
Dit is de laatste keer.

Ik kan niet zonder jou
Een dag een nacht een week een maand
Dat gaat nog zonder jou
Maar op de lange duur kan ik niet zonder jou
Bij jou heb ik gevonden wat ik wou
Ik kan niet zonder jou
Ik hou van jou
Ik kan niet zonder jou.

Met Eddy Habbema

Met Floor Kist

Kritische begeleiding

Paul van Vliet: *'Als ik in de kleedkamer in de spiegel kijk, zie ik een geconcentreerde, enigszins droeve kop. En ook als ik naar een show van mezelf kijk op tv, is objectiviteit onmogelijk. Ik vind het echt vreselijk om naar zo'n opname van mezelf te kijken. De tekst kun je dromen, daar let je niet meer op. Ik kijk alleen naar de bijverschijnselen, hoe het eruitziet, hoe ik klink, hoe mijn haar zit. Daarom kijk ik altijd met een paar andere mensen samen.*
Maar dat mogen dan geen specialisten zijn, want die gaan letten op details die er niet echt toe doen. Een belichter let alleen op het licht, een schoenenfabrikant alleen op het schoeisel, een styliste alleen op het pak dat je aanhebt. Je kapper komt je vertellen dat je haar anders moet en je tandarts heeft gezien dat er een kroon vernieuwd moet worden. Pas als je met je show alle specialisten een avond lang hun vak hebt laten vergeten, ben je echt goed.
Fouten, missers en vergissingen in de show zijn voor een groot deel wel te achterhalen en te ondervangen met Paul in het klad, *maar het uur van de waarheid is toch als het gewone publiek de show beoordeelt als een volwaardig product. Maar daar kun je bij het schrijven van nieuwe nummers moeilijk op wachten. Daarom heb ik altijd mensen om me heen gehad die me kritisch volgen, corrigeren en terugfluiten. Maar die ook met me meevoelen en meedenken, op basis van het feit dat ze van me houden en het beste met me voorhebben, of zich niet voor me willen schamen. Die mensen kennen me goed, kunnen zich in me verplaatsen, ik kan ze vertrouwen. Zulke mensen zijn, naast mijn coaches Nick van den Boezem en Eddy Habbema, altijd vooral Floor Kist en Lidewij geweest: alle vier vaklui met een ervaren oog. In het begin heeft ook Liselore mijn werk kritisch begeleid.*
Ik heb geen hofhouding van jaknikkers, daar kom je niet verder mee. Floor Kist is via de diplomatieke dienst Grootmeester geworden in de koninklijke hofhouding; hij schrijft nog altijd mee aan de speeches van de koningin. Hij is een echte taalvirtuoos, die bereid is vanuit mij te denken. Ik ben blij dat ik hem altijd langs de zijlijn heb gehad, want hij beperkt zich niet tot kritiek, maar draagt ook alternatieven aan. Datzelfde talent heeft Lidewij, die feilloos vanuit de gevoelskant kan aangeven wat er nog aan mijn teksten verbeterd kan worden, waardoor ze de vrouwelijke kant van mijn liedjes aanzienlijk heeft helpen ontwikkelen. Ook Inge van der Werf heeft een helder oordeel. Ik zou niet zonder hen kunnen.'

■

Slotgrap
Paul van Vliet: *'Floor Kist levert me regelmatig losse grappen voor mijn programma. Ik kan gewoon een grap bij hem "bestellen" voor een bepaald nummer. Aan het eind van de Taets-act had ik bijvoorbeeld geen goede slotgrap, dus zette ik in de tekst die ik aan Floor toestuurde: "Hier grap." Waarna hij kwam met de afvloeiingsregeling met de wollen handdruk, geheel in overeenstemming met de Nederlandse wapenspreuk "Je Maintiendrai", oftewel "Ik houd mijn hand op." Dat was precies wat ik nodig had.'*

■

■

De beste grappen in drieën
Paul van Vliet: *'Adrian Brine, die mijn Engelse shows heeft gecoacht, zei altijd: "Als je een groot komisch nummer hebt, moet je daarvoor een licht komisch nummer zetten, dat niet te veel pretenties heeft, maar wel de grinnik losweekt. Daarna heeft je grote nummer meer kans."*
Engelsen en Amerikanen gaan veel wetmatiger om met de opbouw van shows. In Nederland gaan we meer af op ons gevoel, al weten we hier natuurlijk ook wel dat nummers elkaar kunnen doodslaan bij een verkeerde volgorde. Ik houd er helemaal niet van om mijn shows technisch-theoretisch te benaderen, maar heb achteraf wel gezien dat de beste stukken uit mijn programma's zo'n door Adrian Brine gesuggereerde opeenvolging hebben. Kennelijk is mijn intuïtie een deel van mijn talent.
Wim Kan zei altijd dat de mooiste grappen bestaan in drieën: eerst een klein grapje, dan een sterke grap en dan de genadeklap. Ook daarvan heb ik later pas gezien dat mijn beste grappen zo zijn opgebouwd: opmaat, stoot, afmaker. Wat dat betreft is het prettig om te praten met ervaren collega's.

Ook met Toon Hermans heb ik het wel gehad over de plaatsing van bepaalde nummers. Dan zei hij: "Dat is er een voor tien voor elf." Die uitspraak dateerde nog uit de tijd dat shows tot kwart over elf duurden. Tegen die tijd moet het publiek helemaal warm zijn en kun je heel diep gaan, emotioneel, maar ook met je humor.
Je moet ervoor zorgen dat je geen grappen in je programma laat zitten die eigenlijk niet deugen, maar waar toch om gelachen wordt. Mijn groepje kritische volgers waarschuwt me dan: dat is niet echt, haal er maar uit. Soms duurt het een tijdje voordat ik dan van zo'n grap afscheid kan nemen, maar hij gaat er wel uit. Vooral vrouwen kunnen zich storen aan zo'n onechte, valse grap: "Doe nou niet, dat hoort niet bij je."
Die integriteit geldt nog in sterkere mate bij emotionele of persoonlijke liedjes. Dan balanceer je algauw op het randje van de smartlap. Ik heb wel eens dingen geschreven die ik 's nachts achter de piano heel gevoelig vond, maar die de volgende morgen het daglicht niet konden verdragen en acuut in de prullenbak verdwenen.
Mijn eerste liefdeslied had ik 's nachts geschreven in Theater PePijn. Ik vond het zelf prachtig, maar toen ik het de volgende dag voorlas aan Liselore, Ferd. en Lidewij, begonnen ze allemaal te grinniken. Toen heb ik er maar een parodie van gemaakt, die zo de show in kon. Dat gold ook voor het serieus bedoelde nummer "Drie mensen in een regenjas", dat ik voor het ensemble geschreven had. Ik was er vol van en las het voor, maar ze waren allemaal stil, een teken dat er iets mis was. Toen kwam de kritiek: zweverig, melodramatisch, sentimenteel. Daar heb ik toen een parodie op Italiaanse cultfilms van gemaakt. Het werd een van de hoogtepunten van het programma.
Soms is het stom om eigenwijs te blijven en moet je je trots inslikken. Maar als de inkt nog nat is, ben je erg kwetsbaar voor kritiek. Dan moet er toch wel een halve dag overheen gaan voordat je tegen aanmerkingen kunt. Daarom duurt het bij mij meestal even voordat ik zo'n tekst opgeef: ik begin hem automatisch te verdedigen, totdat ik uiteindelijk besef dat ze misschien wel gelijk hebben. Dan volgt de terugtocht naar de werktafel, om te zien of herschrijven nog redding biedt. Maar ik heb in de loop der tijd heel wat stukken weggegooid die niet goed genoeg waren, minstens de helft van alles wat ik heb geschreven.'
■

■
Te soft
Paul van Vliet: *'In de provotijd, toen een deel van de pers uitgesproken engagement verlangde, heb ik het in de kritiek moeilijk gehad. Volgens de linkse kranten was ik te soft en bracht ik "vrijblijvend amusement". Recensent Peter van Bueren gaf me in* De Tijd *in een kerstrapport een 8 voor "tekst en presentatie", maar een 5 voor "mentaliteit". Toon Hermans had dezelfde cijfers, dus ik was in goed gezelschap.*
Die houding gaat ervan uit dat cabaretteksten zout en peper moeten strooien in de open wonden van de samenleving. Terwijl er zoveel verschillende soorten van theater maken zijn. Ik vond het wel vervelend, maar als ik aan zulke kritiek tegemoet zou zijn gekomen, had ik mezelf geweld aangedaan omwille van de mode. Want ik geloof in een tijdloos soort engagement, dat volgens mij veel interessanter is dan de vluchtige actualiteit. Maar die verwijten zijn mettertijd vanzelf weggegleden. Na een aantal jaren mochten ineens weer allerlei soorten cabaret, tot aan een neo-lulligheid toe die helemaal nergens meer over ging. Het vooroordeel bleek een misverstand, dat een tijdlang niet uit te roeien was, maar zichzelf uiteindelijk vernietigde. Want het enige criterium moet natuurlijk zijn: is het gebodene goed of niet? Luister en kijk er goed naar, ook al is het misschien je smaak niet. En voor de theatermakers geldt: als je maar trouw blijft aan jezelf, kom je vanzelf weer in de mode en wordt je stijl ineens weer als nieuw ervaren.'
■

■
Omzeilende teksten
Paul van Vliet: *'Ik ga alleen kijken bij collega's, als ik vermoed dat ze me kunnen inspireren. Vaak ga ik hun show dan twee keer zien: een keer als publiek en een keer als criticus. Die eerste keer laat ik me graag veroveren; als ik me dan al meteen begin af te vragen hoe hij het doet, is het niet goed, want dan lukt het hem kennelijk niet om me mee te slepen. Dat spijt me dan, want ik gun een collega het beste. Soms help ik hen wel eens met een losse grap of een vrijblijvende suggestie.*
Maar na de show zeggen collega's meestal niet veel, want de waarheid is lastig. Iedereen is omzichtig en voorzichtig over elkaars werk. De gesprekken in de kleedkamer zijn dan ook vaak moeizaam, tenzij je natuurlijk zo enthousiast bent dat je een collega helemaal vervuld kunt omarmen. Over de omzeilende teksten die je vaak achteraf hoort, heb ik destijds een column geschreven.'
■

■

Na afloop

(column, eerder verschenen in Het Belang van Limburg*, 1984)*

'Zo, het ei is weer gelegd,' zeggen wij na afloop van de show. Maar ik ben geen scharrelkip die na ieder gelegd ei, opgewonden over de eigen prestatie, aanstellerig gaat kakelen. Integendeel.
Ik zit na afloop een beetje versuft in mijn kleedkamer in gezelschap van de op dat moment actuele levensbehoeften: sigaretje, pilsje en verder niks.
Dat duurt een paar minuten. Daarna ben ik weer in staat tot het voeren van een eenvoudig gesprek. Stelt u zich daar overigens niet te veel van voor. Gesprekken in de kleedkamer na afloop van een voorstelling zijn over het algemeen nogal ongemakkelijk.
De aanblik van de artiest is ook ontluisterend. Daarnet stond hij nog in de volle glorie van de glitter en de schitter en nu zit hij daar bleek en bezweet in zijn onderbroek. Dat werkt verwarrend. Althans in de showbizz.
Bij het Grote Toneel ligt dat anders. Als je kennis of familielid zojuist de Elephant Man heeft gespeeld of in een koningsdrama een akelige dood is gestorven, ben je blij de man weer gezond terug te zien
Maar wij vallen tegen. En dan willen wij ook nog dat het kleedkamerbezoek ons uitbundig gaat prijzen met: 'Het was fantastisch, een topprogramma, wij kunnen er weer weken tegen! Bedankt en welterusten.'
Maar zo gaat het niet. De meeste mensen staan onder de druk van iets aardigs te moeten zeggen een beetje bedremmeld te zoeken naar woorden en komen niet verder dan een paar omzeilende uitspraken. In de loop der jaren heb ik geleerd die te vertalen naar de waarheid.
Als ze zeggen: 'Wat een mooie muziek!' bedoelen ze: de teksten kan je schudden.
Als ze zeggen: 'Wat een schitterende belichting!' betekent dat: teksten én muziek kan je schudden.
Als ze zeggen: 'Dat ene nummer, met die hoge hoed, dat was geweldig,' mag je daaruit concluderen dat ze de rest van het programma al zijn vergeten.
Sommigen hebben heel handige zinnen als: 'Ik weet niet wat ik moet zeggen... Ik moet het nog even verwerken... Er komt zoveel over je heen zo'n avond...'
Anderen kunnen je, zonder het te weten, behoorlijk beledigen met: 'Ik heb zeker een slechte avond getroffen' of 'Ik heb een drukke dag gehad. Vanmorgen vroeg uit Londen, uur vertraging, meteen naar kantoor, moeilijke telefoongesprekken, veel post, zware vergaderingen en dan heerlijk bij jou zo'n hele avond even NIKS.'
Alleen de routiniers en de collega's weten precies wat hun te doen staat: 'Wat een prachtig pak, waar heb je dat vandaan?' Of heel indringend: 'Er is wel wat met jou gebeurd de laatste tijd' of 'Hoe vond je het zelf?'
Bijzonder pijnlijk is het voor de humorist als ze zeggen: 'De stiltes vond ik het mooist.'
Ik heb uitgevonden dat ik het beste zelf het initiatief kan nemen.
Ik pomp mij vol energie en begin opgewekt te babbelen: '... dat het zo aardig van ze is dat ze zijn gekomen... dat ze er goed uitzien... dat het een fijn programma is om te spelen en dat ik me verheug op morgen, dat het weer mag...'
Daarna vraag ik uitgebreid naar de vorderingen van de kinderen op school, naar de verbouwing van het nieuwe huis en de gezondheid van hun oude vader.
Dan komt er meteen een ontspannen sfeer in de kleedkamer en als de bezoekers zichzelf hebben hervonden, kan ik mij uit het gesprek terugtrekken en gaan douchen.
En dan zeggen zij opgelucht tegen elkaar dat ik zo gewoon ben gebleven.
Reacties na afloop, ik zou er een boek over kunnen schrijven. Maar één stukje lijkt me genoeg.
Het aardige is dat die reacties overal in het land verschillen.
Het hoogste compliment dat je van Friezen en Groningers kunt krijgen is: 'Het kon minder.'
Als een Amsterdammer je wil prijzen, zegt hij: 'Heel leuk, had ik self kenne versinne.'
Een Hagenaar probeert het met: 'Uitstekende akoestiek, woord voor woord te verstaan.'
Een Rotterdammer zal zeggen: 'Goed gewerkt, hoor' en in het Zuiden roepen ze na afloop: 'Paul gja je gjauw verkleje, dan gjaan we gjezelligj wat drinke.'
Alleen in Twente zeggen ze niks na afloop.
Daar zeggen ze alleen wat van tevoren: 'Kiek'n wat het wordt.'

Paul van Vliet

■

Paul van Vliet
euwe one man show '84-'85
Muziek: Ben van der Linden, John Eskes
Techniek: Chris van Bree, Wim Dresens, Ton Bemener
Produktie: Annet Riezebos Regie: Nick van den Boezem
Circustheater Scheveningen
Vanaf vrijdag 29 juni dagelijks behalve zo. en ma. 20.15 uur.
Kaartverkoop bij de bespreekbureaus van Haagsche Courant, Posthoorn
en V.V.V.-i-Kantoren en vanaf donderdag 21 juni aan de kassa dagelijks
van 10.00 - 16.00 uur, telefonisch van 11.00 - 16.00 uur 070 - 558800.
Paul van Vliet
ONE·MAN·SHOW
Wat gaan we doen?
Quintessence

1984-1985

Wat gaan we doen?

Paul van Vliet: *'Na mijn wat tegenvallende vierde onemanshow was* Wat gaan we doen? *een soort comeback. Als je in Nederland een goede of een slechte show hebt, weet iedereen dat vrij snel. In dit geval duurde het een tijdje voordat ik qua publieke belangstelling weer op mijn oude niveau zat. In dit programma zaten een paar grote nummers, zoals "Het touwtje uit de brievenbus" en "Pappa is blijven hangen aan de sixties" en als komisch type Haagse Benny. Daarmee won ik ook het grote publiek in Carré weer terug.*

Carré is altijd iets bijzonders. Het Circustheater is mijn thuishaven, daar wordt me meer vergeven dan elders, maar Carré is het circus voor het grote succes. In 1984 was ik daar zelfs met mijn twintig jaar ervaring nog nerveus, vanwege de Amsterdamse manier waarop het publiek je daar ontvangt met hun houding van "laat maar eens zien wat je kan". In kunst en theater is dat door de eeuwen heen de arrogantie van Amsterdam geweest: daar gebeurt het en het oordeel van Amsterdam is bepalend en doorslaggevend. Het is een onuitroeibaar misverstand, dat vooral in stand wordt gehouden door elders geboren provincialen die in Amsterdam het licht hebben gezien en dat opgeklopte Amsterdamse chauvinisme hebben ontwikkeld. Amsterdammers zelf houden van hun geboortestad, maar maken daar verder niet te veel drukte om; de import-Amsterdammers verkopen die stad iets te nadrukkelijk.

Hoe dan ook, ik was echt nerveus voor die première. Toen kreeg ik vlak voor de voorstelling een telegram van Toon Hermans, die op dat moment niet speelde omdat hij ziek was. Hij schreef: "Ik wou dat ik vanavond naast je stond. Zal aan je denken. Toon." Dat ontroerde me zeer, zeker na de moeilijkheden die we onderling gehad hadden.

Toon gaf me die avond net het zetje dat ik nodig had: hij had de loyaliteit om aan mij te denken en me dat te laten weten. Geëmotioneerd en geladen ging ik het toneel op, waarna

ik door de avond zweefde. Het kon niet meer misgaan.'

■
Pappa is blijven hangen aan de sixties

'84...

De kinderen zijn naar bed
Pappa rookt een stikkie
En zet een ouwe plaat op van Bob Dylan
Hij heeft nog lange haren
Zoals die vroeger waren
Maar zoals ze 't tegenwoordig niet meer willen.

Pappa loopt te dwalen
Pappa kan niet slapen
Pappa gaat weer bladeren
In het Grote Beatle Boek
Pappa zit te dromen
Kan tot niets meer komen
Pappa is de richting kwijt
Pappa is op zoek
Pappa denkt aan vroeger
Samen slapen op de Dam
Het leven leek één happening
Waaraan geen einde kwam.

Pappa is blijven hangen aan de sixties
Pappa is blijven steken in de tijd
Pappa werd niet ouwer
Dan de flowerpower
Pappa is een bezienswaardigheid
Waar hij voor heeft gevochten
Waar hij in heeft geloofd
Dat krijgt hij van zijn kinderen
Nu als verwijten naar zijn hoofd:

Pappa doe normaal
Pappa ruim je troep op
Pappa kan die grammofoon wat zachter
Pappa ga naar de kapper
Pappa niet die ketting
Pappa doe niet zo stom want je loopt achter!

Pappa ik wil slapen
Pappa ik moet werken
Pappa je loopt voor gek
In die achterlijke broek
Pappa ga nou trouwen
En niet weer die Gouwe Ouwe
Lees nou eindelijk een keer
Eens een fatsoenlijk boek
Pappa hou nou op
Met dat gezanik over toen
Pappa word volwassen
En in godsnaam ga iets doen!

Pappa is blijven hangen aan de sixties
Pappa is blijven steken in de tijd
Pappa werd niet ouwer
Dan de flowerpower
Pappa is zijn zekerheden kwijt
Een vreemdeling in zijn eigen huis
Waar hij niet meer zeggen mag
Hoe mooi het nú had kunnen zijn
Met wat hij tóén voor zich zag.

Yesterday
All his troubles seemed so far away...
■

■
Ik mot effe weg

Benny: *'Valt hier nog wat te lachen? Daar heb ik behoefte an. Ik zal het effe uitleggen. Ik zit hier vlakbij in het Kurhaus. M'n schoonouders zijn veertig jaar getrouwd. Daarom zitten we met z'n allen in een hotel. We hebben het eten net op. Mogen straks blijven slápen ook. Maar ik ken niet met die mensen. Ik krijg daar het schompes van. Dan ga ik te veel drinken. Gaan ze weer tegen me an zeiken. Dus ik denk na tafel: ik mot effe weg. Ik zeg: "Ik ga vast tanken." Zeggen ze: "Ben, dat kan morgen toch ook?" Ik zeg: "Ja, maar dan is de benzine misschien weer duurder."*
Dus ik ben blij dat ik effe weg ben. M'n schoonouders, veertig jaar getrouwd. Maar ik ken niet met die mensen. Elke keer één grote puinhoop. We liggen mekaar niet. Vanaf dat ik met Truus ging was het mis. Ik krijg vaste verkering. Ik kom daar de eerste keer kennismaken. Zegt Truus: "Nou, dit is Benny." Ik zeg: "Dag mevrouw, dag meneer." En tegen Truus: 'Wat leuk dat je nog een opa en oma heb." Zegt me schoonmoeder: "Benny, doe maar net of je thuis bent." Ik zeg: "Goed mevrouw, dan gá ik maar weer." En dat is nooit meer goed gekomen.'
■

’85

Houvast

Paul van Vliet: *‘Eigenlijk heb ik “Het touwtje uit de brievenbus” geschreven op verzoek van een vrouw uit Den Haag. Ze vond Bram van de Commune wel leuk, maar haar zoon was via de “stuf” aan de heroïne gegaan en was nu bezig zichzelf en de hele familie te gronde te richten. Haar dilemma was: moet ik hem loslaten of juist vasthouden. Ze stuurde me een brief waarin stond: “Schrijf maar es een vervolg op Bram, maar dan als troost voor alle ouders die met datzelfde probleem worstelen.”*
Van sommige teksten weet ik precies waar ik die geschreven heb. Tussen Antwerpen en Venray heb ik toen “Het touwtje uit de brievenbus” geschreven. Als ik in de auto de geest krijg, stop ik bij een parkeerplaats of bij een wegrestaurant, waar ik een pilsje, een paar vellen papier en een pen bestel. Dan ga ik ter plekke in grote concentratie zitten schrijven. Soms lees ik zo’n tekst na afloop meteen voor aan een wildvreemde: “Hé, moet je horen!”
Toen ik in Venray aankwam, was ik zo vol van het liedje dat ik het meteen heb laten horen aan de directeur van de schouwburg, de heer Catoir. Hij was onder de indruk en zei dat ik het in de show moest zingen. Maar ik had het eigenlijk voor die vrouw gemaakt, dus heb ik het eerst naar haar gestuurd en haar toestemming gevraagd om het in mijn show op te nemen. Dat vond ze best. Ben van der Linden, mijn muzikale leider, was in die periode bevriend met een zwaar verslaafd meisje, dat diep in de problemen zat. Waarschijnlijk daardoor kwam hij met adembenemend mooie muziek voor het liedje.
“Het touwtje uit de brievenbus” is een metafoor voor een houvast. In het geval van die vrouw heeft het gewerkt, want haar zoon is erdoorheen gekomen. Dat kwam ze me later dat jaar vertellen in Scheveningen. En mooier nog: een paar jaar later kwam ze terug met haar zoon Stefan. Die was afgekickt, had zijn opleiding afgemaakt en stuurde me naderhand een foto van zichzelf met een stralend kind op zijn arm. Die foto staat op mijn werktafel.’

Het touwtje uit de brievenbus

Ze zeggen:
Laat hem los
En laat hem niet meer binnen
Ze zeggen:
Laat hem gaan
Hij moet het overwinnen
Ze zeggen:
Niet erheen
Je kunt hem niets meer geven
Ze zeggen:
Deur op slot
Je hebt ook een eigen leven.

Maar ik heb hem toch gevoerd
Hap voor hapje
Ik heb hem leren lopen
Stap voor stapje
Sinaasappels
Buitenlucht
Boterhammen mee
Wandelen hand in hand
Rennen langs de zee
Een tikje op zijn vingers
Een pluimpje op zijn hoed
Een klopje op zijn schouder
Van: jongen jij gaat goed
Een glimlach van vertrouwen
Er wordt van jou gehouden
Die hele lange weg
Die wij samen zijn gegaan
Nemen geven
Leren leven
Eigen benen staan
Mijn hart mijn huis
Mijn beide armen
Stonden altijd open
En een touwtje uit de brievenbus:
Hij kon zo naar binnen lopen.

Maar ze zeggen:
Laat hem los
Niet meer met hem praten
Ze zeggen:
Laat hem gaan
Je moet het overlaten
Dus ik ga daar niet meer heen
Ik maak daar niet meer schoon
Ik heb mijn eigen leven
Maar ook dat van een zoon…

Die ik heb gevoerd
Hap voor hapje
Die ik heb leren lopen
Stap voor stapje
Sinaasappels
Buitenlucht
Boterhammen mee
Wandelen hand in hand
Rennen langs de zee.

Hij is weer even hulpeloos
Als dat kereltje van toen
Maar ik laat hem nu alleen
Ik mag nu niets meer doen
Maar ik laat toch voor de zekerheid
Mocht hij naar huis verlangen
Dat touwtje uit de brievenbus
Voorlopig nog maar hangen.

De roes

Paul van Vliet: '*Op een gegeven moment ben ik in mijn leven ongemerkt in een roes gegleden. De seizoenen waarin ik speelde regen zich net zo ongemerkt aaneen als de seizoenen van het jaar. Op dat ritme ga je dan ook door het leven: je reist, je schrijft, je speelt en je bent ook wel eens thuis. De show wordt het centrum van je bestaan. Je leeft in een heel eigen wereld, vooral als je vijf of zes dagen per week speelt, in hotels logeert en overnacht in steden waar je blijft hangen.*

In al die steden zijn de theaters mijn thuishavens, die ik blind weet te vinden. Met de bijbehorende vluchtige kennissen in de theaters en de hotels. Soms waren we drie weken achter elkaar hooguit het weekend thuis, dan moest je daar altijd weer even wennen. Of we in een stad overnachtten na de voorstelling hing altijd af van waar we in Nederland optraden: in Friesland, Groningen, Drenthe, Twente, Limburg en Zeeland bleven we slapen. De rest was bereikbaar genoeg om heen en weer te rijden. Vanuit Vlaanderen reisde ik sowieso niet terug.

Ik ben iemand van tradities, ik zoek vertrouwdheid. Als ik niet kan slapen, probeer ik me wel eens alle kleedkamers in Nederlandse theaters voor de geest te halen en hoe je van daaruit naar de zaal komt. Of ik begin Belgische biermerken te tellen. In iedere stad ken ik een hotel, een theater, een paar kroegen en meestal hetzelfde restaurant, waar ik met de jongens ga eten. Ik verblijf ook het liefst in steeds hetzelfde hotel en op den duur ook graag in dezelfde kamer. Zoals vroeger kamer 5 van het Memphis Hotel in Enschede, kamer 101 in Du Casque aan het Vrijthof in Maastricht, en van het Oranjehotel in Leeuwarden weet ik het kamernummer niet meer, maar nog wel de donkerrode kleur van de muren.

Ik neem altijd een kamer aan de achterkant, vooral niet te dicht bij een kerktoren of een carillon, want ik moet uitslapen en ben mijn leven lang al een lichte en redelijk slechte slaper. In sommige van die hotels kom ik al veertig jaar; ik ben steevast verdrietig als het management er verandert of het hotel verkocht wordt. Eigenlijk houd ik het meest van familiebedrijven, die overgaan van vader op zoon. De roes waarin ik jaren heb geleefd is verslavend. Je voelt je een beetje een buitenstaander. Je hele levenstempo richt zich op de show, je vrije tijd past zich aan het seizoen aan. Die show van acht tot elf is jouw ingedikte werkelijkheid, dáár gebeurt het, daar leef je de rest van de dag naartoe en verder doe je niet veel. Een dag zonder spelen is anders, onwennig. Altijd zit je wel met een deel van je hersens aan de show te denken, zowel aan de voorstelling als aan nieuwe teksten. Als je niet oppast, word je een zonderling die in een zelfgekozen isolement leeft, een handelsreiziger in liedjes en komische types, die elke paar jaar zijn handel te koop aanbiedt in een stad of dorp.
Daarnaast komen dan nog allerlei bijverschijnselen, zoals de publiciteit, de zaak, platen maken, radio en tv. Ook zulke nevenactiviteiten maken deel uit van de roes, die steeds een seizoen lang je realiteit bepaalt. En dat bestaan wordt langzamerhand jouw vertrouwde werkelijkheid. Jaar in jaar uit deed ik de ronde van Nederland en Vlaanderen. Daarbij heb ik geprobeerd een evenwicht te vinden tussen het vak en mijn privé-leven, een strijd die waarschijnlijk al mijn collega's wel zullen voeren. Wim Kan heeft dat het best geformuleerd: "Als je niet leeft voor de show, heb je geen show; en als je leeft voor de show, heb je geen leven."'

Paul van Vliet: *'Je moet je privé-leven goed bewaken en jezelf dwingen om, als je thuis bent, ook daadwerkelijk thuis te zijn. Daarom ben ik ook op een boerderij in het midden van het land gaan wonen, afgeschermd en in betrekkelijke eenzaamheid, op vier kilometer van het dichtstbijzijnde dorp. De stad gaf me niet de rust om te herstellen en tot de noodzakelijke reflectie te komen.*
Je kunt niet alleen maar uitdelen, je moet jezelf ook laten voeden door het leven, door te lezen, door anderen aan het werk te zien, door tentoonstellingen te bezoeken en door televisie te kijken, anders raak je het contact met de samenleving kwijt. Als ik me niet tussen de mensen begeef, weet ik niet wat er leeft. De mensen op straat zijn mijn grootste inspiratiebron, afgezien van mijn persoonlijke ervaringen en gevoelens. Ik heb altijd geprobeerd over het oorspronkelijkste wat er in me zit te schrijven op basis van herkenbaarheid. Een cabaretier is geen dichter die het meest persoonlijke aan het papier toevertrouwt in een formulering die voor zijn lezers vaak vaag is; theatertaal moet per seconde worden begrepen en niet pas de volgende morgen bij het ontbijt.
Om de scheiding tussen ons huis en mijn werk duidelijk te houden, schrijf ik vrijwel altijd in mijn werkhuisje, dat los staat van ons woonhuis. Dat is mijn hol, waar ik al mijn werk mee naartoe sleep, en ik kan er ook blijven slapen, als ik dat wil. In ons huis schrijf ik zelden, hooguit als me tijdens een gesprek ineens iets te binnen schiet. En voor het echte schrijven ben ik zelfs vaak van huis gegaan, want in de boerderij heb ik te veel afleiding, daar herinnert alles aan het dagelijks leven en wat daarbij hoort. In hotels en onderweg schrijf ik het beste: een hotelkamer herinnert in niets aan thuis. En in de auto heb ik een ideale afzondering, reden waarom ik nooit een chauffeur heb willen hebben. Ik wil een tekst hardop kunnen uitproberen, en dat doe je niet met iemand anders erbij.
De sleutel voor een goede tekst is dat je op hol kunt slaan, in de waanzin kunt schieten. Ik schrijf het beste als ik ook met schrijven in een roes blijf. Meestal ga ik naar hotel Huis ter Duin in Noordwijk om daar in een suite op de negende verdieping te zitten, met uitzicht op zee zover het oog reikt. Daar kan ik in de stroom van mijn eigen gedachten blijven doorschrijven, afgewisseld met lopen langs de zee, uren nietsdoen, nadenken. Dan kom ik tot de beste dingen.'

Paul van Vliet: *'Repeteren doe ik ook altijd ver weg van de Randstad, waar niemand bij mag zijn. Dan ben ik alleen met mijn groep, mijn technici, Lidewij en mijn coach. Ik repeteer met het toneellicht aan, zodat ik kan proeven of een nummer levensvatbaar is. Die repetities vonden vaak plaats in een theaterzaaltje in Zaltbommel, waar Jan de beheerder was en zijn vrouw Annie voor ons kookte. Dat was traditie.*
Sinds 1983 heb ik jarenlang een vaste ronde gemaakt: eerst schrijven, dan de kladavonden in Beusichem, dan de repetities in Zaltbommel en vervolgens de try-outs in Tiel, in een groot theater.
Zo hebben veel van mijn shows hun begin gekend in de Betuwe. Dat ben ik heel lang zo blijven doen, want als iets werkt, moet je er niets aan veranderen.'

Paul
van
Vliet
one man show '86 - '87
Over Leven
Muziek en muzikale leiding: Ben van der Linden
Gitaren: John Eskes
Wim Dresens, Ton Bemener, john de Bruin, Piet Niewint
Produktie: Annet Riezebos
CIRCUSTHEATER - VANAF VRIJDAG 11 JULI

1986-1987

Over Leven

Paul van Vliet: *'Naast* Noord-West *is* Over Leven *de onemanshow geweest waar ik het meest van heb gehouden. Er zat veel afwisseling in van ernst en humor, net als in* Noord-West, *maar in een veel gerijpter vorm. En in deze show zitten ook enkele van mijn lievelingsnummers, zoals "Ik ben zo vaak opnieuw begonnen", "Laatste wens", "Boven op de boulevard" en "In de optocht door de tijd". Met daartegenover Haagse Benny als conciërge van een scholengemeenschap, een komisch maar schrijnend nummer over het Nederlandse onderwijs. Daar werd verschrikkelijk om gelachen, maar aan het eind werd het even heel erg stil.'*

■

Benny: *'Ja, 't is zorgelijk in het onderwijs. En ik heb er als zodanig, als conciërge, alles mee te maken. Op maandagmorgen begint 't al. Dan komen wij in vergadering bijeen, ik en de rector. Voor het bespreken van de problemen van de week als zodanig. En dan zegt de rector tegen mij: 'Benny, zijn er nog absenten aanwezig?' Krijgt-ie van mijn iedere maandagmorgen een lange waslijst. Bij die gelegenheid wil ik nog wel 's de telefoon aannemen. Daarbij heb ik heel wat voor hem afgehandeld. Dat is heel interessant, krijg je van alles aan de lijn. Laatst nog de bovenmeester van een basisschool: die wou weten of hij bij levering van tien nieuwe leerlingen in aanmerking kwam voor een vouwfiets.'*

■

’86

Paul van Vliet: *‘Het was interessant hoe deze show van start ging. Ik had een groot nummer van een halfuur geschreven, waarin ik het publiek vertelde wat ze met hun vrije tijd moesten doen, aangezien Nederlanders steeds meer vrije tijd krijgen. Ik leerde ze hoe ze cabaretier konden worden, zoals ik, teksten konden schrijven en liedjes konden maken, ik legde de constructie uit van een goede grap. Zo gaf ik een satire op mijn eigen vak: die ging heel ver, want ik sloeg echt op hol, liet mijn fantasie gaan en kwam op allerlei rare, leuke dingen. Moet er al dan niet muziek bij, al dan niet engagement in: ik bood een opeenstapeling van mogelijkheden die, toen ik het schreef, komisch en oeverloos aanvoelden. Dat nummer had ik geschreven in een soort koorts, ik vond het zelf een klapper, iets dat verder ging dan ik ooit gegaan was, nieuw, satirisch, grillig, gek, jazz & poetry, met de hakken in de actualiteit, alles!*
Op de kladavonden ging het wel met dat nummer, maar bij het repeteren en de try-outs vond niemand het leuk. De jongens van de muziek, de technici, Lidewij, Nick van den Boezem, allemaal vroegen ze: wat moet je met dat stuk? Iedereen deed braaf mee met de ingewikkelde repetities die ervoor nodig waren, maar niemand zag het zitten.
Bij de try-outs gingen steeds meer stemmen op dat het nummer eruit moest. Ik protesteerde: het was een halfuur in mijn programma, een maand werk en ik vond het wél leuk! Zij zeiden dat ik het dan maar korter moest maken, want het nummer haalde het hele programma naar beneden. Vervolgens heb ik het op allerlei plekken geprobeerd. Eerst zag ik het als een mooie finale, toen heb ik het naar het deel voor de pauze verplaatst. Maar het werkte niet. Bij iedere try-out groeide de onrust en het onbehagen bij mijn groep en mijn begeleidende critici.
Maar ik bleef eigenzinnig in het nummer geloven. In het weekend voor onze laatste twee try-outs, in Den Helder, beloofde ik het eruit te gooien, maar bij de eerstvolgende avond speelde ik het toch weer. Iedereen riep: “Stomme, eigenwijze klootzak, haal dat nummer eruit!” Dat heb ik na die voorstelling toegezegd. Maar die nacht liep ik bij het Beatrix-hotel in Den Helder langs de zee en zei ik tegen mezelf: toen ik het schreef, vond ik het echt leuk, ik heb er zelfs hardop om gelachen, wat bijna nooit gebeurt. Ik wil het nog één keer proberen.
De volgende avond, bij de laatste try-out, kondigde ik in de pauze aan: “Ik doe het tóch, dadelijk begin ik ermee.” Iedereen was ontzettend kwaad en ik ook. Toen heb ik dat nummer drie keer zo snel gedaan, uit een soort narrigheid, ik raffelde het in twintig minuten af. En ineens was het goed, een echt hilarisch stuk! De mensen lagen blauw van het lachen, omdat ik het speelde als een woedende gek, waardoor het een opeenstapeling van waanzin werd; ze kregen geen seconde om adem te halen. Iedereen opgelucht: eindelijk was het goed. Maar dat kwam door de toevalligheid dat ik zó kwaad werd dat ik het tempo enorm opschroefde. Mede daardoor werd dit een van mijn beste shows, die van het begin tot het eind klopte.’

Paul van Vliet: *‘Uit wat er rond dat nummer gebeurde, heb ik geleerd dat je altijd hetzelfde gevoel moet zien terug te vinden dat je had toen je zo’n tekst schreef. Zoals je tijdens het schrijven ook het gevoel moet vasthouden van het oorspronkelijke basisidee. Dat is niet makkelijk, want die emotie raak je soms kwijt. En af en toe lukt het pas om zulke gevoelens te verwoorden nadat je die heel lang hebt laten sudderen. Dat was het geval met het liedje “Laatste wens” uit diezelfde show en met het liedje “Het lichaam van de vrouw” uit de show erna,* Een gat in de lucht *uit 1988. Toen mijn moeder stierf in 1981, zag ik haar liggen in het Bronovo-ziekenhuis en dacht ik: wat heeft dat lichaam veel meegemaakt. Ze had kanker en haar lijf was versleten en uitgeteerd. Ik bedacht op dat moment dat ik iets wilde schrijven over het lichaam van de vrouw, een kwetsbaar en teer onderwerp. Pas zeven jaar later lukte het me om het te schrijven, in einem Guss. Zoals het idee voor “Laatste wens” ook jarenlang moest rijpen tot het liedje dat het uiteindelijk geworden is.’*

Laatste wens

Ik ben niet bang
Om dood te gaan
Ik ben alleen maar bang
Voor de manier waarop
Ja goed het is nog niet zover
En als je 't niet wilt
Daarover praten
Dat ik liever stop
Dan hou ik er meteen weer over op.

Maar toch, je weet het nooit
Het is natuurlijk onzin
Maar je denkt wel 's van 'als'
En 'hoe' en 'wat'
En het is ook daarom dat...
Nee alles werkt nog goed
En functioneert nog
Zoals het moet maar toch...

Ja kijk, ik ben zo bang
Dat als het zover is
Dat er dan mensen
Gaan beslissen over mij
Mijn lichaam en mijn leven
En mijn dood
Omdat ze vinden dat ikzelf
Dat niet meer kan
En... dat zij dan...

Dus daarom zeg ik het
Je toch maar nu
Voor het geval dat
Als ik dan...
Wou ik je vragen of
Jij... als het kan
Ervoor wil zorgen
Dat ik niet in zo'n ziekenhuis
Maar bij ons thuis
En in mijn eigen bed
Op de manier zoals ik dat wil...

Het laatste restje zelfrespect
Dat je een mens moet laten
Is toch, dat hij zelf mag zeggen
Hoe hij wil dat hij vertrekt.
Jij kent mijn lichaam beter
Dan zo'n dokter of zo'n
Zuster met een thermometer
En hoe het met mij gaat
Hoef jij niet af te lezen
Van zo'n apparaat
Jij hoeft mijn hartslag
Niet te meten
Jij zal na al die jaren
Beter weten
Hoe het daarmee staat...

Jij hebt het kloppen
Van mijn bloed
In jou gevoeld... ja toch?
Jij kent mijn adem en mijn angsten en mijn zweet
Jij kent toch ieder plekje van mijn huid
En als iemand weet
Wat ik daaronder voel
Ben jij dat toch...?

Dus, als het zover is
Laat mij dan thuis
Dat jij niet op bezóék komt
Maar d'r bént
Gewoon zoals altijd
Mijn eigen bed, mijn eigen huis
Vertrouwd, bekend.

Ja, God
Ik zit maar wat te zeuren
En het is nog niet zover
Maar goed
Dan weet je 't vast
Voor straks
Mijn laatste wens:
Mijn eigen huis
Mijn eigen bed
En jouw intensive care.

'87

’86

'87

Boven op de boulevard

Boven op de boulevard
Zitten hand in hand
Twee oude mensen bij elkaar
Kijken naar het strand
In de schaduw van het leven
In de kantlijn van de tijd
In gedachten
Zitten wachten
Op de eeuwigheid.

En beneden ligt de kluwen
In een strijd op leven en dood
Zijn eigen ego op te duwen
Vechtend voor het bruinste bloot.

Aandacht trekken nek verrekken
In het nieuwe jachtseizoen
Je bewijzen overseizen
Want je moet er veel voor doen.

Om te scoren: borst naar voren
Adams grote egotrip
Modepose trucendozen
Langzaam kijken snelle wip.

Roodgeschroeide wentelteven
Glimmen zwetend in de zon
Met protectiefactor zeven
Son O Tal en Tal O Ton.

De relnicht en de winterschilder
De warme bakker van de hoek
De playboy en de bodybuilder
Onrust in de bandplooibroek.

En boven op de boulevard
Bij een kopje thee
Twee oude mensen bij elkaar
Denken alle twee:
Het is niet leuk om te vergrijzen
Maar dat zo hevig in de weer
Zo nodig moeten, je bewijzen
Hoeft goddank niet meer.

Waar de blanke top der duinen
Schittert in de zonnegloed
En de Noordzee vriend'lijk bruischend
Hollands smalle kust begroet:

Kleine tanga grote borsten
Moeder zoek en kind vermist
Frikadellen vette worsten
Hond die op een handdoek pist.

Oosterbuur uit Unterhosen
Dáár is nog een meter vrij
Ligt met z'n vriendin te vozen
Varkenskop met coupe soleil.

Surfer slaat op pier te pletter
Kleuterklas heeft hoge nood
Geef m'n schep terug vuile etter
Broertje drukt z'n zusje dood.

Zanger breekt met 8 ampère
Zingend uit z'n onderlijf
Schel door de geluidsbarrière
Met z'n nieuwe troetelschijf.

Lekgeslagen opblaasboten
Achterhoofd met bloedend gat
Weer een middag naar de kloten
Je bent jong dus wil je wat!

En boven op de boulevard
Zitten hand in hand
Twee oude mensen bij elkaar
Kijken naar het strand
In de schaduw van het leven
In de kantlijn van de tijd
Veel verloren
Maar gebleven
Is de tederheid.

Stilte van publiek spreekt boekdelen

Paul Van Vliet kwam, zag en overwint Vlaander

(van onze redakteur)

Paul Van Vliet kan nu wel op beide oren slapen: zijn Vlaamse toernee wordt beslist een overrompelend sukses. Nietzozeer omdat alle zalen reeds enkele weken zijn uitverkocht, want dat maakte volgens hem de uitdaging alleen nog maar groter. De stevige garantie voor verdere bijval vindt veeleer haar oorsprong in de entoesiaste en intelligente reakties van het publiek tijdens de Belgische première van zijn programma «Tien jaar onderweg», die zondag plaatshad in het Kultureel Centrum van Strombeek-Bever.

Het was ons overigens al vlug opgevallen dat het Vlaamse publiek intenser naar zijn teksten luistert dan het Nederlandse. Dat is erg belangrijk als men weet dat Van Vliet zijn onderwerpen veel dieper uitgraaft dan voorheen. Komische nummers krijgen vaker een tragische ondertoon en dat heeft het Vlaamse publiek uitstekend aangevoeld. De vele stiltes in sommige nummers waren het sprekendste bewijs van de geladen sfeer, waarin de toeschouwers die tragiek op zich lieten afkomen. Zij getuig... den ook van hun intensie... betrokkenheid met de ... tematiek van het program... Voor een opgetogen Van ... was die gespannen aa... een ware revelatie: «In ... land bepaal ik zelf he...

van zo'n sho... afloop. «Hi... bliek die ... een stilte... doordrin... dan oo... in het...

... lang... Vliet er... aan beleef... door de ontspan... hij op het podium... «Zo'n voorstelling ... hoogstens éénmaal per ... mee,» zei hij me later. «I... beschouw dit optreden beslist als een mijlpaal in mijn carri...

Aan zijn aardrijkskundeleraar heeft Van Vliet deze visuele herinnering.

Vlaanderen

Paul van Vliet: *'Mijn start in Vlaanderen, in 1968 met Cabaret PePijn, was niet zo gelukkig. Op aanraden van onze toenmalige manager – de heer Jacobs, die in Vlaanderen ook Toon Hermans managede – hadden we ons hele programma vervlaamst. Jacobs had gezegd dat we zoveel mogelijk Vlaamse woorden in onze show moesten gebruiken, om in Vlaanderen een kans op succes te maken. Samen met de Belgische journalist Robert Bécu heb ik daar toen drie maanden aan gewerkt.*
Het desastreuze gevolg daarvan was dat wij als PePijn ineens allerlei woorden in de mond namen die ons volkomen vreemd waren. Zoals "kwakkerpap", het Vlaamse woord voor havermoutpap, dat is afgeleid van het merk "Quaker".
We traden op in Brussel, in het Paleis voor Schone Kunsten, een voorstelling voor het jaarlijkse gala van de Vlaamse Persvereniging, het meest kritische publiek dat je je kunt denken. Nadat we een halfuur gespeeld hadden, vroegen we ons af wat er aan de hand was.
Er werd niet gelachen, de zaal leek stil en geïrriteerd. En we voelden ons toch al niet zo op ons gemak met die vervlaamste teksten. Dat bleef de hele avond zo. Het enige nummer dat het goed deed, was Bram van de Commune, maar die had ik net zo gespeeld als in Nederland, omdat Bram niet te vervlaamsen was.
Na afloop vroegen we aan mensen uit het publiek wat er aan de hand was en toen kregen we te horen: "Het heeft ons buitengewoon gestoord dat u uw programma aan ons hebt aangepast, daarmee maakt u een knieval, net alsof wij jullie niet zouden begrijpen als jullie in het Nederlands optreden."
Hoe moesten we dat nog redden? Bij de nazit van die niet-feestelijke Vlaamse première ben ik toen op een stoel gaan staan en heb ik geroepen: "Dames en heren, mag ik even iets zeggen? Ik heb me vergist! Op aanraden van een van uw volksgenoten hebben wij ons hele programma vervlaamst, maar dat blijkt een enorme vergissing te zijn. Daarom gaan we van nu af aan die Vlaamse versie vergeten. We spelen onze show vanaf morgen net zoals in Nederland. Ik hoop dat sommigen van u de moeite zullen nemen om een keer terug te komen en ons nog eens te bekijken. Dan zult u zien hoe onze voorstelling eigenlijk is bedoeld."
Gelukkig nam een aantal van hen die uitnodiging aan. Naderhand kregen we naast kritische recensies ook aardige beschouwingen rond onze voorstelling en het taalincident: dat heeft veel goedgemaakt. Sindsdien heb ik vrijwel nooit meer iets vervlaamst in mijn teksten, behalve als het anders onbegrijpelijk zou worden. Zoals bij een uitdrukking als "in de WW zitten", wat in Vlaanderen

"doppen" heet. Zo zijn er hooguit tien of twintig woorden per show. En ik heb er wel eens een heel nummer uitgegooid omdat het te Nederlands van opzet was. Zoals Benny in zijn rol als conciërge: die werd door het Vlaamse publiek niet begrepen, omdat hij het over een totaal Nederlandse onderwijssituatie had. En ook de Breedbekkikker kwam niet aan, omdat het begrip "verkleedfeest" in Vlaanderen onbekend is. Zo blijken sommige grappen dan toch echt te Hollands te zijn.'

Met Vlaamse impresario Kamiel Pauwels

Paul van Vliet: *'Met Vlaanderen heb ik een aparte band. In 37 jaar tijd heb ik daar een groot eigen publiek opgebouwd. Vanaf de eerste keer dat ik daar optrad, heb ik me verdiept in het land. Ik heb veel over Vlaanderen gelezen en kreeg van mijn Vlaamse manager Kamiel Pauwels ook vaak essentiële stukken over de Belgische politiek en samenleving opgestuurd, zodat ik op de hoogte bleef. En als de Vlamingen voelen dat je een wezenlijke interesse hebt voor hun land, krijg je dat dubbel en dwars terug aan waardering.*
Ik heb veel vrienden gemaakt in Vlaanderen en voel me er altijd erg thuis en welkom. De Arenberg-schouwburg in Antwerpen beschouw ik als mijn plek, want ik ben er na zovele optredens echt aan verknocht geraakt. Ik logeer dan altijd in het Plaza-hotel aan de Charlottalei, kamer 46. Dat ligt in de joodse buurt, dus loop je daar tussen de orthodoxe joden en zie je hele straten op vrijdagavond langzaam naar de sabbat toe glijden. Antwerpen heeft de grootste joods-orthodoxe gemeenschap buiten Israël en New York.
In het Plaza-hotel hebben ze me een keer een verlengd bed gegeven, omdat ik in een interview gezegd had dat alle hotelbedden altijd te kort waren.
In Vlaanderen heb ik enkele van mijn mooiste voorstellingen gegeven. Toen ik in St. Pieter Voluwe, onder Brussel, een keer gespeeld had voor de Vlaamse Persvereniging, zei een van de journalisten na afloop tegen mij: "Ik heb het gevoel dat we jouw poëzie hier beter begrijpen dan in Nederland." Daar zit wat in, want het intens luisterende Vlaamse publiek is veel aandachtiger dan dat in Nederland. Er vallen daar stiltes die zo geladen zijn dat ze een voorstelling bijna elektriserend maken. Vlaanderen heeft gevoelsmatig een belangrijke rol gespeeld in mijn carrière. Daar maakte ik mijn klassiek geworden tournees van stad naar stad. Ik heb echt een warm gevoel voor het Vlaamse land. Daarom ben ik Vlaanderen langzamerhand een beetje als mijn tweede vaderland gaan beschouwen. Ik heb tijdens een nachtelijke autorit tussen Hasselt en Brussel het lied "Vlaanderen" geschreven, dat de Vlaamse toptien nog heeft gehaald en volgens vele Vlamingen "het tweede Vlaamse volkslied" is geworden. Voor een Hollander is dat een enorme eer.'

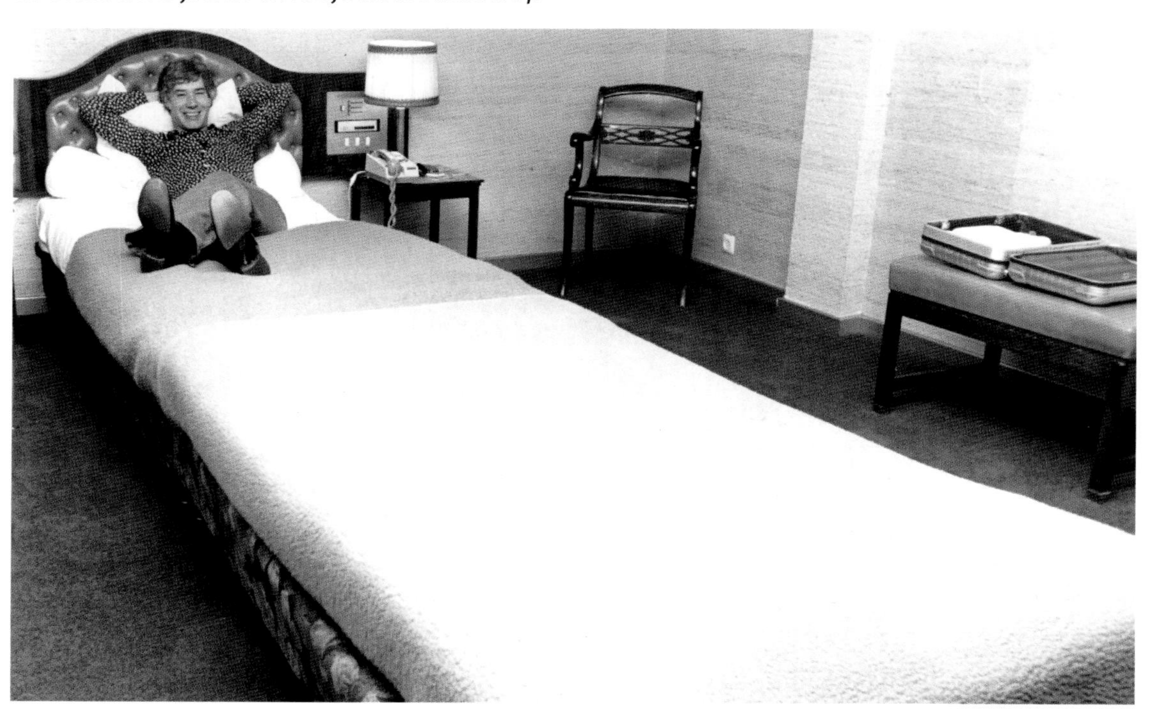

Vlaanderen

Als ik weg wil zijn
Ga ik naar Vlaanderen
Even weg van Holland en Vlaanderen is dichtbij
En als ik vrij wil zijn
Ga ik naar Vlaanderen
Ik voel mij zoveel lichter als ik Vlaanderen binnenrij
Even weg van alle dingen
Die ik thuis vaak moet verdringen
Nieuwe dagen nieuwe nachten
Open voor het onverwachte
Ik voel mij in Vlaanderen zorgeloos
Ik voel mij in Vlaanderen vrij.

PAUL VAN VLIET
6017 418
PHILIPS
VLAANDEREN
ER IS NOG ZOVEEL
NIET GEZEGD
PHILIPS

En als ik lachen wil
Ga ik naar Vlaanderen
Want ze lachen niet zo gauw maar als ze lachen is het echt
En als ik praten wil
Ga ik naar Vlaanderen
Waar het laatste woord voorlopig nog door niemand is gezegd
Waar gesprekken altijd duren
Tot de eerste morgenuren
Waar ze eindeloos kunnen drammen
Waar de ruzie op kan vlammen
Maar de redetwist uiteindelijk bij het bier weer wordt beslecht.

En als ik heimwee heb
Wil ik naar Vlaanderen
Omdat mijn heimwee in Vlaanderen niet of nauwelijks telt
Als ik me droevig voel
Wil ik naar Vlaanderen
Omdat in Vlaanderen mijn droefheid ongemerkt versmelt
Met het eeuwenoud verlangen
Dat in Vlaanderen is blijven hangen
In de dorpen en de steden
Met een rijk maar zwaar verleden
Dat Brussel in zijn logboek niet of nauwelijks vermeldt.

Ik verlang naar jou
Dus kom naar Vlaanderen
Ik kan hier nog niet weg want ik heb hier nog te doen
Als jij naar mij verlangt
Kom dan naar Vlaanderen
Dan laat ik het je zien: Vlaanderen nu en Vlaanderen toen
De mensen en de dingen
Waar ze in Vlaanderen van zingen
Ik blijf hier nog wat spelen
Maar wij kunnen Vlaanderen delen
Want Vlaanderen komt dichterbij met ieder nieuw seizoen.

1988-1990

Een gat in de lucht

Paul van Vliet: *'Samen met John Eskes, die na de vorige show muzikaal leider was geworden, en met pianist Klaas van Dijk heb ik de volgende onemanshow geschreven. Dat was* Een gat in de lucht, *een echte tussenshow, zonder grote hoogtepunten, maar met een mooi gelijkmatig niveau. De enige uitschieter was de Breedbekkikker, een man die naar een verkleedfeest moest en daar niet echt naar uitkeek.*
Opvallend was wel het nummer "Het Lustobject "met een grote naaktfoto van mij op het toneel.
Als ensemble maakten we bij de tournee met deze show een tragisch moment mee. Nadat we gespeeld hadden in Groningen, verdronk onze bassist Frans Span namelijk: hij kwam op de terugweg met zijn auto in het water terecht. De volgende dag hebben we onze show afgezegd, maar op de avond na de begrafenis hebben we weer gespeeld. We zaten daar in Zutphen met een orkest van twee in plaats van drie man, met een lege stoel op het podium. Speciaal daarvoor hadden Klaas en John in het weekend het hele muzikale concept herschreven. Daar stonden we met zijn drieën op het toneel, bleek en bibberig, met die lege stoel.
Kijk, je kunt altijd spelen. Juist op zulke dagen is het goed, want dan speel je over iets heen, net als wanneer je moe of ziek bent. Veel collega's hebben mij verteld dat ze hun beste voorstellingen speelden op de dag dat ze een geliefde hadden begraven. Wat dat betreft hebben we een heilzaam en mooi beroep, want een goede voorstelling verzoent je even met de ellende, spoelt de geest schoon en geeft je energie.
Wat dat betreft was vader Kan een mooi voorbeeld: hij was een sombere, depressieve, zorgelijke man, die alleen maar vrolijk en opgewonden was na een voorstelling. Een uur daarna sloegen de somberheid en de twijfel alweer toe. Zonder twijfel kun je niet in het theater, want twijfel in de vorm van zelfkritiek is een noodzakelijk instrument voor een geslaagde carrière. Maar twijfel mag jou nooit de baas worden.
Als speler heb ik niet zo vaak getwijfeld. Ik heb vooral momenten van vertwijfeling gekend als de creativiteit niet kwam, als ik droogstond terwijl de deadline naderde. Dan is het de vraag of je die twijfel kunt omzetten in een explosie van werkdrift of dat je erdoor verlamd raakt. De stress die daarbij komt kijken is op zichzelf niet slecht, alleen overstrest is schadelijk, ook voor je lichaam. Op dat soort momenten moet je uitkijken met genotmiddelen. Dan heb ik zelf de neiging te veel naar koffie, drank en sigaretten te grijpen. Geen van die drie dingen is echt inspirerend. Ik ben er allang achter dat ze bij mij niet werken en dat ik mijn creativiteit beter diep in mezelf kan zoeken.'

Niet leuk

De Breedbekkikker:
'Ik moet dadelijk naar een feest. Een verkléédfeest. M'n zwager Anton wordt vijftig. Daarom geven ze een feest. Dat vinden ze leuk. Een feest vinden ze leuk. Een verkleedfeest vinden ze ook leuk. Die mensen vinden altijd álles leuk. En ik vind vrijwel nóóit iets leuk. Vier weken geleden kwam de uitnodiging. Mijn vrouw zegt: "Goh, wat leuk, Anton wordt vijftig. Ze geven een feest. Een verkléédfeest. Dat wordt vast leuk." Toen er van mijn kant geen reactie kwam, vroeg mijn vrouw: "Vind je het niet leuk?" Ik zeg: "Nee, dat vind ik niet leuk." "Ja," zegt ze, "maar het is een verkléédfeest." Ik zeg: "Dat vind ik nog érger dan niet leuk." Mijn vrouw zegt: "En wáárom vind je dat niet leuk?" Ik zeg: "Al die mensen die daar straks verkleed gaan met van 'kijk 's wat leuk'. Dat is niet leuk." Mijn vrouw zegt: "Jij vindt ook nooit iets leuk." Hetgeen door mij werd bevestigd als zijnde juist. Dat vond zij niet leuk.'

Ik, Jan Tamelijk

Jan Tamelijk gelooft niet meer in wonderen
Hij staat veilig buiten schot te kijken aan de kant
Boven het bizarre en bijzondere
Dat hoeft voor hem niet meer
Dat was zijn kinderland
Gevoelig is belachelijk
Je laten gaan is hachelijk
Een kiem van enthousiasme
Dat sterft in zijn sarcasme
Hij zegt van alles onder voorbehoud, gestuurd door zijn verstand.

Jan Tamelijk gelooft niet meer in toveren
Dat heeft hij wel gezien
Heeft hij allang gehad
Hij laat zich niet verrassen of veroveren
De grenzen van zijn hartstocht
Die liggen bij 'Dag, schat'
Een glimlach voor de gekken
Die nog iets willen ontdekken
Een schamper schouderophalen
Voor dromen of idealen
Zijn hoogste compliment dat is:
Nou ja, het heeft wel wat.

Jan Tamelijk gelooft niet meer in kinderen
Dat is 'm veel te druk, dat is te veel gedoe
Het zou zijn doen en laten te veel hinderen
Je bent je vrijheid kwijt, kan nergens meer naartoe
Het zijn onzekere tijden
Liever risico's vermijden
Wat heb je een nieuw leven
In deze wereld nog te geven?
Hij wordt bij het idee alleen al huiverig en moe.

Jan Tamelijk, jij gaat mij op de zenuwen
Mijn tenen trekken krom van jouw logische gelijk
Het gaat mijn geloof in morgen overschaduwen
Dus blijf zitten waar je zit en vooral: blijf uit mijn wijk!
Put jij maar je gelukje
Uit je ingezonden stukje
En stik in de frustratie
Van jouw grauwe generatie
Jouw schild ende betrouwen
Is cynisch afstand houen
Ter zake en ter zijde
Niet lachen en niet lijden
Daar kan je oud mee worden
Als levend tame-lijk!

Het lichaam van de vrouw

Toen mijn moeder was gestorven
Heb ik de dekens weggeslagen
Van haar bed in 't ziekenhuis en stil staan kijken in de nacht
Naar dat magere oude lichaam
Het was net een mooi dood vogeltje
Zoals ze moegestreden maar tevreden voor me lag.

Ik heb haar toegedekt
En daar nog wat gezeten
Ik dacht: dit is de eerste keer dat ik nadenk over jou
Je hebt gebaard, je hebt gevoed
Je hebt gesjouwd, je hebt getroost
Wat gebeurt er in een leven met het lichaam van een vrouw.

Als dat twaalf wordt of dertien
Dan beginnen al de problemen
Van elke maand een-week-van-streek en wiebelig te zijn
En als het dan wat voller wordt
En ronder daar van boven
Dan krijg je weer complexen van te groot of van te klein.

En voortaan van dat moment af
Moet dat lichaam zich beschermen
Tegen hebberige blikken en tegen handtastelijkheid
En altijd weer proberen
Om het evenwicht te vinden
Tussen óngewenste en gewenste intimiteit.

Dan komen mooie jaren
Van zwanger en van baren
Volle wiegen, volle dagen en veel vingers in de pap
En er is nog niets te merken
Van het dagelijks harde werken
Want dat lichaam staat in bloei bij het blijde moederschap.

Maar de jaren die verstrijken
En er komt steeds meer voor kijken
Om te zorgen dat het allemaal eruit blijft zien zoals toen
Wat vaker naar de kapper
En de schoonheidsspecialiste
En de plastische chirurg kan ook nog heel wat voor je doen.

Maar de spiegelbeelden leren:
Het getij is niet te keren
Dat lichaam heeft z'n werk gedaan
Het is oud. En tot besluit
Zegt de dokter: 'Ach, mevrouwtje
Het is een kleine ingreep.'
En met dank voor het gebodene, mag alles er dan uit.

En elke botte hufter
Die dit niet kan bevatten
En het lichaam van de vrouw niet met respect verwent
Die moet zich met zijn maten
In de kroeg maar gaan bezatten
Daar heb ik maar één woord voor, en dat woord is: impotent!

'90

PAUL VAN VLIET PLEIT VOOR PEPIJN

■ Paul van Vliet knokt voor zijn theater PePijn dat cabaret-geschiedenis schre[...] wij vechten voor het behoud van PePij[...] schiet ik vol met herinneringen. Maar i[...] me nooit zo druk maken als ik niet onv[...] waardelijk in de toekomst van theater [...] zou geloven."
FOTO: RUUD VAN DER [...]

DE CABARETWERELD is geschokt. Het Haagse theater PEPIJN, de wieg van zoveel sterren van vandaag, wordt met sluiting bedreigd.

De gemeente Den Haag stelt in haar beleidsplan „Sterren aan het firmament" voor de subsidie aan PEPIJN van ƒ 170.000 per jaar met ingang van 1 januari 1994 te stoppen.

Dat betekent de doodklap voor dit theater, waar Paul van Vliet eens begon, maar ook sterren als Jos Brink, Robert Long, Youp van 't Hek, Paul de Leeuw en Brigitte Kaandorp hun eerste voorzichtige pogingen deden in het cabaretvak. Het is een broedplaats van talent geworden, die men zou moeten koesteren.

Paul van Vliet knokt nu voor zijn theatertje, dat cabaret-geschiedenis schreef. DONDERDAGOCHTEND ZAL HIJ VOOR DE OPENBARE COMMISSIE VAN CULTUUR in het oude Haagse stadhuis aan de Groenmarkt verschijnen om te pleiten voor het behoud van PEPIJN.

Vandaag leest men op deze pagina waarom PAUL VAN VLIET vindt dat dit theater behouden moet blijven, een mening waarin wij hem van harte steunen, want zeker in deze tijd van media-artiesten kan men het cabaretvak alleen nog goed leren in een klein intiem theatertje als PEPIJN, dat ook moet blijven bestaan; want het is de kraamkamer voor de sterren van morgen. Zo'n klein theater is financieel moeilijk te exploiteren. Paul van Vliet heeft er al tienduizenden guldens uit eigen zak in gestopt de afgelopen jaren, maar daar kan hij ook niet mee doorgaan.

We wachten áf wat de gemeente Den Haag besluit.

door PAUL VAN VLIET

We zijn allemaal klein begonnen. Struikelend en zoekend. Onwetend, onzeker soms, maar vol idealen. We hadden allemaal een droom: „Wij gaan de wereld veroveren." De werkelijkheid was vaak anders. Vooral in het begin.

Wij dachten, dat het publiek op ons zat te wachten door kleine succesjes in de eigen kring. Vaders en moeders, ooms en tantes, die voor ons een grote [...] aan de horizon zagen. [...] besloten 'Het Vak' trouwen.

Dat hoorde bij die leeftijd. Tot het uur van de waarheid.

Rijpen

De eerste voorstelling. Hel- [...]

[...] en na afloop in de bediening voor wijn en kaas.

Als het publiek weg was, bleven wij nog uren hangen. Vrienden en collega's kwamen langs. Plannen maken, nieuwe nummers verzinnen, met z'n allen om de piano.

Als iedereen weg was: de schoonmaak. Liselore deed de zaal, ik de bar en de „toiletgroepen" en Ferd. Hugas maakte de kas op. Meestal gingen we naar huis als de vogels begonnen te zingen.

Soms kwam Wim Kan kijken met zijn Corrie Vonk, of [...]

[...] vaak de loodzware tocht naar het stadhuis. Ook toen al een felle strijd met de overheid. Voor de vergunningen en het nemen van de hindernissen die ons toen in de weg stonden.

Vorige week, bijna 30 jaar later, [...] stapte ik weer in de pater-[...]

Tekstpl[...] had ik o[...] Hans [...] man, [...] per, [...] Pa[...]

Theater PePijn na 1971

Nadat de leden van Cabaret PePijn in juni 1971 ieder hun eigen artistieke weg waren gegaan, bleef Theater PePijn onder beheer van Paul van Vliet bestaan. Het theater werd een kweekvijver en springplank voor jong cabarettalent, waar vele groten in hun beginjaren hebben gespeeld, onder meer: Jos Brink, Youp van 't Hek, Herman Finkers, Harrie Jekkers, Hans Liberg, cabaretgroep Purper en Jack Spijkerman. Maar zonder een eigen, vast cabaret bleek het theater moeilijk te exploiteren.

Paul van Vliet: '*De groep PePijn deed alles zelf en werkte zes dagen per week. Toen het theater op zichzelf kwam te staan, viel er een gat. Het viel niet mee om een multifunctionele invulling voor Theater PePijn te vinden die ook alle kosten dekte. Daarom werd het financieel moeilijk. In 1974 heb ik de exploitatie van PePijn ondergebracht in een stichting. Toen heb ik ook subsidie aangevraagd voor het theater, maar kreeg ik te horen: die Van Vliet verdient genoeg met zijn shows. Dus moest ik gaan uitleggen dat de stichting PePijn en Paul van Vliet los stonden van elkaar en dat het de stichting was die om subsidie kwam vragen.*
Dat was het begin van een tragikomische, lange worsteling om subsidie, die tot 1999 zou duren. Iedere vier jaar kwam er weer een nieuwe wethouder, met een nieuw beleidsplan. En in alle beleidsnota's werd aanbevolen de subsidie van Theater PePijn ofwel te verminderen of te schrappen. Steeds ging ik naar het stadhuis om de zaak van PePijn te bepleiten tegenover steeds andere wethouders en steeds andere ambtenaren, steeds moest ik het opnieuw uitleggen, vriendelijk, boos, dramatisch, grappig of smekend. Zoiets kun je alleen overtuigend bepleiten als je zelf het heilige vuur hebt, en dat heb je nu eenmaal niet altijd. Als je mensen duidelijk wilt maken dat een theater als PePijn noodzakelijk is voor de ontwikkeling van jong cabarettalent, moet je weer dezelfde bevlogenheid hebben van toen PePijn begon. Soms werd ik wel eens overvallen door een gevoel van moedeloosheid. De paternosterliften in het Haagse stadhuis waren voor mij het symbool van mijn onvermijdelijke, altijd opnieuw noodzakelijke gang naar de gemeente.'

De eerste voorzitter van Stichting PePijn was de heer Lohman, een cultureel bevlogen Hagenaar. Na diens vertrek in 1985 nam Paul van Vliet zelf het voorzitterschap over van het bestuur, waarin Youp van 't Hek, Ferd. Hugas, Inge van der Werf en Ed Burgers (de financiële man van Joop van den Ende) zitting hadden. In de periode 1971-1999 heeft Paul van Vliet zelf zo'n 300.000 gulden eigen geld

JAAP VEGTER
De volgende!

Benefiet met Herman van Veen en De Vliegende Panters

in Theater PePijn gestopt, om de ergste financiële gaten te dichten. Zijn accountant Hekman formuleerde de verhouding tussen de stichting en de bv van haar voorzitter op een bestuursvergadering ooit als volgt: 'Het Theater PePijn eet het genadebrood van de BV PePijn.'

Paul van Vliet: *'Onze jaarverslagen werden door de gemeente Den Haag ten voorbeeld gesteld aan andere culturele instellingen. En toch kwam er begin jaren negentig een beleidsplan waarin werd voorgesteld om de subsidie van Theater PePijn in het geheel te schrappen, omdat het theatertje niet meer zou voldoen aan de eisen van de tijd. Toen zijn Youp en ik echt tekeergegaan en hebben we iedereen en alles gemobiliseerd met de actie "PePijn moet blijven". We gaven een persconferentie voor vijftien radio- en tv-ploegen en alle kranten van Nederland. Daarvoor hadden we ook de gemeente uitgenodigd. Het hele zaaltje van PePijn zat vol: de vertegenwoordigers van de gemeente hadden nog nooit zoveel pers bij elkaar gezien.*
De stad hing toen vol affiches "PePijn moet blijven" en ik verzon allerlei kreten als "PePijn, waar alle groten klein begonnen zijn", "PePijn, het warme hartje in het hart van Den Haag" en "Laat-ie PePijn zijn!". Ik heb vlammend gesproken bij de gemeenteraad. Intussen had ik vanwege mijn 25-jarige theatercarrière van burgemeester Havermans in het Circustheater ook de Erepenning van de stad Den Haag gekregen: ik dreigde toen dat ik die terug zou geven als de gemeente de euvele moed zou hebben om PePijns subsidie in te trekken. Ook ben ik toen gaan lobbyen, iets wat ik sinds de oprichting van Theater PePijn niet meer gedaan had.
Ik belde leden van de gemeenteraad en ging overal praten. Het besluit van de gemeenteraad werd toen teruggedraaid en de subsidie werd vastgesteld op 70.000 gulden.
Maar het tekort was op dat moment 170.000 gulden. Voor die ontbrekende ton hebben Youp en ik toen een benefietvoorstelling georganiseerd onder het motto "Samen voor PePijn". Dat hebben we uiteindelijk zeven achtereenvolgende jaren gedaan, om Theater PePijn door die financieel moeilijke tijden heen te slepen. Het mooie was dat iedereen meedeed. We kregen veel adhesiebetuigingen uit het publiek, want PePijn roept blijkbaar een warm gevoel op, de mensen komen er graag terug. Dat heb ik zelf ook, iedere keer dat ik er ben, gaat mijn hart open en denk ik: wat is het hier toch onwaarschijnlijk leuk!
Maar naast dat brede maatschappelijke draagvlak kreeg PePijn ook actieve steun van veel oud-bespelers. Die benefietvoorstellingen – de eerste in het Danstheater, de jaren daarna in het Circustheater – zijn legendarisch geworden doordat vrijwel alle grote cabaretiers van Nederland eraan deelnamen. Zelfs het Residentie Orkest stond een keer voltallig op het toneel en er was ook een keer een optreden met vijf toppianisten tegelijk: Louis van Dijk, Laurens van Rooijen, Jan Vayne, Cor Bakker en Ben van der Linden. Youp en ik vulden de eerste avond samen en presenteerden de volgende avonden

Paul en Youp
samen voor PePijn
VSB Bank Benefietvoorstelling ten bate van Theater PePijn
mede ondersteund door ValstarSimonis raadgevende ingenieurs
AT&T Danstheater, Spui, Den Haag - zondag 13 maart 20.15 uur
VSB•BANK
De nieuwste zakenbank van Nederland.

sindsdien om de beurt, terwijl de ander speelde.
Zo hebben wij dat theatertje vanaf 1971 door alle hoogte- en dieptepunten heen gesleurd, met veel eigen geld en inbreng van collega's. In vlagen van vertwijfeling heb ik wel eens gedacht: PePijn moet dicht, we redden het niet meer. Maar als ik er dan weer kwam, vatte ik moed: natuurlijk moet PePijn openblijven! Dat ging zo met golven verder tot 1999, toen ik hoorde dat theater Diligentia een kleine zaal zocht, om jong talent in huis te halen. Ik heb toen gezegd: die zaal is er eigenlijk al, want talent dat in PePijn sterk genoeg blijkt, stroomt als vanzelf door naar Diligentia. In gesprekken met de gemeente en het bestuur van Diligentia heb ik toen voorgesteld om beide theaters te laten fuseren. Later dat jaar heb ik PePijn voor het symbolische bedrag van één gulden overgedragen aan Diligentia, waar beide theaters nu bloeien onder leiding van directeur Anja Overhoff. Zelf heb ik nu zitting in het bestuur van Diligentia, met als portefeuille PePijn.'

■

Je kreeg de sleutel
Paul van Vliet: *'PePijn is mijn kind en is dat ook gebleven nu het theater veertig jaar oud is geworden. Als ouder blijf je bezorgd en voel je je verantwoordelijk voor zo'n kind, ook als het volwassen is geworden en een eigen weg gaat. Mijn roots liggen in PePijn, ik heb er geleefd, gewoond en gewerkt voordat ik zelf ben uitgevlogen.*
Dat gevoel blijken ook veel oud-bespelers te hebben. Als ze in Den Haag zijn, komen ze vaak na afloop van hun eigen voorstelling even een afzakkertje halen bij PePijn, even snuiven aan toen. Youp van 't Hek heeft eens gezegd dat het geheim van PePijn is dat je als bespeler de sleutel krijgt, zodat je 's nachts kan doorgaan op het toneel, als je een artistieke bevlieging voelt. Je wordt dan geacht op een papiertje te zetten wat je aan drank uit de ijskast haalt. Er is heel veel gedronken in PePijn: hoewel bijvoorbeeld Jack Spijkerman en Youp altijd voor uitverkochte zalen stonden, overtrof de drankomzet van hun gezelschap regelmatig de recette van die avond. PePijn is nu eenmaal een theater om te blijven hangen. Dat deden wij vroeger al, doorgaan tot de vroege vogels begonnen te zingen.
De betrokkenheid van de voormalige bespelers blijkt uit allerlei dingen, ook naast de benefieten. Youp van 't Hek doet in PePijn nog altijd zijn leesvoorstellingen. En toen Jack Spijkerman allang nationale bekendheid genoot, heeft hij met zijn cabaretgroep heel PePijn geschilderd toen het theater dringend een opknapbeurt nodig had. Dagenlang hebben die mannen daar toen in overalls op ladders gestaan om de hele boel te witten. Hartverwarmend.'

■

■

De moeder-overste van PePijn
Paul van Vliet: *'In de geschiedenis van Theater PePijn neemt bedrijfsleidster Eveline van Bree een meer dan bijzondere plek in. Zij was de vrouw van wijlen Chris van Bree, mijn geluidsman, en heeft vanaf 1975 haar ziel en zaligheid in het theater gelegd. Later werd ze daarin bijgestaan door haar broer Ger van der Toorn. Eveline heeft er jarenlang tachtig uur per week gewerkt. Zij werd het hart en het gezicht van dat theatertje en wordt door alle bespelers gezien als de moeder-overste van PePijn. Nu werkt ze op het kantoor van Diligentia, waar ze nog altijd de programmering van PePijn doet. En zo hoort dat ook.'*

■

■

Hamer
Paul van Vliet: *'De bestuursvergaderingen van PePijn heb ik altijd geleid met de voorzittershamer die gemaakt is door mijn grootvader Piet van Vliet, de oud-loco-burgemeester van Rijswijk die 28 jaar lang namens de Anti-Revolutionaire Partij in de Tweede Kamer heeft gezeten. Mijn opa had timmeren als hobby en heeft zelf die prachtig versierde hamer gemaakt die ik van hem heb geërfd. Met die hamer heb ik indrukwekkend op tafel geslagen bij vergaderingen die vaak zorgelijk waren, vanwege het geldgebrek. Maar meestal waren de bijeenkomsten vrolijk en huppelde de hamer samen met de grappen over de vergaderstukken.'*

■

Van Vliet en Van 't Hek vechten voor Pepijn

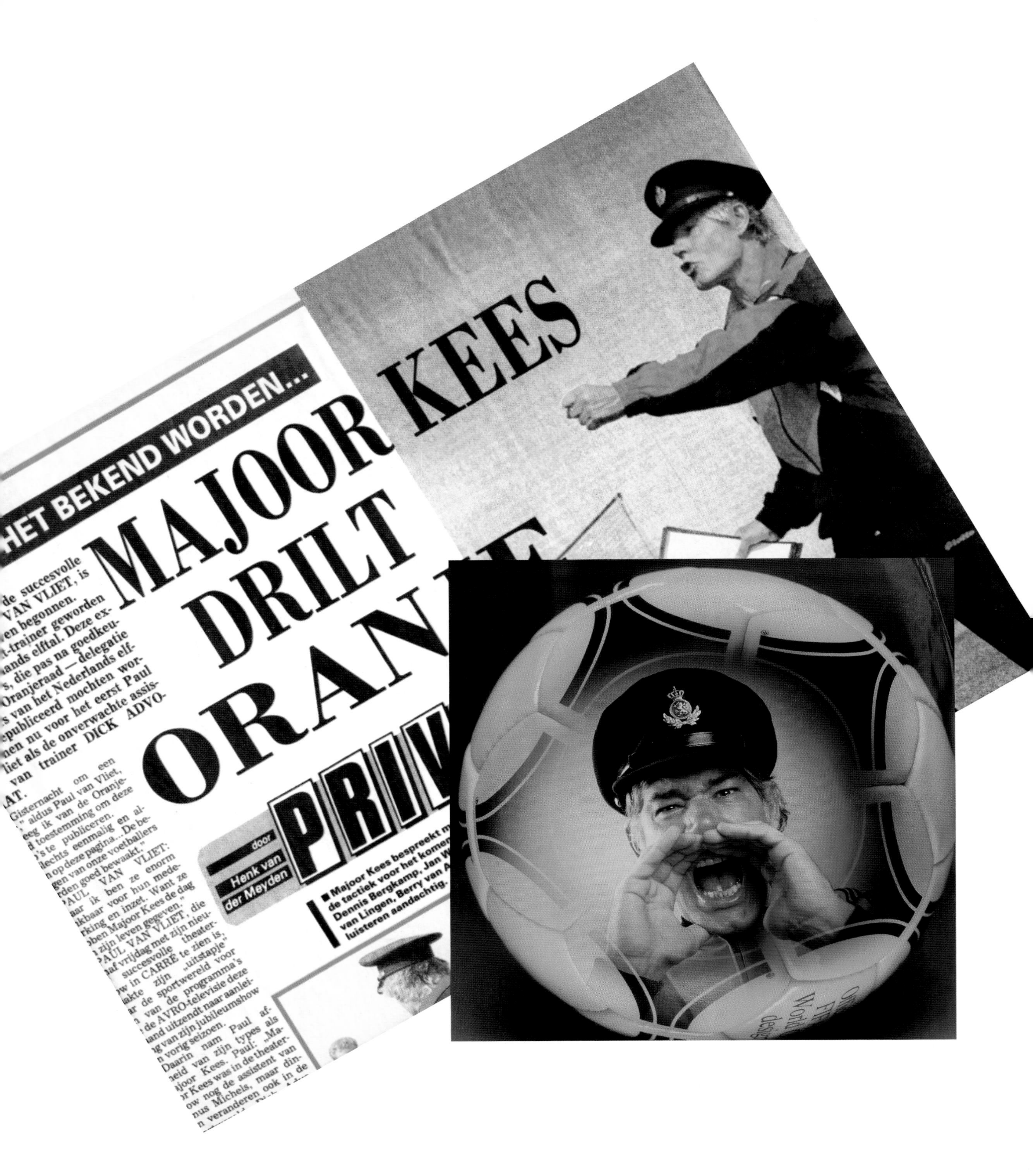

HET BEKEND WORDEN...

MAJOOR KEES DRILT ORAN

de succesvolle
VAN VLIET, is
en begonnen.
-trainer geworden
ands elftal. Deze ex-
s, die pas na goedkeu-
Oranjeraad — delegatie
s van het Nederlands elf-
epubliceerd mochten wor-
nen nu voor het eerst Paul
iet als de onverwachte assis-
van trainer DICK ADVO-
AT.

Gisternacht om een
" aldus Paul van Vliet,
eeg ik van de Oranje-
d toestemming om deze
's te publiceren.
lechts eenmalig en al-
n op deze pagina...De be-
gen van onze voetballers
rden goed bewaakt."

PAUL VAN VLIET:
aar ik ben ze enorm
kbaar voor hun mede-
rking en inzet. Want ze
ben Majoor Kees de dag
zijn leven gegeven."

PAUL VAN VLIET, die
af vrijdag met zijn nieu-
succesvolle theater-
w in CARRÉ te zien is,
akte zijn „uitstapje"
ar de sportwereld voor
n van de programma's
de AVRO-televisie deze
and uitzendt naar aanlei-
g van zijn jubileumshow
n vorig seizoen.

Daarin nam Paul af-
heid van zijn types als
ajoor Kees. Paul: „Ma-
or Kees was in de theater-
ow nog de assistent van
nus Michels, maar din-
n veranderen ook in de

door Henk van der Meyden

PRIV

■ Majoor Kees bespreekt m
de tactiek voor het komen
Dennis Bergkamp, Jan W
van Lingen, Berry van A
luisteren aandachtig.

Jubileumshow

1990-1991

Het laatste jaar van *Een gat in de lucht* viel samen met Paul van Vliets 25-jarig toneeljubileum. Ter gelegenheid daarvan speelde hij vijf jubileumvoorstellingen in het Circustheater. Ook werd hij overladen met eerbewijzen: hij kreeg onder andere de Erepenning van de gemeente Den Haag, een schilderij van Marte Röling en in het Kurhaus werd een Paul van Vlietlounge ingericht met foto's van zijn carrière. De vijf jubileumavonden waren zo'n succes, dat hij met dat feestprogramma een vol jaar op tournee ging.

Laurien, Manuel en Lidewij als Majoor Kees, Bram en de Boer

Paul van Vliet: *'Het was weldadig om een keer zó gehuldigd te worden, dat kan ik niet ontkennen. De jubileumshow ging zo lekker, dat ik er wel voor een heel seizoen zin in kreeg. Het programma bestond uit een soort "best of"-selectie, aangevuld met mijn bekendste komische types in een nieuw jasje.*
Majoor Kees kwam terug als bondscoach van het Nederlands voetbalelftal. De Boer exploiteerde nu een seksboerderij, maar dat bleek niet leuk genoeg, dus heb ik hem er na één avond uitgegooid. Baron Taets van Avezaethe gaf Nederlandse les, tegen de verloedering van de taal. En ook Bram was terug, nu als makelaar, in een gelikt kostuum, met een leren koffertje van het zachte leer van een Afghaans hangbuikzwijn. Hij was in de ban geraakt van het grote geld.
Eerst heb ik het programma met veel plezier gespeeld, maar tegen het eind merkte ik dat het routineus werd. Het repertoire lag eigenlijk allemaal achter me, daardoor ging ik me vervelen. Dat was een goede les voor de toekomst: niet te veel ouwe koek.
Bij het samenstellen van die jubileumshow merkte ik voor het eerst dat liedjes langer goed blijven dan humor. Ik heb mijn komische types stuk voor stuk moeten herschrijven, omdat de oude nummers simpelweg niet meer konden. Er is maar weinig dat mettertijd heel blijft. Alleen visuele humor van de grote clowns, zoals Charley Chaplin, Toon Hermans en Mr. Bean, is tijdloos. En om Bram, die nu totaal omgeturnd was tot een gladde, rijke zakenman, werd wel gelachen, maar niet zoals toen hij nog in de commune zat.'

Lidewij, Laurien en Manuel als Benny, de Koning en baron Taets van Avezaethe

Paul van Vliet
Ken je dat gevoel?
Verhalen

Van een Leiden dakje

ONZE waardering voor de ouden van dagen vertoont een opmerkelijke tweeslachtigheid. Wij zien er geen been in de zwaarste staatsbelangen in handen te leggen van grijsaards, die niemand het kwalijk zou nemen als zij in een schommelstoel de dagen zouden doorbrengen met het roken van een pijpje. Anderzijds behandelen wij hun minder krasse leeftijdgenoten, die het niet gegeven is tot het eind toe hoog te paard te zitten, even gemakkelijk met een vergoelijkende meewarigheid, die tot uitdrukking komt in de roepnaam van „oud mannetje" en „oudvrouwtje". Voor hen betekent de hoge leeftijd een halt aan het er bij horen.

Hun misschien geducht verleden wordt voorbij gegaan en zij worden slechts beoordeeld naar het nut van hun huidige aanwezigheid. En omdat dat nut niet direct aanwijsbaar is, behoren zij voortaan de groep, die gedúld wordt; niet met ontzag of nederigheid, maar met een schouderophalen en een bezoekje op zondagmiddag.

VOOR de vrouw komt de tijd van het er niet meer bijhoren nooit zo abrupt, want zij groeit in haar bezigheden mee met haar leeftijd. Zij houdt de zorg voor het huis en zal zich daarin tot de laatste dagen onmisbaar weten. Het bezit van kinderen

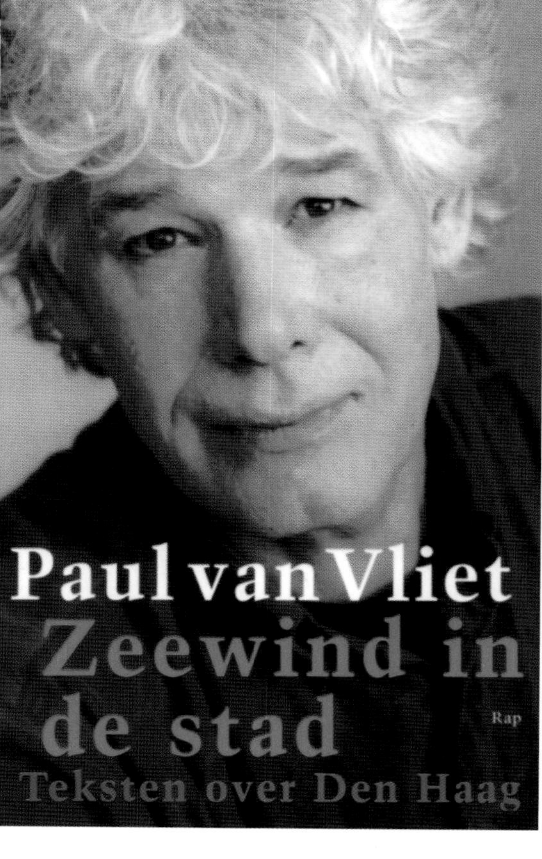

Paul van Vliet
Zeewind in de stad
Rap
Teksten over Den Haag

PAUL
VAN
VLIET
Kan ik even langskomen?
FONTEIN

De columnist

Van 1961 tot 1963 was Paul van Vliet columnist voor de Haagse krant *Het Vaderland*, onder het pseudoniem Jantje van Leyden.

Paul van Vliet: 'Het Vaderland *was een interessante krant met een duidelijke liberale signatuur, maar gemaakt door individualisten met vaak tegenstrijdige meningen, waardoor er soms op pagina drie een mening te vinden was die totaal anders was dan die op pagina vijf. Eigenzinnige lieden als Menno ter Braak, Eduard Elias, Pierre H. Dubois en Peter Berger hebben voor die krant geschreven.*
Begin jaren zestig zocht Het Vaderland *nieuwe abonnees onder Leidse studenten. Omdat ik na mijn schooltijd ervaring had opgedaan bij de* Nieuwe Haagsche Courant *vroegen ze mij om een wekelijkse rubriek te schrijven over het academische leven en de stad Leiden. Als een kleine Carmiggelt heb ik dat een kleine twee jaar gedaan, ik schreef over allerlei dingen die ik in de stad tegenkwam: het studentenhuwelijk, het joodse kerkhof, het zoölogisch museum, examen doen en het toen nieuwe fenomeen studentenflats.*
Die columns waren ook de reden dat ik na de afronding van mijn rechtenstudie een aanbod van Het Vaderland *kreeg om daar op de redactie te komen werken.'*

Van 1982 tot 1985 was Paul van Vliet columnist voor de Vlaamse krant *Het Belang van Limburg*.

Paul van Vliet: *'De Vlaamse sterjournalist Hugo Camps, indertijd hoofdredacteur van* Het Belang van Limburg, *interviewde mij in 1979 voor het kerstnummer van die krant. Hij kwam in Carré naar me kijken en ging na de voorstelling met me naar café De Magere Brug, aan de Amstel. We begonnen om half twaalf en vroegen barman Chris bij sluitingstijd of we mochten blijven zitten. Chris schoof een stoel bij ons tafeltje, want hij vond het gesprek wel interessant. Uiteindelijk hebben we daar tot half vijf 's ochtends gezeten. Het resultaat was een interview van twee volle pagina's over leven, sterven, dood, lust, eenzaamheid, geloof, hoop en liefde. Een derde daarvan had Hugo uit mijn mond opgetekend, de rest was van hemzelf afkomstig, maar het was prachtig, typerend voor hem.*
Uit die avond ontstond een dierbare vriendschap tussen Hugo en mij, want we lagen elkaar. Een paar jaar lang hebben we heel intensief contact gehad in een moeilijke periode van zijn leven; hij belde me toen vrijwel elke nacht op. En hij vroeg me algauw om een column te schrijven voor zijn krant. Daar voelde ik wel voor, maar het daadwerkelijke inleveren van columns heb ik almaar uitgesteld.
In 1982 kwamen we overeen dat ik mijn eerste column zou inleveren voor het kerstnummer van de krant. Na een van mijn optredens had ik Lidewij aan de lijn en vroeg ik haar: "Kun je Hugo zeggen dat het me niet lukt?" Maar zij spande met Hugo samen en zei: "Dat kan niet meer, je column is al aangekondigd." Toen moest ik wel. Onder hoge druk heb ik toen eindelijk een column geschreven.
Bijna drie jaar lang heb ik met veel plezier columns gemaakt voor Het Belang, *onder de kop "Ken je dat gevoel?" Ik wilde niet over de actualiteit schrijven, want dat deden en doen al veel te veel columnisten – afgezien van grootheden als Jan Blokker en Youp van 't Hek – altijd op dezelfde manier: een beetje ironisch goochelen met het nieuws en dan hebben ze weer een stukkie. Mijn columns gingen over algemeen menselijke dingen.*

Maar op een gegeven moment raakte ik door mijn onderwerpen heen en vond ik zelf dat ik ging zeuren. Om te voorkomen dat ik tot onder een aanvaardbaar niveau zou zakken, ben ik toen gestopt.'

Van 1999 tot 2002 was Paul van Vliet columnist voor de *Haagsche Courant.*

Paul van Vliet: *'Na* Het Belang *heb ik heel lang geen columns meer geschreven, tot de* Haagsche Courant *me in 1999 vroeg voor een wekelijks stukje. Daar had ik toen echt weer zin in, want de ideeën borrelden weer op. Ik ben toen op dezelfde manier te werk gegaan als eerder voor* Het Belang, *en weer was ik na drie jaar door mijn stof heen. Ik had er eerlijk gezegd ook veel te veel werk aan, omdat ik columns nooit beschouwd heb als iets wat je even gauw maakt. En ook doordat ik bijna altijd over algemeen menselijke onderwerpen schreef, beperkte ik mezelf als columnist nogal. En dus was het weer tijd om te stoppen.'*

PAUL VAN VLIET

Rondom Pim

Na 11 september riepen de deskundigen dat de wereld nooit meer hetzelfde zou zijn.
Dat viel mee.
Hebt u iets gemerkt van een veranderde wereld?
De wereld verandert wel, maar in dezelfde cirkelgang van alle eeuwen.
De omstandigheden en de verschijningsvormen veranderen, niet het wezen van de dingen, noch de mensen zelf.
Het enige wat wij van de geschiedenis leren, is dat wij niets van de geschiedenis leren.
Deze quasi-filosofische inleiding heb ik nodig om over Pim Fortuyn te kunnen schrijven.
Nieuwe deskundigen zeggen dat door zijn dood de democratie is vermoord en Nederland nooit meer hetzelfde zal zijn.
Prins Willem-Alexander en prinses Máxima zijn voortijdig van de Antillen teruggekeerd om dat met eigen ogen te bezichtigen.
Worden zij straks koning en koningin van een ander land?
Ik denk het niet.
De moord op Pim Fortuyn is een schokkende gebeurtenis.
Ik ben er ook een paar dagen van in de war geweest.
Hij heeft in korte tijd het gezicht van de Nederlandse politiek opgevrolijkt.
Zijn originele aanpak gaf het verdofte polderlandschap nieuwe kleuren.
Bovendien kon je met hem lachen. Dat was nieuw.
Nederland is na de moord even anders.
We zijn samen geschokt en daarom nu voor even eensgezind.
Nuchter Nederland schrijdt huilend in stille optochten door

■

Gezond Roken

(column, verschenen in Het Belang van Limburg, *1985)*

Ik ben nu ook aangetast door de nieuwe ziekte: gezond roken.
Het is altijd goed gegaan. Van mijn achttiende jaar af heb ik Caballero gerookt. Een stevig merk van Amerikaanse structuur. Zonder filter en overal verkrijgbaar. Ook in automaten.
Als mij werd gevraagd hoeveel ik rookte, was het antwoord afhankelijk van wie de vraag stelde.
Tegen mijn moeder zei ik: 'Maak je geen zorgen, mam, dat valt wel mee.'
Tegen mijn zanglerares: 'Alleen 's avonds na de show eentje voor de gezelligheid.'
Tegen mezelf zei ik: 'Je rookt te veel.'
En op de vragenlijst voor een medische keuring ten behoeve van een levensverzekering vulde ik in: 'Ned. Hervormd.'
De werkelijkheid was: onder normale omstandigheden vijftien sigaretten per dag en onder stress een pakje. Ik heb mij daar nooit zoveel zorgen om gemaakt. Als ik met wilskracht 10 af en toe een tijdje niet rookte, werd ik daar zo zenuwachtig van dat mijn omgeving mij dan smeekte of ik alsjeblieft ogenblikkelijk weer wilde gaan roken. Nou, graag gedaan.
En daarmee was ik terug in het oude, vertrouwde zelfbedrog dat ik er ooit een keer definitief mee zou stoppen. Een voornemen dat tot op heden altijd is ontkracht door de krantenberichten waarin medische geleerden elkaar over de schadelijke gevolgen van roken gelukkig blijven tegenspreken. Met dank aan Winston Churchill, die behalve voor de wereldvrede ook veel heeft gedaan voor de gemoedsrust van zware rokers.
Ik ben nu van slag geraakt door de komst van de gezonde sigaret. De 'lights' en 'superlights'. In die weekgekleurde verpakking, die je eerder aan geneesmiddelen dan aan genotsartikelen doet denken. Weinig teer en nicotine. Berekend volgens de vermelding op het pakje staat één Caballero gelijk aan achttien van die gezonde. Ik rook me dus nu te pletter om aan mijn quantum te komen.
Dan staat er tegenwoordig ook nog op: 'Roken bedreigt de gezondheid'. Dat vind ik allemaal best, maar dan moet je consequent zijn en op alles afdrukken hoe slecht het is.
Op bankbiljetten: 'Geld alleen maakt niet gelukkig'.

Mensen met een slecht karakter een sticker op hun voorhoofd plakken: 'Deze man verziekt zijn omgeving'.
Bij de grote steden een bord neerzetten: 'Hier word je niet ouder dan vijftig'.
De borden staan er al.
In de tv-gids vermelden: 'Dit programma verpest uw avond'. En op de nieuwe kruisraketten: 'Deze projectielen vernietigen het leven'. En als die naar beneden komen, zijn we in ieder geval met z'n allen in één klap van het roken af.

Paul van Vliet

■

Paul van Vliet: *'Ik heb in mijn leven vijf boeken losgelaten: twee bundelingen van columns, een verslag van de show* Een gat in de lucht *en twee boeken met teksten en liedjes uit mijn onemanshows. Het boekje* Er is nog zoveel niet gezegd *is van die vijf veruit het belangrijkst, omdat mijn liedjes waarschijnlijk het langst zullen meegaan. Ik ben geen romanschrijver. Die ambitie heb ik ook niet, want ik ben meer van de korte vorm: verhaaltjes, conferences, komische types, liedjes en columns. Daarin dik ik de werkelijkheid in tot hanteerbare proporties. Ik heb wel eens verhalen geschreven, maar daar was ik altijd na zes, zeven boekbladzijden mee klaar, omdat mijn gedachtegang dan rond was. Als ik ooit nog eens een boek maak, zal dat waarschijnlijk een bundel zijn van korte verhalen, impressies en bespiegelingen, allemaal in de korte vorm.*
Omdat ik al sinds mijn middelbareschooltijd schrijf, denk ik altijd bij alle ervaringen en emoties: kan ik hier iets mee? Dat is een tweede natuur geworden, want ik beoordeel vrijwel alles op de mogelijkheid er eventueel een tekst over te maken. Ik leef dus eigenlijk op twee sporen: het werkelijke en het schrijvende leven.
Dat kan wel eens verwarrend werken, omdat je ongewild afstand neemt van de werkelijkheid wanneer je je constant afvraagt of je er iets mee kunt doen. Maar het is heel moeilijk om dat apparaat stil te zetten. Ik kan me daardoor bijvoorbeeld moeilijk ontspannen. En ik voel me ook vaak lichtelijk schuldig tegenover de mensen in mijn omgeving, omdat ik ze als potentieel tekstmateriaal beoordeel.'

4 – Het Belang van Limburg

46 **BIJ DE M**

Ken je dat gevoel?

Er zijn twee soorten mensen, die het altijd over eten hebben. De mensen, die sterren zien van de honger en de bezoekers van sterren-restaurants.
Voor de eerste groep is er weinig hoop.
Zij moeten het hebben van de schamele kruimels van de Ontwikkelingshulp, die even schaars als de regendruppels op hun gebarste droge akkers vallen.
Voor de smulpapen is er daarentegen steeds meer te halen. Zij kunnen, nu ook in Nederland, kiezen uit een als maar groeiend aantal voortreffelijke restaurants.
Zelfs Hollanders hoeven tegenwoordig niet meer naar België als ze lekker willen eten.
(Hoewel Belgen dat zullen blijven ontkennen.)

Maar daarbij blijft het niet.
Als de gourmants zijn uitgekeken op de spijskaarten van de bekende restaurants,
Zij schrijven hun eetrubrieken in een soort weelderig proza, dat qua woordgebruik soms aan poëzie grenst.

Maar er zijn ook op dit gebied vergeten minderheidsgroepen. Zoals de bezoekers van snackbars en frituurtenten.
Het lijkt mij daarom niet meer dan terecht, dat de kranten in België en Nederland wat meer aandacht gaan besteden aan juist deze etablissementen.
Vooral met het oog op de gemiddelde leeftijd van de daar ter plaatse hangende clientèle. Want: «Wie voor de jeugd eet, eet voor de toekomst.»

Hieronder volgt de eerste bijdrage voor de nieuwe rubriek: «VAN FRIET EN FRICANDEL».

«Wie Hasselt binnenrijdt, vindt achter het station Frituur «Maria» gedreven

Het was er gezellig vol met overwegend jong-, met bromhelmen toegerust publiek.
De automaten zijn overzichtelijk opgehangen.
De afvalbakken, hoewel naar onze smaak iets te vol, zijn gemakkelijk bereikbaar neergezet.
Het uitgifte-buffet is simpel, maar smaakvol uitgevoerd in rode formica.
In een sfeervolle ambiance van neonlicht en lichtgerookte muurtegels, heeft men een rustgevend uitzicht op station en streekvervoer.
Als apéritief trokken wij een robuuste COLA TOUR '83 uit blik, met als amuse de bouche een zakje zachte voorjaarschips. Rul en luchtig van structuur, geserveerd in een fris-knisperend zakje, dat nergens opdringerig kraakte.
Als voorgerecht namen wij een rolmops, geserveerd onder cloche, blank en mals, die op deze koele winteravond iets te koud aan het stokje was geprikt.
Wij dronken daarbij een droge Pepsi, die zich aanvankelijk iets te opdringerig aanbood, maar zich later elegant terugtrok bij het hoofdgerecht.
Wij kozen een Fricandel Speciaal met friet.
Een gewaagde combinatie

royaal uit de plastic macro-emmer werd gekwakt en die zich naderhand zeldzaam flatteus ontwikkelde over de platgehakte uien.

Wij dronken hierbij een Frisse Fanta '84.
Strak en geurig, verwant aan een Seven Up, maar wat zachter, aardser; van een bijna speelse zoetigheid.
Afkomstig uit de frisdrankenfabriek Stampermans, die men kan vinden op het vaak ondergewaardeerde industrieterrein Van Houtbrengen, ten zuidwesten van het knooppunt Eindhoven-Aken.
Hierbij kregen wij op aanvraag een tweede papieren servetje, dat wat bleekjes was opgevouwen, maar zich weer onderscheidde door de originele opdruk: een lachende bierworst.

Als nagerecht trok ik een Mars en mijn partner een Milkyway. Prachtig rechthoekig verpakt, waarbij de aanvankelijk wat stugge chocolade zich op de terugreis tussen onze tanden en kiezen uitbundig ontplooide.
De rekening bedroeg 110 frank.
Niet gering.
Maar daarbij dient te worden vermeld, dat de krachtige frietlucht als aan-

Theatershow ’92-’94

Paul van Vliet: *‘Na mijn* Jubileumshow *stortte ik me met volle energie op een nieuwe show. En toen ging het mis. Terwijl ik in de zomer van 1991 begon te schrijven, voelde ik me al niet happy, ik had een onbestemd gevoel van onbehagen in mijn lijf en hoofd.*
Omdat het schrijven niet opschoot, ben ik toen veel verkast: eerst naar Limburg, toen naar Friesland en daarna naar hotel Oranjeoord in Hoog Soeren, waar mijn vader en moeder vroeger heen gingen en ik lang geleden ook een keer met Floor Kist was geweest.
Toen ik daar om half elf ’s avonds aankwam, vond ik er een briefje: “Je sleutel ligt onder de mat, je hebt nummer 11.” In de wc op mijn kamer hing een bordje met het verzoek om tussen tien uur ’s avonds en zeven uur ’s ochtends niet door te trekken. Het was een bejaardenhotel geworden. Die nacht heb ik nauwelijks geslapen, omdat ik door de dunne wandjes overal mensen hoorde snurken, rochelen en steunen, terwijl ik zelf bang was om geluid te maken. De volgende morgen zag ik allemaal oude mensen bij het ontbijt, met batterijen pillen rond hun bord. Daar kon ik niet schrijven. Ik heb me meteen afgemeld bij de directie.
Vervolgens ben ik in één keer doorgereden naar hotel Huis ter Duin, waar ik de zeelucht diep heb ingeademd. Ik was weer thuis.
Maar ook daar ging het niet. Het was een merkwaardig soort writer’s block: ik schreef wel veel, maar het was gewoon niet goed.
De avonden Paul in het klad *behoeden me meestal voor allerlei soorten missers, behalve dat jaar. Ik ging met een rammelend programma die kladavonden in, maar raakte daar al improviserend zo op dreef dat iedereen het idee had dat het een erg leuk programma ging worden.’*

■
Uitgekeken
Paul van Vliet: *‘In de jaren tachtig raakten Nick van den Boezem en ik op elkaar uitgekeken, zoals dat kan gaan na een langdurige, goede samenwerking. Toen Nick vertrokken was, heb ik een tijdje zonder coach gewerkt, maar in 1991 had ik daar toch weer behoefte aan. Ik heb toen regisseur Eddy Habbema gevraagd en ben het script van mijn nieuwe show gaan voorlezen bij hem thuis. Er zaten teksten bij die hem erg raakten, omdat ze aansloten bij het levensgevoel dat hij op dat moment had. Hij is bij me gebleven.*
Eddy Habbema is een intelligente, breed ontwikkelde man, die al tijdens zijn studie toneel regisseerde. Eenmaal afgestudeerd ging hij als beroepsregisseur werken bij de Haagse Comedie. Naderhand heeft hij zich gespecialiseerd in het muziektheater en is hij een vooraanstaand regisseur geworden van musicals.
Hij was ook de regisseur bij My Fair Lady, *waarin ik een van de hoofdrollen speelde. Nog altijd is hij een goede vriend, die me adviseert en met wie ik graag over het vak en het leven praat.’*
■

’92

Paul van Vliet: *‘Pas bij de repetities kwamen de gebreken aan het licht. Eddy Habbema probeerde er nog het beste van te maken. Maar ik was gewoon niet ontvankelijk voor kritiek, zette mijn hakken in het zand en hield stug vol: “Het is wél goed! Wacht maar tot ik het ga spelen!” Achteraf besef ik dat ik me toen al niet oké voelde. Ik zat niet goed in m’n vel en stond zwak, dan ga je dat soort dingen roepen. Maar ik had ook echt niet in de gaten dat het programma niet goed genoeg was; ik was mijn onderscheidingsvermogen een beetje kwijt. Bij de eerste try-out, in Bergen op Zoom, ben ik toen definitief door de mand gevallen. Vooral het eerste deel van de show deugde gewoon niet. Mijn hele gezin was erbij en Manuel, die toen 23 was, zat in de pauze te huilen, want hij vond het verschrikkelijk voor mij en voor zichzelf. Onderweg terug in de*

auto was het pijnlijk stil.
Je moet bedenken dat je hele groep en je familie hun hart vasthouden bij een nieuwe show, want die bepaalt hoe het de komende twee, drie jaar zal gaan. Als het niet goed gaat, zeilen we met z’n allen naar beneden. Daarom zitten ze allemaal in de rats bij een try-out. Want zo indringend is het wel, ook voor mijn gezin: als het mij goed gaat, is het thuis ook een stuk gezelliger. Het is een prachtig vak als je succes hebt, maar is dat niet zo, dan valt het wel heel erg op. En het is allemaal zo van jezelf, want je begint met honderd lege vellen en uiteindelijk staat er een echte show, met een vrachtwagen vol spullen en dertien families die ervan moeten eten.’

Paul van Vliet: *‘Na thuiskomst uit Bergen op Zoom was het mij volkomen duidelijk dat ik de show drastisch zou moeten herschrijven. In een woedende explosie heb ik die nacht in tien minuten tijd een nieuwe ouverture geschreven: “De tijd van dromen is voorbij”.*

Bij de volgende try-out, in Middelburg, kondigde ik tegenover de groep aan dat we het heel anders gingen doen. Met dat nieuwe begin zijn we toen aan de gang gegaan. Maar al met al heeft het wel vier maanden geduurd, met langzaam bouwen, voordat ik de show helemaal gerepareerd had. Het móést gewoon in orde komen, want als de show niet goed is, ga ik lopen malen en nachtbraken en word ik lastig en vervelend voor mijn omgeving.
Het lukte me in die herschrijfmaanden om de pers weg te houden: met uitzondering van een enkele lokale recensent schreef niemand erover. Eddy Habbema kwam na een paar maanden voor het eerst weer kijken toen we in Ede stonden en vroeg in de pauze verbaasd: "Waar is de show gebleven?" Zoveel hadden we veranderd aan dat eerste deel, dat het onherkenbaar

was geworden; aan het tweede deel hebben we veel minder hoeven doen. Dat de show na al die reparaties toch kwalitatief goed is geworden, is voor een groot deel ook te danken aan de dynamiek van de band, die erg bepalend was.'

'94

De tijd van dromen is voorbij

De tijd van dromen is voorbij
Van: ach, we zien wel wat het wordt
De tijd van: joh, dat komt wel goed
Van: tijd genoeg en binnenkort.

De tijd van: ja, daar zit wat in
En van: het heeft misschien wel wat
De tijd van: zou je kunnen doen
En van: voorlopig en in het klad.

De tijd van: kom daar nog op terug
Bespreek dat met de achterban
En van: u hoort nog wel van ons
Ik maak daar een notitie van.

De tijd van: bellen je nog wel
En van: ik denk erover na
Van: niet afwijzend tegenover
De tijd van: in principe ja.

De tijd van: min of meer genegen
De tijd van: niet bij voorbaat nee
En van: in aanleg er niet tegen
In basis wel een goed idee.

De tijd van: dat zou moeten kunnen
We gaan bekijken wat er kan
Van: nog een nachtje over slapen
Ergens best wel een goed plan.

De tijd van: lijkt mij niet onmogelijk
De tijd van: ach, we zullen zien
De tijd van: ik hou het in gedachten
Onder voorbehoud, misschien.

De tijd van: ben er nog mee bezig
Ik heb het bijna voor elkaar
De tijd van: het zit eraan te komen
Van: ongeveer en bijna klaar...

Er is geen tijd meer voor zoveel
Waarvoor er tijd voldoende leek
Die tijd is óp
Die tijd is óm
Die is voorbij
Die tijd verstreek.

De tijd van dromen is voorbij
Er is geen tijd meer voor respijt
De vrije tijd is niet meer vrij
Er is geen tijd meer...

Het is tijd!

'92

Paul van Vliet: *'In de eerste versie van de* Theatershow '92-'94 *had ik als pauzenummer een middeleeuwse ballade, zo'n Iers lied waar geen eind aan komt, met 96 coupletten. Maar waar ik geen rekening mee had gehouden, was dat de mensen daar niet op zaten te wachten, omdat ze hun blazen voelden drukken; daar kon ik niet overheen spelen. Toen ik de boel omgooide, heb ik die ballade tot de helft ingekort en midden in deel één gezet, als tussendoortje, waar ik het als een soort wegwerpnummer kon spelen. Daar was het wel goed.*
Voor de pauze zette ik een groot nummer over Europa, met als inleiding een conference waarbij ik in zes talen bij de verschillende staatshoofden ging vragen wat er in een nieuw Europees volkslied moest staan. Wat ons in Europa verbond, was het gevoel dat we uiteindelijk allemaal goed wilden doen in de richting van de derde wereld. Halverwege kantelde dat nummer en presenteerde ik Europa als een jong ontwikkelingsland, dat juist van alles nodig had uit de derde wereld: stilte uit Oeganda, rust uit Senegal, zuivere lucht uit Nepal en geduld uit Nieuw-Guinea. Allemaal immateriële dingen die wij zijn kwijtgeraakt. Het eindigde dramatisch met een vierstemmig muzikaal slot: uitpakken geblazen! Uit de toneeltoren kwamen ineens alle Europese vlaggen, gescheurd en verbleekt. Zo stuurde ik de mensen de pauze in.
In deze show zaten geen komische types, maar wel een paar heel intense momenten. Zoals het einde, met een mooi slotverhaal over Romeo en Julia, waarbij Romeo vóór ze gaan trouwen nog één keer de wereld rond wil gaan en pas terugkomt als ze allebei oud zijn. Dat vertelde ik zittend voor op het toneel, in een klein lichtje, waarna ik nog één lied zong. Iedereen zei: "Je kunt een show niet zo eindigen, dat moet groots, spectaculair, met een kop erop en niet zo klein en naar binnen gekeerd!" Maar Carré-directeur Bob van der Linden geloofde er wél in. Hij zei: "Moet je eens opletten wat er in Carré gebeurt met dat nummer als Paul dat zo brengt." Hij had gelijk. Ik vertelde dat verhaal met een zacht muziekje eronder en die immens grote zaal werd ineens heel klein, je kon een zakdoek horen vallen. Zo kan het dus ook. Er zijn geen universele theaterwetten.'

'94

Misschien vannacht

In elke vrouw – in elke man
Zit een verlangen groot of klein
Om in dit leven als het kan
Eén keer gewichtloos vrij te zijn.

Vrij van verdriet en niet meer bang
Niet meer alleen en los van toen
Omarmd door oeverloos geluk
In staat iets kolossaals te doen.

Die ene dag, die ene nacht
Niet meer te vragen van: waarom?
Maar zeker weten: dit ben ik
En dit gevoel daar gaat het om.

In elke vrouw – in elke man
Zit een verlangen diep verstopt
Om in dit leven – als het kan
Eén keer te voelen dat het klopt.

Die ene dag – die ene nacht
Die ene man – die ene vrouw
Waardoor je één keer zeker weet:
Dat deze aarde draait om jou!

Als je dat één keer hebt gevoeld
En je dus weet dat het bestaat
Dan moet je tot je laatste snik
Onthouden dat het daar om gaat.

Een wonder komt soms onverwacht
Je weet het nooit, misschien vannacht!

Met Kees van der Laarse, André Hoekstra, Klaas van Dijk, John Eskes en de Oeuvreprijs

De nier

Paul van Vliet: *‘Met de* Theatershow ’92-*’94 gingen we de zomer van 1992 in. We hadden veel succes in het Circustheater in Scheveningen en daarna in Carré. Omdat Carré werd verbouwd, moesten we ons omkleden op een binnenschip dat in de Amstel lag. Mijn lichaam begon toen al op te spelen. Ik voelde me erg moe en had voortdurend pijn in mijn zij. Na het spelen ging ik steeds even liggen op dat deinende schip.*
Na die twee heerlijke series, die ik me lang zal herinneren, trokken we met de show het land in. Aan het eind van dat jaar stonden we drie weken in Antwerpen, maar daar deed ik ’s nachts geen oog dicht van de pijn. Ik ging er naar een dokter, die me beval om onmiddellijk foto’s te laten maken. Dat heb ik de dag daarop in Nederland laten doen. De uitslag was vreselijk: een van mijn nieren bleek te zijn aangetast. Het gezwel zat op een inoperabele plek. Mijn enige kans was om de hele nier eruit te laten halen en dan maar hopen dat er geen uitzaaiingen waren, anders was het met me gebeurd.
Met die boodschap reisde ik terug naar Antwerpen om de serie af te maken. Ik had nog altijd niet helemaal in de gaten hoe erg ik eraantoe was. In plaats van terug te gaan naar het hotel, reed ik ’s nachts na de voorstelling naar huis. Daar kreeg ik op een donderdagmorgen een telefoontje van het ziekenhuis: “We hebben voor dinsdag een OK voor u gereserveerd.” Ik vroeg verbaasd aan Lidewij wat een “OK” was en toen ze me vertelde dat het om een operatiekamer ging, schrok ik. Ineens begon het me te dagen: het was menens.
Ik heb de laatste drie avonden van de serie in Antwerpen nog gewoon afgemaakt. We hebben niks tegen het publiek gezegd, maar de jongens wisten ervan. Na de slotavond, op zaterdag, stonden we met zijn achten op

„De operatie is gelukt!”

TOON HERMANS: „Hij moet het zelf doen”

Paul van Vliet na ingrijpende operatie terug op de planken

„VOOR MIJ GAAT HET DOEK WEER OP”

„Er gaan allerlei gedachten door je hoofd: Zou dit mijn laatste voorstelling zijn?”

Als PAUL VAN VLIET dinsdagavond ruim tien weken na zijn ingrijpende operatie voor het eerst weer op de planken zal staan, in Gooiland in Hilversum, zullen zijn gedachten ongetwijfeld even teruggaan naar die december-avond in Antwerpen. Het was de slotavond van een serie succesvolle voorstellingen in de schouwburg De Arendsberg. Paul van Vliet en zijn medewerkers dachten dat het wel eens de laatste voorstelling van zijn leven kon zijn.

Staande ovatie in Gooiland voor herstelde Paul van Vliet

(Van onze rtv-redactie)

HILVERSUM - „Het geeft me een goed gevoel om te weten dat jullie blij zijn dat ik er weer ben.” Kort maar krachtig liet Paul van Vliet gisteravond in theater Gooiland in Hilversum weten dat zijn terugkeer op de planken veel voor hem betekent. Na een korte ziekte heeft hij gisteren zijn toernee weer opgepakt.

Een paar maanden geleden moest de cabaretier plotseling zijn optredens staken, nadat een gezwel in één van zijn nieren werd ontdekt.

De zieke nier werd direct weggehaald en op Oudjaarsdag kreeg Van Vliet van de artsen te horen dat het gezwel goedaardig was.

het toneel te janken toen het doek dichtging. Het was kort voor Kerstmis. Dit was het dan, dacht ik. Iedereen was vreselijk emotioneel.'

Paul van Vliet: *'Op de dag voor de operatie zei de zaalarts in het ziekenhuis tegen me: "Dat ziet er niet zo best uit voor u." Hij legde me uit dat bijna alle gezwellen van het soort dat ik in mijn nier had zitten kwaadaardig zijn: slechts één op de 30.000 is goedaardig. Die nacht heb ik doorgebracht met roken en nadenken.*
Omdat ik op de avond voor de operatie eigenlijk in Rotterdam had moeten spelen, op het gala van het honderdjarig jubileum van het Luxor Theater, kwam het nieuws van mijn operatie groot in de pers. Zulke publiciteit valt niet te sturen. Meteen werd ik overstelpt met reacties. Binnen een week kreeg ik zesduizend brieven en kaarten, postzakken vol. Plus zoveel bloemstukken, dat ze er de hele afdeling Interne mee konden versieren. Op mijn afdeling lag ook een Rus die nooit bezoek kreeg. Bij hem heb ik het kolossale bloemstuk laten neerzetten dat ik van Joop van den Ende kreeg: die man begreep er niets van, maar vond het prachtig.
Plotseling kantelde mijn leven. Op oudejaarsavond kwam mijn uroloog vertellen: "Ik heb goed nieuws voor je. Het gezwel was goedaardig. Leef van harte verder! Je bent een nier kwijt, maar ik hoef je nooit meer terug te zien." Ik heb die man, geloof ik, vijf minuten vastgehouden. Zelden in mijn leven ben ik zo blij geweest, ik huilde van vreugde en opluchting.'

Paul van Vliet: *'Na mijn herstelperiode stond ik in april bij theater Gooiland in Hilversum, toen mijn grote vrachtwagen kwam aanrijden. Ik was echt ontroerd en dacht: het gaat gewoon door, ik kan verder. Bij mijn opkomst, die eerste avond na de nier, kreeg ik zo'n lang ovationeel applaus dat ik niet kon beginnen. Ik stortte bijna in, zo overweldigend was het. Na lang slikken had ik mezelf net op tijd weer in de hand om het eerste lied te kunnen uitbrengen: "De tijd van dromen is voorbij". Op zo'n moment voel je wat het vak voor je betekent.*
Het leven ging gewoon door. De roes werd voortgezet, maar wel anders. Ik heb waanzinnig van het leven rond de show gehouden, vaak voelde ik me op het toneel meer thuis dan in mijn eigen huis. Maar in het ziekenhuis ben ik gaan beseffen wat ik voor mensen betekende. Ik was werkelijk onder de indruk van al die ontroerende brieven: "We kunnen niet zonder je", "We leven met je mee" en "Je hebt ons zoveel gegeven". Dat raakte me en ik vond dat ik met zoveel hartelijke gevoelens wel eens wat zorgvuldiger mocht omspringen.
En dat gold nog versterkt voor mijn eigen vrienden en familie. Pas toen besefte ik hoe veel de mensen om me heen om me gaven. Ze hadden thuis altijd om me heen geleefd: Paul moet schrijven, denken, spelen, morgen op tv, een plaat maken, een interview geven, een talkshow doen – dus laat hem maar een beetje met rust. Dat heb ik heel lang gewoon gevonden, tot ik daar in dat ziekenhuisbed ineens inzag hoe grenzeloos veel er van me gehouden werd. Ik vond dat ik daar wel eens iets voor terug mocht doen.
Sindsdien ben ik veel meer tijd gaan besteden aan mijn familie en vrienden. En het rare was dat mijn werk er absoluut niet onder leed. Ik ben wel minder gaan spelen, maar dat bleek makkelijk te gaan: vier in plaats van vijf dagen per week. En langer op vakantie. Dat had ik veel eerder moeten doen.'

'My fair lady' is voltreffer

Joop van den Ende Presenteert

PAUL VAN VLIET

MY FAIR *Lady*

Tekst ALAN JAY LERNER · *Muziek* FREDERICK LOEWE · *Vertaling* SETH GAAIKEMA

gebaseerd op George Bernard Shaw's toneelstuk en Gabriel Pascal's film Pygmalion

VERA MANN · PIET BAMBERGEN/HANS BOSKAMP

HUIB ROOYMANS · TREES VAN DER DONCK · INE KUHR · PAUL VAES

Decorontwerp MISJEL VERMEIREN · *Lichtontwerp* REINIER TWEEBEEKE · *Kostuumontwerp* RIEN BEKKERS · *Geluidsontwerp* ROGIER VAN ROSSUM

Bewegingsregie DOUGIE SQUIRES · *Arrangementen/Muzikale Leiding* HARRY VAN HOOF

Uitvoerend Producent ROBIN DE LEVITA · *Producent* JOOP VAN DEN ENDE

Regie EDDY HABBEMA

1994-1996

My Fair Lady

Verrassende keuze bij Nederlandse versie van My Fair Lady

PAUL VAN VLIET WORDT PROFESSOR HIGGINS

PAUL VAN VLIET zal de rol van professor Higgins gaan spelen in een nieuwe grote Nederlandse versie van de musical MY FAIR LADY.

PRIVÉ door Henk van der Meyden

Eigenzinnig

Paul van Vliet: *'Een paar maanden voor het einde van de* Theatershow '92-'94 *was ik al wel bezig met de voorbereidingen van een nieuwe show, maar het grote werk moest nog beginnen.*
Ik had een halfjaar vrij gepland, zodat ik met Lidewij een grote reis naar Azië zou kunnen maken. Toen werd ik tot mijn verrassing opgebeld door Joop van den Ende, die me vroeg of ik ervoor zou voelen om de rol van Higgins te spelen in de nieuw te maken versie van My Fair Lady.
Mijn eerste reactie zal voor de producent niet echt bemoedigend zijn geweest: "Wat? Alweer My Fair Lady? *Maar dat is toch een afgelikte boterham?" Ik was ervan overtuigd dat iedereen inmiddels wel de verfilmde versie met de oscar-winnende Rex Harrison gezien zou hebben, en ook de vele Nederlandse versies, met onder anderen Wim Sonneveld en Luc Lutz, lagen nog vers in het geheugen.*
Maar Joop kreeg me zover dat we er toch over gingen praten en hij overtuigde me van de tijdloze noodzaak om My Fair Lady *op te voeren.*
Toch aarzelde ik. Behalve op school had ik nooit toneelgespeeld. Maar iedereen die ik om raad vroeg, zei dat Higgins een gedroomde rol voor mij zou zijn. Samen met Lidewij ben ik toen naar New York gegaan, waar de musical werd opgevoerd met Richard Chamberlain in de hoofdrol. Hij viel me tegen: Chamberlain speelde Higgins heel ijdel en voor de hand liggend, op een manier die ik ouderwets vond. Als ik het al zou doen, dan in ieder geval niet op die manier.
Wel was ik weer onder de indruk van de kwaliteit van My Fair Lady, *echt een van de beste musicals die ooit geschreven is. Bij musicals gaat het vooral om het spektakel en de muziek, maar het oorspronkelijke toneelstuk* Pygmalion *van George Bernard Shaw, uit 1913, had een spannend verhaal en zijn personages hadden uitgesproken, herkenbare karakters. Dat stuk was in 1956 door Lerner & Loewe briljant omgezet tot de musical* My Fair Lady.
Alle zes de grote rollen bleven herkenbaar en sterk. Uit veel musicals worden hoogstens één of twee liedjes een hit, maar hier zijn maar liefst zeven evergreens uit voortgekomen.'

De regisseur die Joop van den Ende voor *My Fair Lady* had aangetrokken, was Eddy Habbema. Als Paul van Vliet nog twijfelde over zijn toezegging, was de keuze voor deze man doorslaggevend, want hij kon lezen en schrijven met de coach van zijn eigen shows.

’94

Paul van Vliet: *‘Eddy Habbema was beslist een reden om mee te doen. Ik had in New York gemerkt dat het publiek in het tweede stuk onrustig werd. Die musical duurde gewoon te lang: in 1956 vonden mensen het heel normaal dat theater om half twaalf was afgelopen, maar dat is veranderd. Dus heb ik tegen Eddy gezegd dat we moesten bekorten. Je mag van de erven Lerner & Loewe natuurlijk niets veranderen aan het oorspronkelijke stuk, maar dat hebben we op een listige manier toch gedaan. Van sommige liedjes hebben we een derde geschrapt, zonder dat iemand het gemerkt heeft. Ook haalden we de intro’s van liedjes weg, of lieten we die alvast zachtjes beginnen onder de gesproken tekst: dat gaf een enorme versnelling. Uiteindelijk hebben we dertig minuten weggesneden.*
Daarmee hebben we de musical echt goed gedaan. De ijzersterke vertaling van Seth Gaaikema uit 1960 konden we vrijwel ongewijzigd gebruiken. We hadden bovendien het geluk dat de zes belangrijkste personages een prima rolbezetting hadden. Vera Mann als Elisa Doolittle was echt een vondst: zij is een Vlaamse musicalster die in alle opzichten deugt, een kleine, dappere vrouw die ook buiten het vak een ruime belangstelling heeft en voor niemand bang is. Het was liefde op het eerste gezicht tussen ons, tot op de dag van vandaag. Verder hadden we Huib Rooijmans als Pickering; Trees van den Donk als moeder Higgins; Ine Kuhr, het zusje van Lenny, als Mrs. Pearce; en voor Doolittle had Joop de oude komiek Piet Bambergen gevonden, ook al zo’n vondst.
Het klopte vanaf de eerste dag, de synergie tussen de spelers onderling en de regisseur. Harry van Hoof had de muzikale leiding in handen, dus dat zat ook goed. Je hebt wel eens zo’n productie waarbij alles meezit. Toen Joop aan de pers bekendmaakte dat er een nieuwe versie van My Fair Lady *zou komen met mij in de hoofdrol, ontketende dat een ware run op de kaarten. Het eerste seizoen was al snel uitverkocht, zodat er meteen een tweede seizoen aan kon worden vastgeplakt.’*

■

Ik voel opeens dat ik je mis

Paul van Vliet: *‘Veel Higginsen zijn in het verleden neergezet als alleen maar arrogante, ijdele vrouwenhaters die aan het eind door de knieën gaan voor het bloemenmeisje Elisa. Eddy Habbema en ik hebben geprobeerd het personage Higgins wat verder uit te diepen door hem kwetsbaarder te maken.*
Wij hebben van Higgins meer een man van nu gemaakt. Daardoor was het slot “Ik voel opeens dat ik je mis” logisch en veel interessanter. In andere versies knakt zo’n man ineens, bij ons was het einde zoveel mooier. Traditioneel wordt het einde open gelaten als Higgins snauwt: “Verdomme, waar zijn mijn slippers?” Bij ons gaf Higgins Elisa een hand. Echte kenners vonden dat verraad aan het script, maar ik heb erin gelegd: blijf in godsnaam bij me, ik kan niet zonder jou.’

Paul van Vliet: *‘Eddy Habbema heeft me goed geregisseerd en me in het begin over dode momenten heen geholpen. Ik heb me mijn leven lang rechtstreeks tot het publiek gewend: dat heeft Eddy me voor de musical moeten afleren. Ik moest leren luisteren naar mijn medespelers en op hen reageren. Hij coachte me naar de première, waarbij ik langzaam groeide in mijn rol.*
Ik moest erg wennen aan het toneelspelen, want dat was nieuw voor mij en vergde een heel andere vorm van concentratie. Over het zingen maakte ik me niet zo’n zorgen: liedjes zingen was al 35 jaar mijn vak. En de zangtechniek voor Higgins was niet moeilijk, want Rex Harrison kon niet zingen – hij was er zelfs zo bang voor, dat hij bij een try-out niet het toneel op durfde. Omdat de rol helemaal voor hem op maat was gesneden, was van zijn liedjes een soort spreekzingen gemaakt.
Toch was ik wel nerveus voor wat me te wachten stond. Het ergste was de eerste doorloop van het stuk, nog zonder orkest en kostuums, op een zondagmorgen om tien uur in een zaaltje van Focus in Amsterdam. Om die tijd had ik nog nooit op een toneel gestaan; op weg daarheen hoorde ik voor het eerst het programma Vroege Vogels *op de radio. Ik was gewend om te repeteren in een klein, vertrouwd gezelschap en onder theateromstandigheden: met toneellicht*

op een echte bühne. Nu stond ik ’s morgens vroeg in een kaal lokaal, in daglicht en met het hele productieteam van Joop van den Ende erbij, 25 vreemde mensen die eens kwamen kijken wat die Van Vliet ervan maakte.
Ik klapte volkomen dicht, wist ineens mijn tekst niet meer, ging me forceren en bakte er niks van. Het was waardeloos. Daar kwam nog bij dat Vera Mann die ochtend de sterren van de hemel speelde.
In de lunchpauze hoorde ik verontrust gemompel: is dit nou de nieuwe Higgins? Na overleg met Eddy Habbema heb ik iedereen daarom toegesproken: “Mag ik even iets zeggen? Dames en heren, dat viel even tegen, hè? Ik moet u zeggen: ik ben deze entourage niet gewend, het is allemaal nieuw voor mij en daarom heb ik vanochtend ver beneden mijn kunnen gepresteerd. Het was onder de maat.

Maar van de regisseur heb ik toestemming gekregen om het tweede deel met het script in de hand te spelen en ik hoop u ervan te overtuigen dat Joop van den Ende zich in zijn keuze voor mij niet heeft vergist." Iedereen begon een beetje te lachen. Tegen mijn pakweg veertig medespelers, die ook wat zenuwachtig waren geworden, zei ik: "Jongens, het komt goed."
De rest van de dag ging het inderdaad prima. Ik stond met het script in de hand, dat ik niet echt nodig had maar dat wel een soort houvast bood, en voelde de zenuwen langzaam uit me wegglijden. Dat kwam ook doordat ik, net als in mijn shows, naar het slot toe kon spelen: ik wist dat ik dat laatste liedje goed aankon, dat lag me, daar kon ik veel ervaring en emotie in kwijt. Het is de klassieke song "I've grown accustomed to her face" een teder nummer met een woedeuitbarsting in het midden en dan een overgang naar vertwijfeling om een verloren liefde. Het is eigenlijk onvertaalbaar, omdat het idioom van Higgins zo goed gevangen is in zijn afstandelijke taal, die het daardoor juist zo mooi maakt, maar ook in het Nederlands heel gevoelig: "Ik voel opeens dat ik haar mis". Niemand lette meer op het papier in mijn handen toen ik dat zong. Ik zag de opluchting: goddank, hij kan het! Voorlopig.'

In twee weken een totaal nieuw decor

Paul van Vliet: *'Bij* My Fair Lady *heb ik Joop van den Ende van nabij leren kennen, op een leuke manier. De ontwerpster van het decor was overspannen geraakt, waardoor ze wel haar schetsen had ingeleverd bij het decorbouwbedrijf, maar niet te raadplegen was: ze kon het woord theater in het algemeen en* My Fair Lady *in het bijzonder maandenlang niet meer horen en werd overal bij weggehouden. De decorbouwers hadden dus moeten werken op grond van vermoedens. Het door hen gebouwde decor werd in de Parkschouwburg in Hoorn afgeleverd voor de try-outs.*
Eddy Habbema, Joop en ik gingen naar Hoorn om het decor te bekijken. Dat is altijd een spannend moment. Vanuit de zaal inspecteerde Joop de paar ton aan mooiigheid, die daar stond opgesteld. En hij concludeerde meteen, volkomen terecht: "Dat is dus niks, helemaal waardeloos. Gooi maar weg, op de vuilnishoop!"
We hadden nog twee weken.
Diezelfde dag vond Joop een nieuwe decorbouwer, die echter midden in een verhuizing zat. Dat vond Joop geen probleem, want hij zei tegen hem: "Ik doe die verhuizing wel, ga jij maar in een hotel zitten ontwerpen." Binnen veertien dagen stond er een totaal nieuw en echt mooi decor. Iedereen had er in de hoogste versnelling voor moeten rennen, maar het was wel voor elkaar. Dat is Joops kracht, dat kan hij. Indrukwekkend.'

’94

Paul van Vliet: *‘Tegen de première heb ik erg opgezien. De nacht tevoren sliep ik heel slecht, omdat ik droomde dat ik mijn tekst kwijt was en dat alles verkeerd ging. Wakend denk je dan: ik moet slapen, want morgen moet ik presteren. Natuurlijk had Joop van den Ende van de premièreavond een galahappening gemaakt, waarvoor heel showbizz-minded Nederland was opgetrommeld. Hans van Willigenburg deed in het NOS-journaal live verslag van de binnenkomende gasten. De hele schouwburg van Utrecht gonsde van de feestelijke spanning, iedereen gaf elkaar cadeautjes en de stemming was er een van een grote verbondenheid.*
In de eerste akte – met de beroemde Covent Garden-scène, waarin Higgins diverse Londense dialecten noteert – kwam ik van achter een pilaar op. Daarbij kreeg ik een groot applaus, waardoor ik meteen mijn nervositeit verloor. Dat was precies wat ik nodig had: een warm, ontvankelijk publiek! De rest ging als vanzelf.
Piet Bambergen en ik waren van tevoren bang geweest dat men ons zou gaan vergelijken met de Nederlandse oerversie, met Wim Sonneveld als Higgins en Johan Kaart als Doolittle. Zouden we de mythe van toen kunnen wegspelen? Of zouden de kranten schrijven: toen was het veel leuker? Integendeel: de kranten juichten dat wij de beste My Fair Lady *ooit brachten, met de beste Higgins ooit. Alleen Willy Hofman, de oorspronkelijke producer uit 1960, had kritiek op de laatste dertig seconden van ons stuk. En dat verwachtte ik al.’*

■

Geen enkele verantwoordelijkheid

Paul van Vliet: *‘Bij de eerste try-out waren Lidewij en wat kennissen van ons aanwezig. De voorstelling ging goed; niet top, maar voldoende. Na afloop zagen we in de artiestenfoyer Joop van den Ende met zijn staf zitten: de belichters, decorbouwers, technici, geluidsmensen, het hoofd kostuums en het hele productieteam waren bezig hun aantekeningen van de voorstelling door te nemen, om alles te verbeteren wat er niet goed was gegaan. Dat had ik vanaf 1960 ook altijd gedaan, met al mijn mensen om me heen.*
In de deuropening keek ik naar Lidewij en zei: “Kijk, daar zitten ze en zij zijn nog wel een paar uur bezig. Ik ga nergens over, want ik heb geen enkele verantwoordelijkheid, behalve mijn eigen rol. Morgen om twaalf uur hebben we de volgende repetitie, dan hoor ik wel wat er anders moet. Ga je mee naar huis?” Dat was een heel aparte ervaring.’

■

Paul van Vliet: *‘Met* My Fair Lady *heb ik twee heerlijke, totaal onbezorgde jaren gehad. Het was heel intensief, alleen al omdat er geen stand-in was. Ik heb geen voorstelling gemist. Wel heb ik met Kerstmis, midden in een grote serie, met 39,6 graden koorts op het toneel gestaan in het Congresgebouw, terwijl een dokter in de coulissen klaarstond om me op te vangen met een bloeddrukmeter en een injectienaald. Als ik wegviel, zou de voorstelling worden afgelast. Maar na twee dagen doorspelen was ik weer beter. Wat dat betreft is het een gezond vak.*
Natuurlijk kon ik het niet laten om me toch een beetje verantwoordelijk te voelen voor de voorstelling: ik lette op allerlei kleine dingen die ik met mijn ervaring zag en stuurde hier en daar wat bij. Dat is mijn tweede natuur als ondernemer, ik kan het niet laten. Aan de belichter vroeg ik bijvoorbeeld waarom hij twee volgspots had thuisgelaten en als mensen ruzie hadden, bracht ik ze weer bij elkaar. En als de spelers de musical leuker dan leuk probeerden te maken, bewaakte ik dat op een zo indirect en voorzichtig mogelijke manier: je moet niet slordig worden, je moet de voorstelling nieuw houden, nooit te véél doen. Dat gaat ten koste van de kwaliteit.
De enige die zich niet liet sturen was Piet Bambergen, die zijn leven lang in het vak had gezeten. Hij kwam uit een heel aparte wereld met drie schnabbels op een avond, dwars door Nederland scheuren, je nummer spelen en weer weg, voor allerlei soorten publiek, waarbij je onder allerlei omstandigheden overeind moet blijven. Hij was een oude rot in het komiekenvak, voor wie elke lach er één was, daar is hij groot mee geworden. Ik gaf hem wel eens een tip: “Als je het zó zegt, wordt er harder gelachen.” Daar was hij dan uiterst dankbaar voor. Piet had er een feilloos gevoel voor waar de lach zat. Maar hij zei in die musical ook rustig: “Busje komt zo.” Alleen om een extra lach te scoren. Daarover zei Joop tegen mij: “Daar moet je niets aan doen, want de mensen willen hem zó zien. Hij moet vooral blijven zoals hij is.”
Midden in de My Fair Lady*-serie kreeg Piet een beroerte. Hij was helemaal van de wereld, maar toen hij bijkwam, was het eerste wat hij zei: “De wagens moeten terug.” Dat kan alleen een oude theaterrot zeggen, die zich verantwoordelijk voelt voor het publiek en de voorstelling. En hij wist dat onze vier vrachtwagens met theaterstukken en decor onderweg waren naar Drachten, waar we die avond zouden moeten spelen.*
Piet is een jaar lang erg ziek geweest. Zijn rol werd in die tijd overgenomen door Hans Boskamp, ook al zo’n ouwe rot. Voor de tweede serie in Carré is Piet toen nog teruggekomen, maar vrij snel daarna moest hij opnieuw afhaken en is hij overleden.’

■

Geen contract

Paul van Vliet: *‘Van contracten lees ik ook altijd de kleine lettertjes, want daar staan vaak de belangrijkste dingen in. Het contract voor* My Fair Lady, *dat Joop van den Ende me toestuurde, heb ik samen met mijn vriend de advocaat Herbert Verhagen veranderd en teruggestuurd. Toen ik het deels gewijzigd terugkreeg, heb ik*

opnieuw veranderingen aangebracht. Maar daarna is het me nooit meer toegezonden. Twee jaar lang heb ik gespeeld op basis van vertrouwen.
In dat contract stond een aantal dingen waarmee de producent terecht wilde voorkomen dat de hoofdrolspelers zichzelf in gevaar zouden brengen met gevaarlijke bezigheden, zoals motorcrossen, skiën en bungy-jumpen. Schaatsen stond er ook bij. Natuurlijk ging ik toch schaatsen en maakte een smak op het ijs. Het resultaat was dat ik die avond met een kanjer van een blauw oog bij het theater in Deventer verscheen. De productieleider was boos: ik wist toch dat schaatsen contractueel verboden was? Toen kon ik grijnzend zeggen: "Sorry, maar ik heb geen contract."'

■

Paul van Vliet: *'Toen in Carré het doek viel na onze allerlaatste voorstelling, vielen we elkaar allemaal huilend in de armen. We hadden twee jaar lang heel intensief met elkaar samengeleefd, met vaak zeven optredens per week, als we op zaterdag en zondag ook matinees hadden in Carré en het Congresgebouw. Het was hard werken, maar een fantastische ervaring.*
Wat ik leuk heb gevonden aan My Fair Lady *waren de vrouwen. Bij mijn shows ging ik al sinds 1971 met louter mannen om, even afgezien van mijn zakelijk leidster. Maar nu had ik tegenspeelsters en een ballet met veel vrouwen, die een eigen wereld inbrachten. Dat was voor mij allemaal nieuw en apart. En ik heb aan die tijd een paar vrienden voor het leven overgehouden: Huib Rooijmans en Vera Mann.*
Op die laatste avond sprak Joop van den Ende me hartverwarmend toe. Hij had in de gaten gehad dat ik me op de achtergrond bezig had gehouden met de productie. Zijn warme woorden heb ik bijzonder gewaardeerd.'

■

Paul blijft zelfstandig

Paul van Vliet: *'Twee jaar lang was ik in dienst geweest van Joop van den Ende Theaterproducties, en dat beviel me eigenlijk zeer goed. Alles werd voor me geregeld, ik werd als een ster behandeld en kreeg een mooi salaris. Joop legt zijn sterren echt in de watten, hij koestert ze, en dat is prettig om mee te maken. Ik had hem goed leren kennen en we respecteerden elkaar wederzijds. En dus heb ik na* My Fair Lady *aan hem gevraagd of ik niet in zijn stal zou kunnen komen. Dat vond hij fijn, hij stemde meteen in.*
De besprekingen om onze nieuwe samenwerking vast te leggen waren al in een vergevorderd stadium, toen ik op een avond van Antwerpen naar huis reed – ik had daar een bespreking gehad met mijn Vlaamse manager Kamiel Pauwels over mijn nieuwe show, die nog geschreven moest worden. Mijn gedachten begonnen tijdens die rit te malen. Als directeur van de PePijn BV was ik tot 1994 als eigen baasje verantwoordelijk geweest voor mijn eigen artistiek product. Kort tevoren had ik Youp van 't Hek nog aangeraden om een eigen bedrijf te beginnen, omdat dat veel lekkerder is: hij had Hekwerk opgezet en mij apetrots rondgeleid in zijn nieuwe kantoor.
Ik wil het niet, besliste ik onderweg en reed naar mijn kantoor in Den Haag, het oude pakhuis waar ik nog gewoond heb met Liselore. Het Hoge Huis. Dat kantoor had twee jaar geslapen, alleen de boekhouder was nog actief. Daar liep ik rond tussen mijn theaterverleden: de computers, de kasten, de mappen van de boekhouding, de krantenknipsels, affiches en planningslijsten van mijn shows. Ik ben een sentimentele man, die hecht aan het verleden. En ik zei tegen mezelf: je bent eigenlijk hartstikke gek om het aan het einde van je carrière ineens anders te willen doen.
Dus ben ik naar huis gegaan en heb daar in de agenda gezet: "Paul blijft zelfstandig." Ik werd er helemaal vrolijk van. Lidewij vroeg verbaasd wat er met me aan de hand was. En ik antwoordde blij: "Ik ga niet naar Joop. Ik blijf zelfstandig."
Vervolgens moest ik nog naar Joop van den Ende Producties, waar ze een feestelijke dag hadden voorbereid omdat ik de contracten zou komen tekenen. Met lood in de schoenen ging ik naar Aalsmeer. Nadat ik er uitgebreid welkom was geheten, vertelde ik dat ik had besloten eigen baas te blijven. Ze namen het uiterst sportief op. Ed Burgers, de financiële man, lachte en zei: "Ik zal het Joop vertellen, maar ik denk dat hij het wel zal kunnen waarderen." En hij had gelijk. Joop was zelf ondernemer genoeg om me te kunnen begrijpen. Hij gaf me zijn zegen.'

'96

146

Het vak

Met Seth Gaaikema en de vaders

Met Audrey Hepburn in de kleedkamer

Oeuvreprijs uit handen van Herman van Veen

Paul van Vliet: *'Het vak is een grote liefde, een blijvende passie die soms de andere liefdes wel eens overschaduwt. Als je ermiddenin zit, ís dit vak je leven, het grote ding waar je veel voor opoffert. Het kan een enorme concurrentie voor je gezinsleven zijn, want dit vak slurpt je helemaal op; dat is ook de enige manier waarop je het kunt uitoefenen, anders lukt het niet. Je kunt het niet half of erbij doen. En je raakt er totaal aan verslaafd. Als ik aan bevriende collega's vraag of ze zonder zouden kunnen, wordt het even stil.*
In de show breng je vaak intimiteiten die je in de veilige beslotenheid van je werkkamer hebt opgeschreven, in de openbaarheid. Het grappige is dat je jezelf daarmee voor de gek kunt houden, vooral op het gebied van de liefde. Als ik een mooi liefdeslied schrijf en dat aan Lidewij laat lezen, geeft zij wat aanwijzingen, waarmee ik weer terugga naar de schrijftafel. Dan is het al wat ontkoppeld, een artistiek product dat los zweeft van degene voor wie ik het geschreven heb. Vervolgens ga ik ermee naar de componist, die er muziek bij maakt. Als ik het dan zing, is het van iedereen. De mensen in de schouwburg van bijvoorbeeld Hoogeveen houden van jou, als je het zingt. Daardoor krijg je de illusie dat je die dag bent liefgehad. Als je dan thuiskomt, ben je al bemind en bestaat de kans dat je niet meer zo je best doet om de liefde bij je echte beminde te laten opbloeien. Terwijl je dat liedje oorspronkelijk uit een oprecht gevoel voor háár hebt geschreven!'

■

Zonderling
Paul van Vliet: *'Tegenwoordig zit iedereen in de auto te lullen met een mobiele telefoon. Maar ik praat al jaren in de auto, omdat ik daar vaak schrijf. Zeker komische nummers moeten hardop, want op het ritme van de wielen komen de grappen vanzelf. Die onthoud ik dan of schrijf ik snel op. Bij stoplichten kijken mensen me wel eens raar aan als ik tegen mezelf zit te oreren.*
Ook als ik buiten loop, probeer ik mijn teksten vaak hardop uit. Ik ben in de kroondomeinbossen van Hoog Soeren wel eens aangehouden door een koddebeier, die de zaak absoluut niet vertrouwde. Hij hield me al een paar dagen in de gaten en dacht dat ik een weggelopen zonderling was. Dus heb ik hem uitgenodigd voor mijn show in Orpheus, de Apeldoornse schouwburg. Daar kwam hij na afloop van het programma naar me toe om te zeggen dat hij me inmiddels geloofde en blij was getuige te zijn geweest van de voorbereidingen voor het programma.'

■

Paul van Vliet: *'Een onemanshow bedenk je zelf, schrijf je zelf, maak je zelf en speel je zelf. En in mijn geval ben je ook nog eens eigen ondernemer. Van het eerste tot het laatste woord, met alles eromheen, is die show van jezelf. En dus ben ik die show ook echt zelf. Dat zie ik ook als ik mezelf zie in opnamen van de afgelopen vijftien jaar. In de tijd daarvóór was het soms een andere man die optrad, maar gaandeweg zijn de show en ik één ding geworden. Die hele periode is een zoektocht naar mezelf geweest.*
Die constatering geeft ook een zekere rust. Je hoeft je niet meer te bewijzen, je speelt je show en zegt daarmee in feite: dit is het, goed of slecht, of je ervan houdt of niet, ik heb mijn uiterste best gedaan, dit is het beste wat ik heb. In de periode van het jaar dat je speelt, wordt je dagindeling bepaald door de voorstelling. Wanneer ik niet speel, voel ik een veel grotere onrust en weet ik niet precies wat ik met mijn vrije tijd moet doen. De show geeft structuur aan je leven. Je moet zorgen dat 's avonds in het theater tussen acht en elf uur de boel op orde is: dan heeft elke dag een paar uur waarin alles klopt. Daarmee heb je een voorsprong op andere mensen, dat is ook wel de zegen van het vak. Een goede voorstelling spoelt alles schoon, je speelt alle beslommeringen gewoon weg. Als op het toneel alles goed is gegaan, kun je de hele wereld aan. Dat is een van de redenen waarom ik altijd zo veel en zo gretig gespeeld heb, ook in de zomer. Ik hield wel eerder op dan de meeste anderen, in mei, maar mijn vakanties waren meestal kort. Het is in mijn carrière maar een paar keer voorgekomen dat ik langere tijd niet gespeeld heb. Maximaal een halfjaar.'

Met Corry Vonk

Paul van Vliet: *'Mijn grote voorbeelden waren Toon Hermans, Wim Sonneveld en Wim Kan. Van de jongere generatie heb ik me vooral laten inspireren door Ramses Shaffy, Herman van Veen, Freek de Jonge en op een bepaalde manier door Youp van 't Hek, vooral in zijn latere werk. Niemand heeft zoveel en zulke goede grappen als Youp, ook in zijn columns. Zijn grapdichtheid is ongeëvenaard, daar moet hij het echt van hebben. Terwijl clowns als Toon Hermans, Freek de Jonge en Herman van Veen minder grappen nodig hebben.*
Ik heb vier vrienden in het vak: Herman van Veen, Youp, Freek en Seth Gaaikema. Herman heeft mij in de herfst van 1992 de oeuvreprijs uitgereikt. Dat was vlak voor mijn nieroperatie, ik had een hit met de "A2 Road Song", een succesvol programma en veel publiciteit. Vlak voor de grote galavoorstelling banjerden Herman en ik samen door de lange gang van het Circustheater. Er zaten vijftienhonderd man in smoking en galajurken op ons te wachten. Maar wij hadden allebei iets jankerigs en wegkruiperigs, we waren overvoerd door het vak, voelden ons moe en klein, wilden eigenlijk ver weg van de showbizz. We keken elkaar aan en zeiden: "Zullen we niet gaan? Gewoon vertrekken?" Maar tien minuten later stonden we allebei stralend op het toneel. Hij hield een mooie toespraak, ik nam ontroerd de prijs in ontvangst en zong daarna het hoogste lied.'

■

Het uur van de waarheid
Paul van Vliet: *'Toon, Freek, Youp, Herman en ik zijn allemaal verwend met succes. Het is niet eenvoudig om daarmee om te gaan, maar dat is een luxeprobleem. Veel moeilijker is het als het uur van de waarheid aanbreekt: het gaat minder met je programma's, je hebt last van een writer's block, de kritieken worden slechter en er komt minder publiek. Hoe gedraag je je dan? Als je je door zo'n crisis heen weet te slaan, kom je er bijna altijd sterker uit, dieper, wezenlijker, wijzer, weerbaarder, een beter mens. Maar je kunt ook verbitterd raken, dan ben je voor altijd de weg kwijt, als je uit rancune gaat schrijven en spelen. Bij cabaretiers werkt dat in ieder geval niet, want daar kun je niets mee. Wrok en verbittering zijn slechte inspiratiebronnen.'*

■

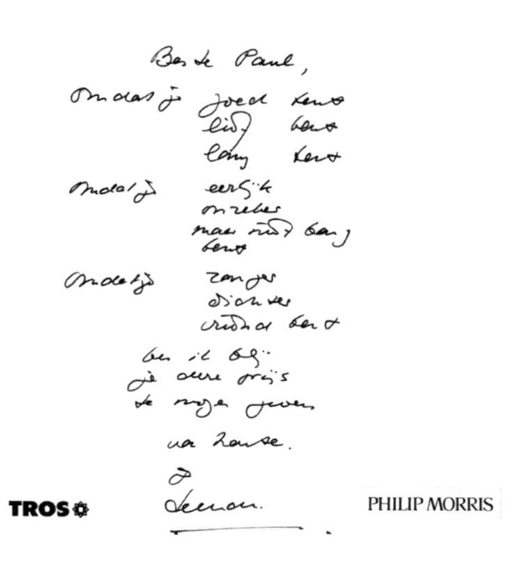

Beste Paul,
Omdat je goed bent
lief bent
lang bent
Omdat je eerlijk
onzeker
maar niet bang bent
Omdat je zanger
dichter
[illegible] bent
ben ik blij
je deze prijs
te mogen geven
van harte.
Je
Herman.

TROS
PHILIP MORRIS

A2 (een Nederlandse Road Song)

En de zon die ging onder en de zon die ging op
En ik zat in de file en het schoot maar niet op
En voordat het donker werd moest ik er zijn
Bij m'n liefje, m'n liefje in Nieuwegein.

Ik had drie jaar gezeten voor oplichterij
In de Bijlmerbajes en toen kwam ik vrij
Ik was onschuldig veroordeeld – door niemand geloofd
Van m'n geld en m'n eer en m'n liefje beroofd.

En dat lief had gezegd: ik heb drie jaar gewacht
Ik heb liggen woelen haast iedere nacht
Maar als jij er vanavond voor tienen niet bent
Dan kan je het schudden – neem ik een andere vent.

En de zon die ging onder en de zon die ging neer
En bumper aan bumper en toen stopten we weer
En voordat het donker werd moest ik er zijn
Bij m'n liefje, m'n liefje in Nieuwegein.

En de uren verstreken en ik reed in z'n één
En zo kropen we verder Abcoude – Vinkeveen
Breukelen – Maarssen; ik denk: krijg nou de pest!
Daar liep het weer klem bij Utrecht-West.

En toen nam ik de vluchtstrook en dat was een gok
Het was erop of eronder: een race tegen de klok
Maar nergens politie dus ik denk: ik red het misschien!
En het leek te gaan lukken: het was zeven voor tien.

En de zon die ging op en de zon die ging neer
En toen stond het weer stil voor de zoveelste keer
En voordat het donker werd moest ik er zijn
Bij m'n liefje, m'n liefje in Nieuwegein.

En ik keek op het stadsplan, bevond me dus hier
En ik moest naar de Arresleedrift nummer vier
En ik sprong in mijn wagen en het leek zo dichtbij
Maar ik kwam in een woonerf: de Dorsvlegelwei.

Toen de Pimpelmeesburg – het Ratelslangspoor
De Parelhoenhof – ik denk: hoe loopt dat hier door?
De Kaasmakershorst – de Kafmolendreef
De Tinnegietersteede – als ik dit overleef!

De Leerlooierstate – waar ben ik nou weer?
In de Vuurvliegwarande – m'n hart ging tekeer
De Vossebesgaarde – ja, die stad was geschift
Maar nou was ik er bijna... nee, de Disselsjeesdrift.

En de zon die ging op en de zon die ging neer
En ik kwam dus te laat en toen zat ik daar weer
In de Bijlmerbajes – waar je eerder zal zijn
Dan in de Arresleedrift te Nieuwegein.

Paul van Vliet: *'Een mevrouw die op de Arresleedrift 4 in Nieuwegein woonde, heeft nog veel last gehad van dit liedje. In het weekend kwamen allerlei nieuwsgierigen langs haar huis rijden, die soms zelfs aanbelden om te kijken hoe "het liefje" van Paul van Vliet eruitzag.'*

Met Hella en Freek de Jonge in de Zwitserse sneeuw

Paul
van
Vliet
Waar
waren we
gebleven
SCHEVENINGEN - VSB CIRCUSTHEATER
15 juli t/m 15 augustus, di. t/m za. 20.00 uur
Reserveerlijn: 0900 - 300 5000

van
Vliet
waar waren
we gebleven
2 t/m 31
oktober
Paul van Vliet
KONINKLIJK THEATER
CARRÉ

1997-1999

Waar waren we gebleven

Paul van Vliet: '*Tijdens de periode van* My Fair Lady *kon ik niet schrijven, want we speelden vaak zes of zeven keer per week, dus had ik weinig tijd om me op te laden en na te denken. In april 1996 was de slotvoorstelling van de musical, daarna was het tijd voor achterstallig onderhoud. Toen ik besloten had om zelfstandig door te gaan, heb ik orde op zaken gesteld en het PePijn-kantoor opnieuw opgestart, nu met zakelijk leidster Inge van der Werf.*
Na de zomer was het tijd voor de uitgestelde reis die ik met Lidewij naar Azië zou maken. In september vertrokken we voor zeven weken op een tocht langs zeven steden: Seoel, Taipeh, Bangkok, Singapore, Kuala Lumpur, Jakarta en Hongkong. Daar hebben we opgetreden voor Nederlandse clubs: Lidewij deed het licht, ik de voorstelling. Het was een prachtige reis, maar we rustten er natuurlijk niet echt van uit, want we werkten hard. Sinds 1960 had ik al veel opgetreden in het buitenland, eerst met het Leidsch Studenten Cabaret en daarna met de onemanshows. Daarvan heb ik geleerd dat veel emigranten veramerikaanst of vercanadeest zijn: ze hebben het oude Nederland in hun hoofd en volgen niet meer alles wat daar gebeurt. En je moet als cabaretier Nederland vooral niet te hard aanpakken, want dat pikken ze niet; vrij onschuldige grappen kunnen verkeerd aankomen. Vooral de drie heilige huisjes seks, God en Oranje liggen gevoelig, veel gevoeliger dan in Nederland zelf. Maar op deze reis merkte ik dat er geleidelijk aan een nieuwe generatie Nederlanders in het buitenland was gekomen.
Naast emigranten zaten er nu vooral ook veel jonge mensen, vertegenwoordigers van grote bedrijven, dertigers die de leiding hadden over een fabriek met duizenden Chinezen. Zij blijven hooguit een paar jaar in zo'n land en houden zich intussen via nieuwe media goed op de hoogte van de ontwikkelingen in Nederland. En omdat wij veel ouder waren dan zij – ik was net zestig geworden – klampten veel jonge stellen ons aan om hun persoonlijke problemen te bespreken. Die konden ze daar niet kwijt in de Nederlandse gemeenschap, waar iedereen alles van elkaar weet. Lidewij zei op een gegeven moment tegen me: "We lijken wel een reizende Riagg Azië." Het was voor het eerst dat we zoiets meemaakten; daar werden we wel sadder and wiser *van. Dat alles maakte die reis zwaarder, maar beslist ook interessanter.*'

’97

■

Meisjes van dertig
(naar een idee van Lambertha Souman)

Hebben van die rusteloze voeten
Lopen daardoor overal tegenop
Het is ook wel verwarrend wat ze moeten:
Een baan een man een kind én hogerop.
Rennen van hun werk via de crèche naar het café
En moet het kind dan eerst naar bed
Of nemen we ’t mee?
En als je nog geen kind hebt, kan dat wachten of moet dat nu
En eten we weer sushi’s of toch aardappels met jus?

Meisjes van dertig – niet ongelukkig
Meisjes van dertig – er net tussenin
Te oud voor het zomaar wat vlinderende leven
Te jong om hun toekomst uit handen te geven
Ze hebben succes en een heleboel plannen
Maar krijgen daardoor vaak problemen met mannen
Meisjes van dertig – vlak na het begin
Meisjes van dertig – er weer tussenin.

Hebben iets van heimwee in hun ogen
Hebben van dat doorgewaaide haar
Willen best wat delen met de jongens
Maar willen ook nog heel graag ‘met elkaar’
Giechelen – net als vroeger – met een drankje en muziek
Giechelend langs de rekken van een lekkere boetiek
Giechelen om niet te huilen om de wereld en de tijd
Maar een giechelende meid is niet op morgen voorbereid.

Meisjes van dertig – niet ongelukkig
Meisjes van dertig – er net tussenin
Te oud voor ‘We zien wel’, ‘Komt allemaal later’
Te jong nog voor wijn die vermengd is met water
Voor altijd een vrouw; in gedachten soms even
Dat meisje van dertien dat wacht op het leven
Dus meisjes van dertig – Maak er wat van
Want het leuke van dertig: dat alles nog kan!

■

Paul van Vliet: *‘Na die reis moest ik herstellen, mijn kop leegschudden en weer vol laten lopen door te lezen, mijn losse aantekeningen en ideeën te schiften. Ik begon te schrijven aan mijn nieuwe show “Waar waren we gebleven” en vroeg Ben van der Linden voor de muzikale leiding. De toon werd melancholieker. Er zaten een paar liedjes in waarvan ik erg gehouden heb, zoals “Japie Groen”, over een joods klasgenootje van vroeger, “De oude droom” en “Meisjes van dertig”, het vervolg op “Meisjes van dertien”. Toen ik dat zong, had het een enorme impact, onder anderen op mijn stiefdochter en een vriendin, die allebei rond de dertig waren: de ene begon een eigen productiemaatschappijtje en de ander ging alsnog medicijnen studeren.*
Verder zat er een hilarische scène in de show waarin ik vertelde over een overnachting in de provincie, waarbij ik terecht kom op een boerenbruiloft. En het nieuwe grote komische type was jonkheer Charles van Tetterloo jr. Meteen na de pauze zat hij al op

het toneel, onderuitgezakt met een glas cognac in de hand, en begon te praten tegen de terugkerende bezoekers. Het voordeel daarvan was dat de mensen naar binnen renden, omdat ze dachten dat het programma al begonnen was. Zulke trucs had ik al wel vaker gebruikt om het tweede deel sneller aan te zwengelen: dan liet ik Benny als toneelmeester de boel opjutten of zat ik een knoop aan mijn jasje te naaien, die ik er voor de pauze expres af had laten springen.
Charles was een aimabele alcoholist, een homofiele wijnhandelaar met een zeer zonnig humeur, om wie verschrikkelijk gelachen werd. Zo'n komisch type had ik een paar jaar niet gehad en het was prettig om dat vette lachen weer eens op te roepen. Het voelde ook heerlijk om voluit en van harte knettergek te doen en Charles gaande het nummer op hol te laten slaan. Hij was ook een man voor wie ik eindelijk weer eens makkelijk grappen schreef.'

■

Verder is mijn geheugen uitstekend
Jonkheer Charles van Tetterloo jr: *'Zeggen ze dat van dat drinken je geheugen slechter wordt. Onzin! Ik heb een uitstekend geheugen. Alleen námen kan ik niet onthouden. Ik kom laatst op een receptie een alleraardigste vrouw tegen. Ik wist dat ik haar moest kennen en dat er iets was met haar zuster. Ik denk: ik begin gewoon een gesprek, dan kom ik er wel achter.*
Ik zeg: "Dag mevrouw, hoe gaat het met u? Hoe is het met uw zuster? Doet ze nog altijd hetzelfde werk?" Zij zegt: "Het gaat uitstekend, ook met mijn zuster, en ze is nog altijd koningin van Nederland."
Wat een afgang, hè? Namen vind ik moeilijk. Als een taxichauffeur vraagt: "Waar gaan we heen?" zeg ik: "Nummer 23, de straatnaam daar kom ik zó wel op." Verder is mijn geheugen uitstekend.'

■

Paul van Vliet: *'Na* My Fair Lady, *hoe leuk dat als intermezzo ook geweest was, voelde ik me blij dat ik weer in mijn eigen wereld terugkwam. Ik zat weer in een omgeving waarin alles van mezelf was, vanaf de eerste snik tot de laatste glimlach. Het was ook rustiger: de show was harmonieus en ik gleed rimpelloos naar de première. Ik pakte echt de draad weer op in mijn oude stiel, vandaar ook de naam van het programma: "Waar waren we gebleven". Ik begon het programma met het slotlied van mijn vorige show en zei dan: "Dit liedje zong ik hier vier jaar geleden aan het einde van mijn show, dus ga ik nu door waar we waren gebleven. Ik ben alleen even weggeweest."*
De ontvangst door de pers was zeer goed, ook in NRC Handelsblad *en* de Volkskrant, *twee kranten die zich in het verleden nogal eens wat zuur hadden opgesteld in hun besprekingen van mijn werk. Nu sprak* de Volkskrant *van een "sterke en ontroerende show" en het* NRC Handelsblad *van een "show van allure". Die mening werd door andere kranten ook gedeeld, wat een lekkere basis onder de show legde.*
Het rare is echter dat de pers er op een gegeven moment niet meer zo toe doet. Een recensent wordt gestúúrd door de krant, het publiek heeft voor jou gekózen. Ik speel al mijn shows zo'n driehonderd keer en trek gemiddeld duizend mensen per show, dat heb ik altijd gedaan. Die 300.000 mensen volgen je en laten je niet vallen. Natuurlijk zit er wat verloop in die groep: er vallen mensen af en er komen mensen bij, maar de kern blijft vrij constant. Zij zijn trouw en laten zich na een aantal jaren nauwelijks meer beïnvloeden door goede of slechte kritieken in de pers. Voor de kassa zijn recensies mettertijd dus niet meer zo belangrijk. Maar natuurlijk wel voor je gevoel van ijdelheid: het streelt je als ze mooi over je schrijven en je voelt je gekwetst als ze dat niet doen. Dat is de eeuwige, wereldwijde haat-liefdeverhouding tussen een artiest en de pers.'

■

De oude droom
(vrij naar Liselore Gerritsen)

Er was eens een droom
En die droom leek vervlogen
En hij scharrelde eenzaam en oud door de stad
Door vrienden van vroeger
Verloochend bedrogen
Een karikatuur die zijn tijd had gehad.

En die stokoude droom
Ging langs deuren van huizen
Waar ooit hij 't stralende middelpunt was
Geliefd en aanbeden
Een held in 't verleden
Met een kroon op z'n hoofd
En met vleugels van glas.

Hij nam ons mee langs wegen van liefde
Tot hoog in de bergen naar toppen van kracht
En het uitzicht daarboven
Was niet te geloven
Zo mooi en zo ver en nog nooit zo gedacht.

Maar die stokoude droom
Zwerft nu door de straten
Verhongerd vermagerd
Verarmd en halfblind
En niemand heeft tijd om wat met hem te praten
Alleen af en toe
Nog een gek of een kind.

Dus als je 'm tegenkomt
Een dezer dagen
Haal 'm in huis, probeer het een keer
Geef 'm een stoel
En dan moet je 'm vragen:
'Hé, ouwe droom,
Hoe zat dat ook weer...

Dat je ons meenam
Langs wegen van liefde
Tot hoog in de bergen naar toppen van kracht
De wereld hervormen
De hemel bestormen
Met nieuwe ideeën nog niet eerder bedacht?

Want die stokoude droom
Heeft nog heel veel te geven
Hij heeft een geheim en dat zijn wij soms kwijt
Maar hij zal ons allemaal ooit overleven
Hij is zo oud als de wereld
En zo jong als de tijd.

Maar je moet 'm beschermen
Je moet 'm verzorgen
Je moet 'm koesteren onder de zon
Je moet 'm vertrouwen
En vandaag al of morgen
Dan weet je het weer waar het ooit om begon.

Dan neemt hij je weer mee
Langs wegen van liefde
Tot hoog in de bergen
Naar toppen van kracht
En daar zal dan blijken
Dat je verder kunt kijken
En hoger kunt reiken
Dan je ooit had gedacht.

■

from 20th July
Brakke Grond Theatre
Nes 53. Amsterdam
Daily (except on sunday and monday) 9 p.m.
a dutch treat
by paul van vliet
musical comedy show
with the rob van kreeveld quartet
directed by nick van den boezem

De Engelse shows

Village Gate Theatre,
New York

Overal hetzelfde
Paul van Vliet: *'Ik heb altijd met veel plezier in het buitenland gespeeld. De combinatie van reizen en spelen is bijzonder aantrekkelijk, omdat je, anders dan een toerist, aan het werk bent en daardoor dieper in aanraking komt met een volk en een land. Tegelijkertijd geldt dat theaters overal op de wereld in feite hetzelfde zijn: een toneel, een zaal, technici, een kleedkamer, overal op de wereld lijken die zo op elkaar dat ik me er meteen thuis voel. Spelen in Bangkok of Hoogeveen scheelt niet zo veel, al is de nieuwe Steinway in Hoogeveen waarschijnlijk beter dan de piano in het vergelijkbare theater in Bangkok.'*

Bij een harttransplantatiecongres in Scheveningen bracht Paul van Vliet op speciaal verzoek een uurtje Engelstalig entertainment voor de internationale gasten. Dat programma had hij geschreven op basis van eigen materiaal, dat hij samen met Floor Kist in het Engels vertaalde. De reacties op deze show waren zo goed, dat hij besloot de mogelijkheden te onderzoeken om een avondvullend Engelstalig programma op de planken te brengen.

Paul van Vliet: *'Zo gaat het vaker in het leven. Je bedenkt op een dag iets dat leuk zou zijn om te doen, neemt je voor het ook uit te voeren, zet het in de agenda en op een dag is het zover. Bij mij groeide het plannetje om binnen een jaar een Engelstalige show te hebben. Als je met zoiets begint, overzie je de consequenties totaal nog niet. Maar we deden het wel, Floor Kist en ik. Hij zat toen voor de diplomatieke dienst in Washington en we voerden lange transatlantische telefoongesprekken over de vertaling. Uit een mengeling van oud en nieuw materiaal groeide* The Truth Behind the Dykes.
Het idee was om dat programma in Amsterdam te spelen voor in Nederland werkende Engelstaligen en voor toeristen. Ik sloeg die zomer Een Avond aan Zee *over en ging met allerlei partijen praten, waarbij ik diezelfde onontkoombare bevlogenheid uitstraalde die ik eerder had bij nieuwe initiatieven. De gemeente Amsterdam, de VVV, de plaatselijke hoteliers en de taxichauffeurs: allemaal deden ze mee om van deze serie shows een succes te maken. De vonk sloeg over.*
Toch was de eerste try-out in het Nieuwe De La Mar-theater zorgwekkend. Om humor goed te kunnen overbrengen, moet je je totaal op je gemak voelen in een taal. En ik was nerveus, mijn teksten kwamen er stroef uit en ik vergiste me af en toe.

Maar bij de première had ik het geluk dat ik een sympathiek publiek had van Engelstaligen die alleen al blij waren dat ze in hun eigen taal vermaakt werden. Dat tilde me tot een niveau waarop ik in 1973 echt nog niet was. Het begon te lopen en werd een echte zomerhit, iedereen wilde mijn show ineens zien, ook de Nederlanders.
Na Toon was ik de eerste Nederlandse cabaretier met een avondvullend Engels programma. De complete serie van acht weken was uitverkocht. In brooddronken overmoed heb ik toen Amerikaanse en Engelse impresario's laten invliegen en de duurste hotels en zitplaatsen gegeven. Ze wilden me allemaal veranderen. Het toppunt was wel de Engelse agent die "more crutchwork" van me wilde, zodat ik de Nederlandse Tom Jones zou kunnen worden. Maar het leverde me wel een uitnodiging op voor Londen en New York. In New York moest ik alles zelf doen. Ik ging er in januari 1974 heen om de voorstellingen voor te bereiden die ik in mei zou spelen in het Village Gate Theatre. In de tussentijd was er niets gedaan en het bleek dat ik ook alles zelf moest betalen. Via het Nederlands Bureau voor Toerisme heb ik toen allerlei bedrijven met Nederlandse banden benaderd en ook de Dutch Society, die bestaat uit nakomelingen van de eerste Nederlandse kolonisten. Het gevolg was dat ik in mei alledrie de weken volle zalen had.
Tijdens die serie heb ik er gaandeweg alles uitgegooid wat over Nederland ging, want dat begrepen de mensen niet. Verder was het publiek welwillend en geïnteresseerd. Al met al waren het drie prachtige weken, waarin we ook uitstapjes hebben gemaakt naar Toronto en Los Angeles, waar ik gespeeld heb in kleine zaaltjes vol Amerikanen, Canadezen en geëmigreerde Nederlanders, vaak met gemengde huwelijken.'

■

Angstdroom

Paul van Vliet: *'Tijdens die New Yorkse weken beleefde ik een van de grootste afgangen uit mijn carrière. Het Nederlands Bureau voor Toerisme had tulpen geleverd aan hotel Grossinger in de Catskill Mountains, in het noorden van de staat New York, en het leek ze een leuk idee als daar rond de bloeiende tulpen een Nederlandse entertainer zou optreden. Pas toen ik bij die grote nachtclub in de Catskill-bergen aankwam, werd me verteld dat het ging om een "singles weekend". Dat hield in dat het publiek bestond uit achthonderd vrijgezellen die maar één doel voor ogen hadden: zo snel mogelijk een man of vrouw voor de nacht versieren.*
Terwijl ik op het podium met mijn programma bezig was, bleek algauw dat de mensen in de zaal geen enkele aandacht hadden voor die intellectuele Hollandse cabaretier met zijn ingewikkelde teksten. Steeds meer mensen verlieten in groepjes van twee of meer de zaal. Dat is al jarenlang een angstdroom van me, dat mijn toeschouwers een voor een de zaal uitlopen. In die droom ren ik de mensen op straat achterna om ze terug te halen, maar dat willen ze dan niet. Die droom, die normaal altijd oplost in een soort zweterige wanhoop, werd die avond werkelijkheid: aan het eind waren er hooguit nog honderdvijftig mensen over.
Er zaten ook veel zogeheten "hacklers" in de zaal, mensen die het leuk vinden om opmerkingen naar het podium te roepen. Ik had daar niets op terug, was simpelweg niet ad rem genoeg. Tot het einde toe heb ik het volgehouden, maar vraag niet hoe. De familie Grossinger kwam zich na afloop verontschuldigen: dit optreden was verkeerd geprogrammeerd, ik was te "sophisticated" voor dit publiek. Ze wilden het goedmaken en vroegen mij of ik de middag daarop bij hen thuis wilde optreden, voor ruim honderd vrienden. Dat heb ik gedaan en het werd een leuke voorstelling, waarmee ik me alsnog een beetje kon revancheren.
Na de rampavond zag ik in de hotelgangen tot mijn verbijstering dat de mensen die nog niemand aan de haak hadden geslagen een subtiele manier hadden gevonden om

Met Peter Dulay, Londen

Londen Cambridge Theatre

alsnog een scoringspoging te wagen: vrije vrouwen hadden een roze strikje aan hun deurknop gebonden, vrije mannen een blauw strikje.
De volgende avond zag ik in de zaal waar ik zo was afgegaan een joodse komiek optreden, met harde, platte en grove grappen. De zaal vond het prachtig. Zo had het kennelijk gemoeten.'

■

Paul van Vliet: 'In de zomer van 1974 speelde ik in Londen, op uitnodiging van impresario Peter Dulay, die een heel andere aanpak had dan ik tot dan toe had meegemaakt. Hij bracht me als een gevierde ster, omdat er volgens hem geen tijd was om klein te beginnen. Dus liet hij me van het vliegveld afhalen in een Rolls-Royce, waarin ik verplicht achterin moest gaan zitten. Vervolgens was er een opgeklopte persconferentie. Overal hingen affiches, waarop ik werd aangekondigd als "een sensationele combinatie van Danny Kaye, Victor Borge en Maurice Chevalier". Ik schrok me rot. Dat was ik allemaal niet gewend, ik kom nu eenmaal uit een land waar je een artiest geen groter compliment kunt geven dan door te zeggen: "Hij is zo gewoon gebleven." En ik bleek te zijn geboekt op West End, in het uitverkochte Cambridge Theatre, dat een capaciteit had van twaalfhonderd man.
Ik was nerveus. Helemaal toen de directeur van het theater me apart nam en vertelde: "Luister Paul, niets om je druk over te maken, maar we hebben in Londen de laatste tijd veel last van black-outs. Als de stroom inderdaad uitvalt tijdens een voorstelling, dan wordt de verlichting na twee minuten automatisch overgenomen door een noodaggregaat." Ik probeerde me voor te stellen hoe lang twee minuten duren in een donkere zaal vol publiek. Meteen daaroverheen kwam de mededeling dat het niet lukte met het geluid. Het was zeven uur 's avonds, om half acht begon mijn voorstelling, het publiek stroomde al binnen en intussen liep een technische ploeg van tien man met zaklantarens langs de snoeren te zoeken naar de oorzaak van de storing in de geluidsinstallatie.
Alles leek mis te gaan, maar om kwart over zeven werd ik ineens ijzig kalm. Ik zou wel zien wat er gebeurde. Vijf minuten voor het begin van de show was er een black-out, en inderdaad bleek het noodaggregaat te werken. En toen ik om half acht het toneel op liep, was het geluid weer in orde.
Het eerste kwartier van mijn optreden werd er in het geheel niet gelachen. Ik ging er niet van zweten, maar bleef rustig. Na een minuut of twintig werd er gelachen door één man op rij drie. Ik weet nog hoe hij eruitzag en welke grap ik vertelde. Doordat hij lachte, begonnen een paar andere mensen ook te grinniken. Daarna kwam het publiek eindelijk los en werd de voorstelling redelijk succesvol.
Ik had nog wel een merkwaardige ervaring. Voor de pauze zong ik eerst het liedje "De zee", in de mooie vertaling van Floor Kist. Dat kreeg een donderend applaus. Ik haastte me het toneel af en kwam terug als de Boer, maar het applaus ging maar door. Toen het eindelijk ophield, begon ik met mijn nummer, maar daar kwam geen enkele reactie op. Bij de nazit vertelde Peter Dulay me wat ik verkeerd had gedaan: "Dat liedje over de zee was prachtig, het emotioneerde ons, als Britten, die zo met de zee zijn verbonden, hevig. Als je zo'n liedje hebt, is dat een showstopper, daarna kun je niet zo'n gek als de Boer het toneel op sturen; die omschakeling kunnen wij niet maken." Sindsdien heb ik "De zee" steeds als pauzenummer gedaan, terwijl ik de Boer eruit heb gegooid. Om hem werd toch niet echt gelachen.'

New York

Toronto

Met Dick van de Capellen, Rob van Kreeveld en Hans Beths bij de Niagara-watervallen

Djakarta

The Sea

The sea spoke up that afternoon
And said: all will be over soon
So often I am wondering if people know, she said,
About the years of weariness and suffering I have had.
There are days that I'm choked with the waste of the land;
There are days that I feel that the end is at hand.
That's what the sea said – and she wasn't even trying
To hide from me that she was slowly dying.

I know that you have surveys and reports, she said to me
Predicting poisoned continents in a polluted sea
But all this writing-on-the-wall will quickly disappear
For interested parties just don't want the world to hear.
That's what the sea said and there is little use denying
She's slowly and inevitably dying.

I used to feel so young at the arrival of the summer
With laughter on the beach and children playing ball
But now I feel like warning all these unsuspecting people:
'Look out! Coming too close may be not good for you at all.'
That's what the sea said – and she wasn't even crying,
Just slowly and inevitably dying.

In November and December I sometimes lose my temper
Battering all the dykes and pounding every beach;
Beating on their doors in angry desperation;
Hoping against hope there will be someone I can reach;
Hoping against hope that just a few of them will hear
And understand the reason for my anger and my fear.
But no one hears and no one cares, they go on as before
And soon I will not fight this losing battle anymore.
That's what the sea said – and she was no longer trying
To hide from me that she is slowly dying.
And when the sea, the sea's no longer trying
Then it means that the world itself is slowly dying!

Paul van Vliet: *'Het optreden in Londen viel midden in mijn tweede Engelse serie in Amsterdam. Voor het tweede opeenvolgende jaar deed ik dus geen* Avond aan Zee; *het jaar erop zou ik weer gewoon in Scheveningen staan. Maar in Amsterdam bleek het nieuwtje eraf. En meteen wilden de hoteliers, de taxichauffeurs en de gemeente Amsterdam in ruil voor hun medewerking percentages zien. De tweede* Truth Behind the Dykes *was lang niet zo'n hit als het jaar tevoren.*
Ik had met Noord-West *veel geld verdiend, maar dat had ik door de investeringen in mijn New Yorkse en mijn Londense avontuur allemaal weer verloren. Mijn strenge accountant liet weten dat het niet verstandig was om door te gaan met mijn Engelstalige ambities, ik moest eerst maar weer eens een nieuwe Nederlandse show doen. Dat werd* Tien jaar onderweg.
Toch bleef ik erin geloven en heb ik met regelmatige tussenposen een Engelse show gedaan. In 1976 stond ik in theater De Brakke Grond met de vernieuwde versie A Dutch Treat, *die mede vertaald was door de Engelsman Colin Scot. Ikzelf bewoog me met steeds meer gemak in het Engels. Je moet de gevoelswaarde van elk woord voelen als je staat te spelen, het duurt lang voordat je op dat niveau zit.*
Bij de vertalingen merkten we steeds meer dat de algemeen menselijke liedjes zich meestal goed lieten vertalen, maar dat alle grote komische types – de krenten in de pap van mijn Nederlandse shows – praktisch onvertaalbaar bleken. Het is gewoon niet gelukt, al heb ik er samen met vertalers als Floor Kist, Ethel Portnoy en Colin Scot werkelijk alle moeite voor gedaan. Het zijn blijkbaar te Hollandse types, die het zelfs in Vlaanderen al minder deden dan in Nederland, met een heel Hollands idioom en Hollandse grappen. En dus legde ik steeds meer nadruk op mijn liedjes.
Mijn Engelse shows werden gaandeweg liedjesprogramma's met als verbindende tekst in het Engels geschreven conferences, die goed waren voor een glimlach maar niet echt mikten op de grote lach.
In 1980 speelde ik het vernieuwde programma An Evening with Paul van Vliet *in het Nieuwe De La Mar-theater. Van mijn eigen komische repertoire deed vooral de sterfscène van de koning het goed: het Britse publiek herkende het Shakespeariaanse drama.*

De Bicentennial in 1982, waarbij de tweehonderdjarige betrekkingen tussen Nederland en de Verenigde Staten gevierd werden, leek me een mooie gelegenheid voor een Amerikaanse tournee. Samen met Floor Kist maakte ik in dat programma een heel stuk over "Dutch-American Relations" en de invloed van Nederland op de Verenigde Staten. Dat boden we aan bij de ministeries van Economische Zaken en Buitenlandse Zaken, maar die zagen er niet veel in: ze dachten dat de Amerikanen het niet leuk zouden vinden. Ook de Nederlandse cultureel attaché in Washington zag het niet zitten. Terwijl door alle inzet en talent waarmee Floor Kist, Colin Scot, de Britse regisseur Adrian Brine en ik jarenlang aan dat materiaal gesleuteld hadden, die show echt een product was geworden waarmee je voor de dag kon komen.
Ik heb me daar toen erg over opgewonden en dacht: nou, dan doe ik het zelf wel. Via mijn Amerikaanse vriend Guy Jonckheer, de directeur van de Amerikaanse tak van Nationale-Nederlanden, lukte het om een show van een uur aan te bieden aan de gemeente Washington. Van daaruit maakte ik een tripje naar San Francisco, waar Floor Kist consul-generaal was, en deed ik een "university tour" in Canada. Het was allemaal leuk en de reacties waren fantastisch, maar ik werd niet ontdekt.'

■

Verbroedering, lachen en janken

Paul van Vliet: *'In de aanloop naar mijn laatste poging om het in Londen te maken, heb ik me nog één keer kwaad gemaakt. Samen met Floor Kist, Adrian Brine en Colin Scot brachten we de show in zijn definitieve vorm, sterker dan ooit. Ik deed in 1986 try-outs in Nederland, Canada, de Antillen, Oman, Qatar en Abu-Dhabi om mijn programma te testen bij vreemd publiek en onder de moeilijkste omstandigheden. Als het dáár goed zou gaan, kon ik met een gerust hart naar Londen.*

Toen ik in Oman speelde, vroeg de organisatie of de jongens en ik ook wilden optreden voor de werknemers op locatie. We vlogen met een Fokker-vliegtuig naar de olievelden, waar Ierse, Schotse, Amerikaanse en Scandinavische contractarbeiders bij de jaknikkers olie uit de grond halen. Zij werken 69 dagen, hebben dan drie weken vrij en gaan dan voor een volgende 69 dagen terug naar hun nederzetting midden in de woestijn, met alleen zand, staal en olie. We speelden in de openlucht, op het dak van het gebouw ernaast stond een geïmproviseerde volgspot, boven ons was alleen de tropenhemel. Terwijl wij ons installeerden, kwamen de mannen terug van hun werk. Ze gingen allemaal naar de bar, waar ze in een angstwekkend tempo bier en whisky begonnen te hijsen. Dat ging onder het eten gewoon door. Ik zocht de organisator op en vertelde hem dat er tijdens het optreden niet geschonken mocht worden. De man ging voor die zaal met tweehonderd aangeschoten cowboys staan en kondigde aan: "De heer Van Vliet wil dat de bar dichtgaat." Dat vonden ze geen probleem, want ze zetten in die bloedhitte gewoon hun tafels vol met vierentwintig blikjes bier per man. Zo kwamen ze de voorstelling wel door. Mij werd intussen verteld dat een Ierse komiek hier kort tevoren totaal was afgegaan en dat de zaal te hitsig was gebleken voor een Filippijnse dansgroep.

Ik zei tegen de jongens: "Alle humor gaat eruit, we doen alleen maar serieuze dingen, anders gaan ze erdoorheen roepen. We doen een kort programma, zonder pauze." Vlak nadat ik begonnen was, stonden er een paar mannen op en liepen weg. Daar gaan we, dacht ik. Maar ze kwamen na een korte plaspauze weer terug. Na een half uur was de zaal volkomen rustig, werd er niet meer dronken geroepen en was de wc kennelijk ook niet meer nodig. Toen ik "Girls of Thirteen" zong, begonnen een paar van die bonken van kerels te snikken. Nadat ik nog een paar gevoelige songs had gedaan – zoals "Boven op de Boulevard", "Laatste wens", "De zee" en "Lieve vriend", zaten ze allemaal met een dikke strot doodstil te luisteren. Na vijf kwartier applaudisseerden ze huilend en juichend. Ze kwamen naar me toe, pakten me beet en daarna was het een grote verbroedering, lachen en janken. Pas toen begon het echte drinken. Iedereen werd zat als een toeter en ik heb met die mannen gedanst tot de volgende morgen. Het werd daar in die tropennacht, ver van huis, een camaraderie die ik alleen van films kende en in mijn diensttijd in bescheiden vorm had meegemaakt. Het was werkelijk een van mijn meest gedenkwaardige voorstellingen ooit.'

■

Paul van Vliet: *'In de herfst van 1986 trokken we met de vrachtauto en onze complete ploeg in volle bepakking nog één keer de Noordzee over om Londen te veroveren met mijn opnieuw verbeterde programma* Made in Holland. *We hadden goed voorwerk gedaan via Shell, en de Nederlandse verenigingen in Engeland zorgden dat alle 350 stoelen in de zaal van het Shell-theater aan de Theems bezet waren. Bovendien hadden we tachtig impresario's, theaterdirecteuren en andere prominente showbizz-figuren uitgenodigd. Daarbij hadden we echter de fout gemaakt om de af te halen kaarten niet op naam te laten stellen, zodat we niet wisten wie er uiteindelijk gebruik van maakten. Het resultaat was dat er veel mensen met die kaarten een leuke avond hebben gehad, maar niet de bedoelde* opinion makers. *We kregen geen boekingen en er werd niet over de show geschreven. Terwijl dit kwalitatief waarschijnlijk de beste show was geworden die ik ooit heb gehad. De enigen die er een krantenstukje aan wijdden, waren de Nederlandse correspondenten in Londen. Zij meldden: "Britten enthousiast over Paul van Vliet".*
Vlak voor onze allerlaatste voorstelling besloten mijn manager Annet Riezebos en ik een ultieme poging te doen om een Londense theaterbobo te strikken. Twee uur lang hebben we in een gang op keukenstoelen zitten wachten tot de heer Adams van London Management ons te woord kon staan. Tijdens dat gesprek zat hij voortdurend te bellen met twee telefoons. Maar hij beloofde die avond te komen. Na de voorstelling vertelde mijn geluidsman dat Adams inderdaad geweest was: hij was in rok, zei na een kwartier "Quite interesting" en vertrok toen naar een gala van de BBC, om daarna nooit meer iets van zich te laten horen.
De morgen daarop heb ik besloten mijn ambities in de Engelstalige wereld op te geven. We hadden ons optimaal voorbereid; het publiek was enthousiast, lachte op de goede momenten en overlaadde ons met complimenten. Tussen 1973 en 1986 had ik erg veel tijd, geld, artisticiteit en talent geïnvesteerd. Dat was het waard geweest, want ik had erdoor op de meest ongelofelijke plekken in de wereld gespeeld. Maar ik werd nooit ergens teruggevraagd. Daarom stopte ik ermee.
Sindsdien heb ik de Engelse show een paar keer per jaar gedaan bij speciale gelegenheden, vooral voor Unicef. Nadat ik in 2003 had opgetreden in theater Orpheus in Apeldoorn, bij het Unicef-gala waarvan Nederland de gastheer was en waarbij koningin Beatrix in de zaal zat, kreeg ik van allerlei internationale gasten te horen: "Waarom kennen we jou niet? Je bent geweldig!"
Ik heb toen uitgelegd waarom een internationale carrière me niet gelukt is. Je kunt het niet alleen in een vreemd land. Dat vond ik in 1986 heel erg, omdat alle andere dingen me toen wel lukten. Maar ik was al te ver in mijn carrière om dezelfde weg te gaan als de Deen Victor Borge, die naar New York ging en zich in dertien jaar tijd van niks naar Broadway speelde. Ik heb nooit opnieuw klein willen beginnen.'

■

Duitsland

Paul van Vliet: *'Misschien was Duitsland een betere optie geweest dan de Angelsaksische wereld. Duitsland is dichterbij, bereikbaarder en onze talen zijn meer verwant. Herman van Veen, die groot is in Duitsland, heeft me ooit aangeboden om gebruik te maken van de paden die hij gebaand heeft. Ik had toen al een hele map met in het Duits vertaalde teksten en heb de mogelijkheid serieus overwogen. Totdat ik tijdens een nachtelijke autorit tussen Breda en Breukelen besloot het niet te doen: ik was toen net met de Engelse show bezig en vond én Engels én Duits te veel. Daarom heb ik de Duitse optie laten schieten. Hoewel ik later de vertaalde tekst van de Boer nog wel eens heb voorgelezen aan een Duits publiek. Daar hadden we in de vertaling een Oost-Friese boer van gemaakt. En diens boerenslimheid sloeg zeer goed aan bij de Duitsers. Inmiddels was het toen echter al te laat om nog op mijn aanvankelijke beslissing terug te komen.'*

■

Tour de Chant
Paul van Vliet &
Het Residentie Orkest
dirigent Jurre Haanstra

Tour de Chant
met Paul van Vliet
& het Residentie Orkest
Dirigent:
Jurre Haanstra
0900-0191
Concerten in: Antwerpen, Amsterdam, Breda, Den Haag, Gouda en Rotterdam
Tourplanning Impresariaat Jaques Senf
KONINGIN ELISABETHZAAL - ANTWERPEN
vrijdag 3 september 1999 - 20.30 uur
kassa: 0900-00.311
(0032) (0) 70 344 304

'September'
Paul van Vliet
zingt zijn mooiste Chansons
met het
Residentie Orkest
vrijdag
28 augustus
donderdag
3 september
20.15 uur
ƒ 45,–
uitpas ƒ 40,–
Dr Anton Philipszaal
telefonisch reserveren (070) 360 98 10
Holland Casino

Tour de Chant

1999-2000

De bekroning van zijn carrière als zanger was de *Tour de Chant* die Paul van Vliet in 1999 en 2000 deed met het Residentie Orkest onder leiding van Jurre Haanstra.

Paul van Vliet: '*Dit was een plan dat ik al jaren had en dat gelukkig ook echt werd uitgevoerd. Want dit was werkelijk een van de mooiste dingen die ik gedaan heb: ik heb er buitensporig van genoten om mijn liedjes te horen in de arrangementen van Haanstra, voor een orkest van 74 man, een bad van strijkers en blazers. Haanstra heeft zich daar echt met zijn volle talent en totale bezieling in gestort.*
De planning was dat ik tien concerten zou doen met het Residentie Orkest, langs de grote zalen van het land. Maar vanwege het grote succes in 1999 hebben we daar op verzoek van het Residentie Orkest zelf in 2000 nog een reeks van tien concerten aan vastgeplakt. Het was voor het eerst dat ik een hele avond zong, zonder grappen. En ik vond het geweldig.'

■

Tachtig blikjes bier

Paul van Vliet: '*De eerste repetitie met het Residentie Orkest zal ik nooit vergeten. Op de ochtend dat we in de Anton Philipszaal in Den Haag zouden gaan repeteren stond er een stuk in de krant waarin klassieke musici zich beklaagden over hun hoge werkdruk. Daarin mopperde een van de leden van het Residentie Orkest ook over het feit dat het geld voor internationale tournees altijd naar het Concertgebouworkest ging. Hij zei: "Zij gaan de wereld rond en wij kunnen met Paul van Vliet op tournee naar Terneuzen, dan heb je na afloop alleen nog zin in bier."*
Ik had lang naar die ochtend uitgezien. Toen ik daar kwam, waren de leden van het orkest in beroering over die uitspraak in de krant. Ik kreeg het stuk te lezen en heb toen meteen mijn zakelijk leidster Inge van der Werf gebeld met de vraag of ze snel voor tachtig blikjes bier kon zorgen. Ik vroeg ook om tachtig tekstboeken, omdat ik weet dat mijn eigen muzikanten vaak na enkele tientallen keren optreden pas zeggen: "Goh, wat een mooie tekst eigenlijk!" Musici zijn zo gefixeerd op wat ze spelen, dat ze soms niet horen wat ik sta te zingen.
Dat heb ik de leden van het orkest ook verteld in het toespraakje dat ik hield na die repetitie. Ik zei dat ik me enorm verheugde op de komende tien concerten, die ik beschouwde als de vervulling van een droom. Toen wachtte ik even, voordat ik doorging: "Maar ik heb gelezen dat sommigen van u er nogal tegen opzien om met

mij op tournee te gaan. Daar heb ik iets op gevonden." Ik liep naar de tafel waar Inge de boeken en de blikjes had uitgestald. "Ik heb voor u allemaal een tekstboek, zodat u thuis kunt nalezen wat u begeleidt. En voor iedereen ook een blikje bier, zodat u niet tot Terneuzen hoeft te wachten."
Meteen was de spanning gebroken, dat was de opmaat tot een geweldige samenwerking. Samen hebben we een fantastische tijd gehad: zij musiceerden prachtig en ik zorgde elke avond voor een paar grappen in de verbindende teksten, speciaal voor de leden van het orkest. Die waren helemaal niet gewend dat er ook gelachen kon worden tijdens concerten. Er is tussen ons iets heel moois gegroeid.'

■

Uit de samenwerking met het Residentie Orkest groeide *The Concert by the Sea*, dat in 2005 voor de vijfde keer gehouden werd. Daarbij zit een publiek van duizenden op een zomeravond voor het Kurhaus op de boulevard en op het strand. Het Residentie Orkest speelt en Paul van Vliet zingt, met als decor de zee en de lucht. Tijdens het concert zakt de zon, om net tijdens het laatste stuk in zee te verdwijnen.

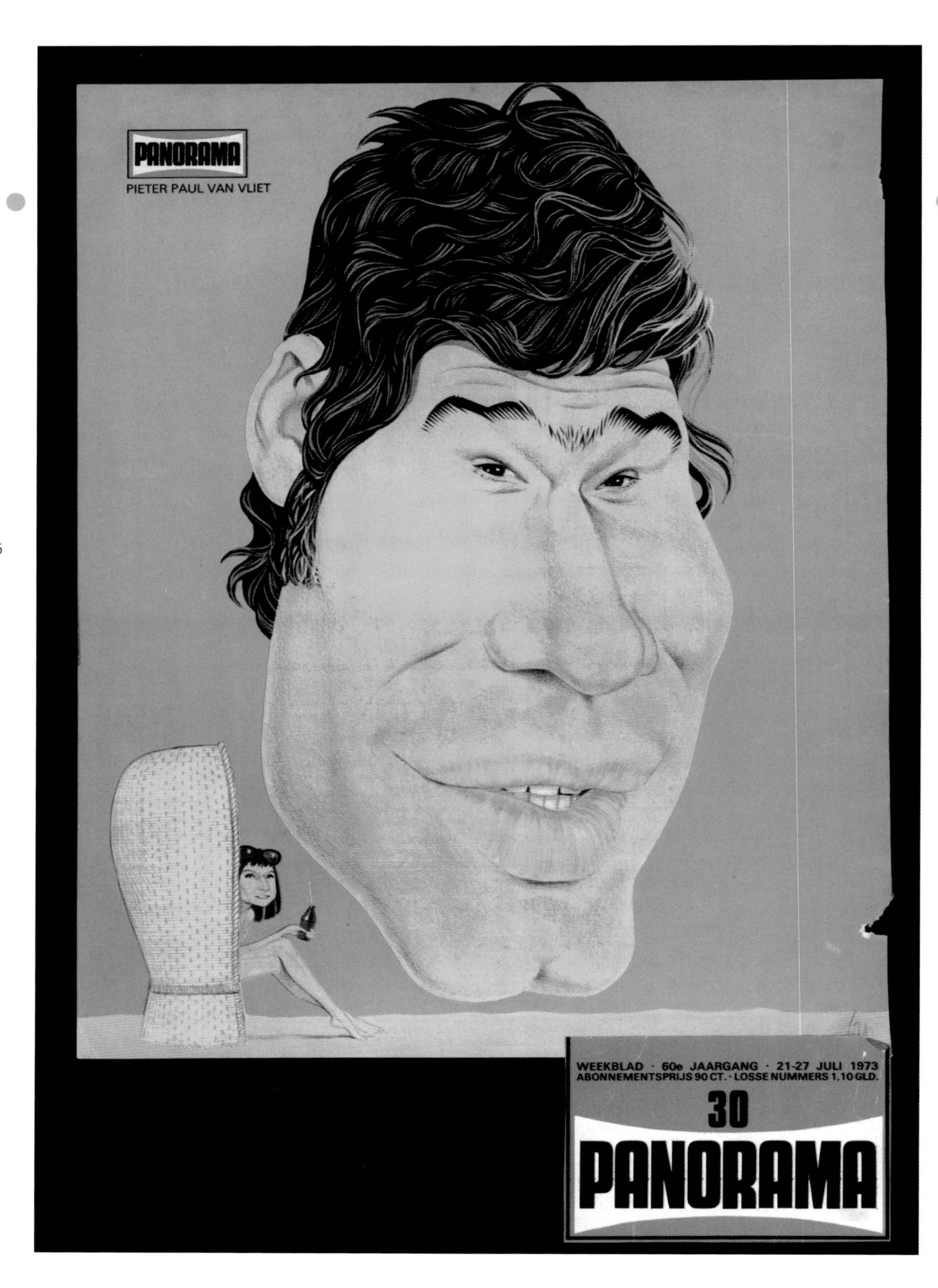
PANORAMA
PIETER PAUL VAN VLIET
WEEKBLAD · 60e JAARGANG · 21-27 JULI 1973
ABONNEMENTSPRIJS 90 CT. · LOSSE NUMMERS 1,10 GLD.
30
PANORAMA

TELE VIZIER
PAUL VAN VLIET hoera voor het leven
Het jaar 1983 in

ELSEVIERS
MAGAZINE
1978: omzien met Paul van Vliet

TELE VIZIER
PAUL VAN VLIET lacht het jaar uit

Televisie

Vanaf 1971 bracht Paul van Vliet elf succesvolle onemanshows, waarmee hij vrijwel altijd behoorde tot de best bezochte theaterproducties van Nederland en Vlaanderen. Elk van die shows is uitgezonden op de televisie. In 1977 keken 6,8 miljoen mensen naar zijn oudejaarsprogramma. Daarmee staat Paul van Vliet op de veertiende plaats van de best bekeken Nederlandse televisieprogramma's aller tijden.

Paul van Vliet: *'Ik kom graag terug in iets vertrouwds en werk vaak lang met dezelfde mensen samen. Dat geldt ook voor de AVRO. Vanaf 1970 heeft die omroep altijd mijn programma's uitgezonden, tot er in 2005 ineens "geen ruimte" meer voor bleek, omdat "het net vol zat". Een programma van tweemaal één uur kon niet meer in de planning. Toen ben ik overgestapt naar de TROS.*
In de jaren zestig kwam ik bij de AVRO van Gerrit den Braber, Sytze van der Zee, Ger Luchtenburg, Willem Duys en Mies Bouman. Daar voelde ik me thuis, zij hebben mijn talent beschermd en gepromoot, zij haalden me in een van hun uitzendingen als ik iets te vertellen had. Bij mijn premières was de hele AVRO-top aanwezig en zat regisseur Theo Ordeman al te kijken hoe hij mijn show in beeld zou brengen. Dan vroeg de directie: "Wanneer kunnen we het uitzenden?" En dan zei ik: "Over twee jaar. Eerst spelen."
Eens in de twee jaar had ik iets te bieden en ik heb altijd hoge kijkcijfers gehad. Maar de mensen met wie ik heb samengewerkt zijn langzamerhand allemaal verdwenen en ik produceer allang mijn eigen televisieprogramma's. Met degenen die er nu zitten heb ik geen enkele relatie meer.
Maar af en toe blijkt er nog iets op een persoonlijk niveau te kunnen worden geregeld. Zo had ik mijn Tour de Chant *met het Residentie Orkest tevergeefs aangeboden bij de AVRO en daarna bij een hele reeks andere omroepen. Allemaal vonden ze het te duur. Tot we in 2000, het tweede seizoen, in Carré speelden en Joop Daalmeijer, Maartje van Weegen en Frits Spits na afloop tot tranen toe bewogen in mijn kleedkamer kwamen. Maartje zei tegen Daalmeijer, die toen netmanager was van net 1: "Joop, dit moet toch worden uitgezonden?" Binnen één minuut was de zaak beklonken, terwijl ik er een halfjaar zonder succes voor had lopen leuren.*
Alleen al om zulke dingen ben ik blij dat ik mijn hele carrière in het theater heb gewerkt, met af en toe de tv als bijzaak. Ik heb nooit geambieerd een televisiepersoonlijkheid te worden. Altijd als ik na een dag tv-opnames 's avonds weer in een theater stond, veerde ik op, want daar weet ik: dit is mijn plek, mijn wereld, hier hoor ik, hier doe ik het voor, hier leef ik voor!'

paul
van vliet
tekens van leven
orkest o.l.v. hans vroomans

Paul
van
Vliet
TEKENS VAN LEVEN
Scheveningen Fortis Circustheater
21-22-23 mei 2001 aanvang 20.15 uur
WESTERN UNION
Dunya
Festival

Tekens van leven

2000-2001

Paul van Vliet: *'Tijdens de* Tour de Chant *vond ik het zó prettig om een hele avond te zingen, dat ik dacht: dit ga ik een heel seizoen doen. Als je in één sfeer bent, laat je de muziek optimaal tot haar recht komen, ook al neem je daarmee dan afscheid van het lachen. Geïnspireerd door die concerten heb ik toen het programma* Tekens van leven *samengesteld, met in mijn achterhoofd dat het mijn laatste grote show zou zijn.*
Vlak voordat ik met Tekens van leven *begon, heb ik het besluit genomen om de rest van mijn werkzame bestaan aan Unicef te wijden. Ik deed als ambassadeur al allerlei dingen voor Unicef, en ik zat in een periode waarin ik me afvroeg wat ik nog zou willen en kunnen. Toen besefte ik dat ik de rest van mijn leven al mijn talent en werkkracht wilde gebruiken voor dit goede doel. Dus ben ik naar Den Haag gegaan en heb ik dat voorgelegd aan de staf van Unicef Nederland.*
Veertig jaar lang had ik mezelf centraal gezet en op de voorgrond geschoven – dat is de onontkoombare consequentie van een onemanshow. Maar nu wilde ik het anders gaan doen en de aandacht van mezelf verschuiven naar Unicef door voor Unicef te gaan werken. Net zoals Danny Kaye en Audrey Hepburn dat gedaan hadden. "Ik doe de show waarmee ik nu bezig ben nog voor mezelf," zei ik, "want ik wil nog één keer met alles erop en eraan het land door. Maar daarna werk ik alleen nog voor jullie."
In Tekens van leven *heb ik laten zien wat ik zelf mijn mooiste nummers vind.*
Ik had voor mezelf een programma samengesteld, dat ik liet lezen aan Lidewij, die meteen vroeg: "Waar is dát nummer? En waar is dát lied gebleven?" Toen heb ik zo'n vijftig van mijn favoriete liedjes op telefoonkaartjes geschreven. Die hebben we op de keukentafel gelegd, waarna we er een avond en een nacht mee hebben geschoven, tot we om half vier een compleet programma hadden. Lidewij zei: "Kijk, hier ligt jouw leven."
Dat was een bijzonder moment. Ik zag zelf ook voor het eerst dat de teksten die daar lagen klopten met wie ik was, dat het de essentiële nummers waren waar het bij mij om ging. En ik had meteen ook de titel: Tekens van leven.
Hans Vroomans, die mijn nieuwe muzikaal leider was geworden, heeft toen een fantastisch kwintet samengesteld. Dat programma hebben we anderhalf seizoen gespeeld, van juli 2000 tot november 2001. Toen was ik overal een paar dagen geweest en vond ik het wel genoeg. Het waren highlights, dat moet je niet te lang doen; om je inspiratie te behouden en iedere avond met volle overtuiging te kunnen zingen, moet je het aantal voorstellingen beperken. Anders wordt het routineus.
Ik had in die voorstellingen ook niet de uitlaatklep om op hol te slaan met een komisch type. Naast heel veel liedjes zaten er twee parlando's in: "Partnerruil" en "Arie", allebei monologen die qua intentie, instelling en speelwijze vergelijkbaar zijn met een lied.'

■

Waardering

Van *Tekens van leven* is een televisieregistratie van twee uur gemaakt plus een documentaire van één uur met de titel *De laatste ronde*. Die programma's zijn in drieën uitgezonden en herhaald.

Paul van Vliet: *'Die uitzendingen hadden niet het grootste aantal kijkers, maar waren wel mijn hoogst gewaardeerde show ooit. In tegenstelling tot de omroepen, die zich primair richten op marktaandeel, vind ik de waardering veel belangrijker dan aantallen. Ik speel niet voor de massa, maar wil dat mensen die van mijn theatershow houden die thuis ook mooi vinden.'*

■

■

Begin en einde

Paul van Vliet: *'De attente kijker kan zien dat de cover van de dubbel-cd die van* Tekens van leven *is uitgebracht een gespiegelde versie is van de hoes van mijn eerste grammofoonplaat,* Laat je zoon studeren. *Dat heb ik expres gedaan, om een einde tegenover dat begin te zetten.'*

■

Paul van Vliet: 'Tekens van leven *was een warm, intens programma waarvan ik erg gehouden heb, omdat ik wist dat ik zoiets niet gauw nog een keer zou doen. Het was een mooie anderhalf jaar. Ik wilde die niet als afscheidstournee brengen, om de deur open te houden naar de toekomst. En ik stópte ook niet echt, maar zou blijven spelen voor Unicef. Dat was in de publiciteit vaak niet helemaal duidelijk, waardoor het verhaal van mijn terugtreden een eigen leven ging leiden. Zo'n misverstand valt niet meer te repareren in de pers.*

Ik zou ook geen afscheidstournee willen, want dat is veel te dramatisch. Vroeger deden acteurs dat vaak om hun pensioen aan te vullen. Omdat ze dan in iedere stad een envelop met inhoud kregen, maakten sommige artiesten diverse afscheidstournees. Dat waren wanhopige avonden voor hun medespelers, die na afloop op het toneel moesten blijven staan glimlachen tijdens de toespraakjes.

Dat neemt niet weg dat deze show wel het afscheid vormde van mijn solocarrière. Ik wilde blijven schrijven en op een bepaalde manier ook blijven spelen, maar niet meer in die grote, alles opeisende vorm van de onemanshow. Mijn leven zou anders worden. Ik dacht tijdens de tournee bij sommige steden: hier kom ik nooit meer terug. Dat gaf soms een gevoel van weemoed.

Bij de laatste serie in het Circustheater voelde ik een sterke verbondenheid met de mensen die dachten dat het mijn laatste Avond aan Zee *was. De show maakte ook veel brieven los van mensen die me wilden laten weten welke rol ik in hun leven gespeeld had. Aan het eind van de laatste van de vijf voorstellingen in het Rotterdamse Luxor Theater kwamen alle echte medewerkers aan de show met hun vrouwen en vrienden op het toneel het afscheid vieren. Ook mijn kleinkinderen kwamen het toneel op. De directie had het publiek witte rozen gegeven, die ze met honderden naar ons gooiden.*

Na afloop zaten Lidewij en ik wat stilletjes bij elkaar in de kleedkamer. Dat was het dan. Op deze manier. Toen later die avond de grote vrachtwagen met al onze spullen over de Erasmusbrug de nacht in reed, heb ik wel even moeten slikken.'

Paul met zijn kleinkinderen

Paul van Vliet: *'Op die laatste avond kreeg ik van de jongens een i-Mac. Tot dan toe had ik de computer buiten mijn leven weten te houden. Maar zij vonden dat ik de nieuwe tijd moest binnenhalen, ook met schrijven, en dat ik de digitale snelweg moest betreden. Vanaf 1954 heb ik altijd alles met de hand geschreven en daarna met twee vingers getikt op mijn oude, hoge Rheinmetall-schrijfmachine, die ik gekocht heb van het eerste geld dat ik met de journalistiek verdiende. Dat ben ik ook blijven doen nadat ik die computer gekregen had, omdat ik me anders ontrouw zou voelen tegenover deze oude vriend. Die van vóór WO II daterende machine is overal met me mee verhuisd, is van de trap gevallen, er is drank overheen gemorst, maar hij is onverwoestbaar. Af en toe heb ik hem laten reviseren. Toen ik hem op de toonbank zette, liet de eigenaar van een Haags schrijfmachinebedrijf alle mannen uit de werkplaats bij zich komen en zei: "Kijk, jongens, dit is een échte schrijfmachine, die heeft geleefd, daar moet je respect voor hebben." En hij heeft gelijk: ik zal hem nooit wegdoen, ook al wordt het steeds moeilijker om er goede schrijfmachinelinten voor te krijgen.*
Het schrijven zelf doe ik nog steeds met de hand, met een zwarte balpen op stencilpapier, dat zo zacht is dat mijn pen er een stukje in wegzakt. Mijn kantoorboekhandel heeft met veel moeite zes pakken van dat papier uit Groningen laten komen, maar die zijn nu bijna op. Die beschreven vellen fax ik naar het kantoor in Den Haag, waar ze worden uitgetikt en teruggefaxt, zodat ik ze kan corrigeren. Na een telefonische check kan de tekst dan de wereld in. Op kantoor zijn ze nogal gehecht aan dat systeem, want zo houden ze me dom en afhankelijk, en blijven ze betrokken bij alles wat ik schrijf.'

Afscheid

Laat ons afscheid schoon zijn
Helder en vooral op tijd
Geen opgekropte narigheid
Kunnen zeggen zonder spijt
't Is tijd om op te staan.

Laat ons afscheid schoon zijn
Geen raadsels meer en geen verwijt
Geen leugens geen onduidelijkheid
Geen wrok van een te lange strijd
Maar vrij om weg te gaan.

Het hoeft niet zonder tranen
Van pijn of van verdriet
Of van scheiden zonder lijden
Nee, dat bedoel ik niet.

Laat ons afscheid schoon zijn
Schoon en eerlijk voor elkaar
Kunnen zeggen: wij zijn klaar
Het is beter zo dus ga nou maar
De wereld stort niet in.

Want als ons afscheid schoon is
Zonder schuld en in balans
Dan alleen geef je jezelf
En de anderen een kans
Voor een nieuw begin.

Het publiek

Paul van Vliet: *'Ik heb een sterke persoonlijke band met mijn publiek. Volgens Lidewij komt dat doordat ik mijn verlangen een leven lang met het publiek heb gedeeld. Kennelijk heb ik dat zo goed overgebracht dat ik er een paar stalkers aan heb overgehouden, die me bestoken met brieven en me overal achterna reizen. Het feit dat ik er als entertainer voor kies om mijn verlangen zichtbaar te maken, geeft die vrouwen blijkbaar het gevoel dat ik daarom verder ook voor hen beschikbaar ben.*
Mijn poëtische kant slaat vooral aan bij het vrouwelijk deel van het publiek, hoewel met name in Vlaanderen mannen ook niet bang zijn om hun emotionele reacties te tonen.
Het is ook grappig om te zien dat vrouwen het niet erg vinden als mannen een vrouw op het toneel mooi vinden, maar dat mannen zich wél bedreigd voelen als een man op het toneel niet al te lelijk is.
In grote zalen heb je als performer contact met de massa, niet met het individu. Naarmate ik langer speel, krijg ik echter steeds meer behoefte aan intimiteit en soberheid. Misschien krijg ik er net als Toon destijds mee te maken dat het grote publiek dat niet van me wil, maar ik zou graag meer op zoek gaan naar de toeschouwers als eenlingen. Als ik zing, doe ik dat ook altijd voor één of twee mensen in de zaal, niet voor die hele massa van vijftienhonderd man. Lachen is massaal, dat doe je met z'n allen en dat verbindt mensen met elkaar. Maar met een mooi lied kun je mensen isoleren, zodat ze ineens in hun eentje in die grote zaal zitten. Dat voel je, het is mooi als zoiets gebeurt. En wanneer die intimiteit door iedereen wordt gedeeld, ben je met zijn allen toch weer één geheel.'

■

Het boe-incident
Paul van Vliet: *'In mijn jeugd heb ik veel gevochten, maar later nog maar één keer. Die hoge uitzondering heb ik gemaakt bij het boe-incident. De Duitse televisie maakte in het Rotterdamse Hofpleintheater opnamen van Nederlandse cabaretiers, waarvoor we speciaal Duitse teksten hadden ingestudeerd. Voordat de uitzending begon, deed ik op verzoek van de regisseur een warming-up, om de zaal alvast wat in de sfeer te brengen. Toen ik later opkwam voor mijn Duitse stuk, zat er een man steeds luid "boe" te roepen. En het was toch al zo'n nerveuze en spannende avond.*
Nadat ik – voortdurend door zijn boe-geroep begeleid – mijn nummers had afgemaakt, boog ik naar het publiek en wees toen naar hem: "Hé, jij daar, kom eens hier!" Hij kwam voor het toneel staan, waar ik hem vroeg waarom hij zo storend zat te boeën. Toen zei hij recht in mijn gezicht: "Ik hou niet van Paul van Vliet." Ik haalde vol uit en hij lag knock-out op de grond. Na nog een korte buiging ging ik naar mijn kleedkamer. Het publiek applaudisseerde luid.
Na mij kwam Freek de Jonge op, die natuurlijk meteen een grap klaar had: "Nu begrijp ik wat Paul van Vliet onder een warming-up verstaat!"
Ik heb de pers gevraagd niet over dit incident te schrijven, omdat het dan misschien andere querulanten zou trekken. Alleen het Algemeen Dagblad *wijdde er een berichtje aan, onder de kop "Paul van Vliet slaat boe-roeper KO".'*

■

Paul van Vliet: *'Het spreekt niet altijd vanzelf dat een zaal stil naar je luistert. Het is me wel gebeurd dat er in Carré een groep zat die duidelijk een slok op had. Terwijl het doek nog dicht was, begonnen ze ongeduldig met* slow hand clapping *en hoorde ik de*

bierflessen over de galerij rollen. Dan valt er maar één ding te doen: het doek op en opkomen, dan moeten ze stil worden. In 98 procent van de gevallen gebeurt dat ook, dat is de autoriteit die je uitstraalt, je kracht als stage-personality, het respect dat je in de loop der jaren hebt verworven.
Als zo'n groep echter een eigen komiek bij zich heeft, die weigert zich gewonnen te geven, wordt het vervelend. Vroeger dacht ik dan dat ik zo iemand moest uitschakelen door leuker te zijn dan hij. Maar daar werd ik zenuwachtig van, want ik ben niet zo ad rem dat ik altijd een briljante afmaker in huis heb, zodat de zaal hem uitlacht. En dat hoeft ook niet, want het publiek verwacht dat je boven het gedrag van zo'n man staat. Als je maar niet kwaad wordt, want dat is gênant. Dus spreek ik zo iemand rustig toe: "Sorry, maar ik dacht dat we hadden afgesproken dat ik hier vanavond de grappen zou maken." Dat werkt meestal wel, behalve bij dronken mensen, want daar is geen kruid tegen gewassen; die kun je eigenlijk alleen maar uit de zaal laten verwijderen.
In de loop der tijd heb ik zoveel rare dingen meegemaakt in het theater dat ik niet snel meer voor verrassingen kom te staan. Mensen die opstaan omdat ze het niet met je eens zijn en midden onder een nummer met je in discussie gaan, zoals toen ik het liedje "De Heilige Kuip" zong, over de eredienst van het voetbal. Als ik de naam van God noem, krijg ik ook altijd commentaar: "De Here Jezus is ook voor Paul van Vliet aan het kruis gestorven!" of "Mijn vrouw en ik vinden dit bijzonder kwetsend". Dan leg ik rustig uit dat het niet godslasterlijk bedoeld is en dat God ook gevoel voor humor heeft. Kunnen ze zich daar dan nog niet mee verenigen, dan stappen zulke mensen soms daadwerkelijk op.
Na de pauze stond er een keer een man vanaf het toneel het evangelie te verkondigen aan de mensen die uit de foyer terugkwamen. Ik ben gewoon opgekomen en een gesprek met hem begonnen. "Wat is je boodschap, waar kom je vandaan?" en toen hij zijn zegje gedaan had, rondde ik af met: "Nou, dank je wel. Mag ik nu weer verder?" Het gaat erom dat je rustig blijft en de situatie de baas bent. Dan kun je zoiets zonder veel problemen oplossen, zodat je door kunt gaan.
Het is me ook gebeurd dat het licht uitviel, dat er een man in het publiek een hartaanval kreeg, dat er iemand op de eerste rij begon over te geven, dat de speakers begonnen te fluiten, dat de lichtcomputer op hol sloeg, ik heb het allemaal minstens één keer meegemaakt. Ook dan gaat het erom dat je rustig blijft en uitlegt wat er gebeurt, of je moet gewoon de boel even stilleggen en wachten tot het over is.
Ook ben ik zelf een keer flauwgevallen op het toneel, in Waalwijk, nadat ik een visvergiftiging had opgelopen. De eerste reactie uit het publiek was: "Wat valt die man behendig!" Pas toen ik bleef liggen riep iemand: "Is er een dokter in de zaal?" Na een injectie kon ik tien minuten later weer verder. Natuurlijk dachten veel mensen aanvankelijk dat het erbij hoorde. En ja, eigenlijk willen wij, komieken, diep in ons hart allemaal wel een dood als Tommy Cooper: live op het toneel, in een rechtstreekse televisie-uitzending.'

Paul van Vliet: *'Al jaren heb ik geen last meer van zenuwen om wat er tijdens een optreden kan gebeuren. Ik maak er een feestje van en vind de spanning als extraatje zelfs leuk en bevorderend voor mijn concentratie. De krampachtige gedachte dat ik me moet bewijzen heeft me verlaten, ook in mijn privé-leven. Dat komt doordat ik mezelf rustig kan praten, geholpen door een uitspraak van Lidewij, vlak voor een première waar ik erg tegen opzag: "Denk maar, jongen, je hebt het meer gedaan."*
En zo is het ook, ik put zelfvertrouwen uit mijn ervaring en mijn tekstvastheid. Ik ben wel eens jaloers op cabaretiers als Hans Teeuwen en Freek de Jonge, omdat die hele nummers durven te laten aankomen op de bevlieging van de avond. Maar daar staat weer tegenover dat de kwaliteit van hun voorstellingen nogal varieert, terwijl die bij mij veel constanter is.
Ik heb bovendien het voordeel dat ik al zo lang speel, 45 jaar, waardoor ik een eigen publiek heb opgebouwd dat me veel vergeeft en me niet zo snel zal laten vallen. Met de jaren word je een oude bekende van hen, waardoor de band inniger en vertrouwder wordt. Dat voel je als je opkomt. Je mag erop rekenen dat de mensen in de zaal je het beste gunnen, anders waren ze wel thuis gebleven. Zoiets bereik je alleen maar door jaar in jaar uit met totale overgave te spelen en met alle inzet te schrijven, want je moet je publiek blijven verrassen.
Mijn band met het publiek blijkt ook uit de vele fanmail die ik krijg. Als ik speel, zitten daar per jaar zeker honderd echte brieven bij, waar mensen voor zijn gaan zitten om te vertellen wat je voor hen betekent. Ik beantwoord altijd alles – behalve de post van mijn ergste stalkers – meestal besteed ik daar een groot deel van mijn maandag aan. Uit die brieven blijkt dat je meer bent dan een vluchtige begroeting tussen acht en elf uur in een theater. Je hoort erbij in hun leven, en dat merken de mensen vooral als ze een relatie beëindigen, iemand verliezen, zelf zwaar ziek worden of na een sterfgeval voor het eerst weer naar het theater gaan: dat willen ze je dan vertellen.'

■

Paul van Vliet: *'Twee keer is het voorgekomen dat jongens van in de twintig vlak voor hun dood nog met me wilden spreken. Een jongen uit Nijmegen belde me vanuit het ziekenhuis op: vanwege de slotregels van mijn liedje "Laatste wens" wilde hij het laatste stukje van zijn leven ook thuis in zijn eigen bed doorbrengen. "Paul van Vliet zegt het, dus ik wil naar huis," had hij tegen zijn artsen gezegd en toen mocht het. Dat wilde hij me door de telefoon even vertellen. Twee dagen daarna overleed hij thuis, te midden van de mensen die van hem hielden.*
Een andere jongen, uit Den Haag, wilde alleen maar met me praten. Na dat gesprek zei zijn

vader ontroerd: "Hij heeft aan jou van alles verteld waar hij nog nooit met iemand over gepraat heeft." De dag daarna stierf hij. Dat zijn heftige ontmoetingen, die ik nooit zal vergeten.'

■

Paul van Vliet: *'Door mijn liedje "Ik wil geen kind" hebben mensen besloten om tóch een kind te nemen en mijn liedje "Ik drink op de mensen" heeft anderen ertoe gezet om een eigen zaak te beginnen of te emigreren. Dat is het maximum dat je als tekstschrijver of performer kunt bereiken: dat je iemand een zetje geeft. Het is een illusie om te denken dat je de maatschappij kunt veranderen; cabaretiers die dat denken, overschatten hun invloed. Hooguit creëer je door de lengte van je carrière een bepaald soort denken of voelen waar mensen iets aan hebben op een essentieel moment in hun leven. Zo kom ik op de familiepagina van kranten vaak teksten van mij tegen bij geboorte, huwelijk en overlijden – één keer in* NRC Handelsblad *zelfs op dezelfde dag in elk van die drie categorieën. Gaandeweg heb ik steeds meer de behoefte gekregen om meer te geven dan alleen entertainment. Ik heb ingezien dat ik niet tot mijn dood grappig kan blijven. Het accent lag in het begin van mijn carrière bij de komische types, en daar heb ik ook mijn grootste bekendheid en succes aan te danken. Maar op den duur is de nadruk komen te liggen op de liedjes, die op de langere termijn meer gevolg en een diepere werking hebben dan de komische mannen. Wat niet wil zeggen dat ik van de komische types niet net zoveel houd als van de liedjes. De mensen herkennen zichzelf in de liedjes,*

Paul van Vliet mikt op jong publiek

maar er is weinig te vergelijken met de sensatie van echt lachen, waarin mensen zichzelf vergeten. Ik zou ieder mens gunnen om dat een keer mee te maken: ruim duizend man die voluit lachen, van binnenuit, zodat de tranen hun over de wangen biggelen. Al wordt het wel steeds moeilijker om dat te bereiken. Toon Hermans zei ook al: "Van liedjes schrijf ik er wel tien op een dag, maar de grote komische nummers komen steeds moeizamer." Daarom ben ik zelf ook altijd zo blij als ik weer een echt goed komisch type heb. Vooral als je daarmee weer zo'n klaterende lach kunt losmaken, tot achter op de galerij. Maar ik vind het net zo mooi als iemand in het publiek tijdens een van mijn liedjes de hand van degene in de stoel daarnaast vastpakt en even naar de ander kijkt van "Hé, hij heeft het over ons!" Zulke momenten hebben evenveel waarde, ik zou geen van beide willen missen.'

■

Het meest kritische publiek

Paul van Vliet: *'Vroeger zat de brandweer altijd op een stoel aan de zijkant van het toneel klaar, om meteen te kunnen ingrijpen als er brand uit zou breken. Wim Kan zei altijd: "Als de brandweer om je moet lachen, is het goed. Die lui zien zoveel, die zijn het meest kritische publiek van Nederland."'*

■

'Ik ga nu spelen met een andere motivatie'

Cabaretier Paul van Vliet trekt nog één keer met een nieuwe show door het land. Daarna zet hij definitief een streep onder z'n carrière en gaat hij zich volledig wijden aan Unicef, het kinderfonds van de Verenigde Naties.

Paul van Vliet zet punt achter zijn carrière en nog

De man die in zijn programma 'Over leven' in 1986 al het indrukwekkende lied 'Ik ben zo vaak opnieuw begonnen' zong, gaat helemaal opnieuw beginnen. „Ik zet een punt achter m'n carrière, maar ik blijf spelen," liet Paul van Vliet weten. „Ik heb het vak veer... efend, maar langza... het gevoel dat

Sinds ... van Vliet bij de ... kranten en tijdschri... nengekomen hield ieder... bezig met dezelfde vraag: Wat zou de cabaretier bekendmaken behalve zijn nieuwe show? Hij zou namelijk mededelingen doen 'over een cruciale beslissing met betrekking tot zijn carrière'. Maar wat? Zou de bijna pensioengerechtigde Hagenaar (op 10 sep-

... dat he... landen waa... voerd of aids hee... honger elke kans op e... start in het leven onmogelijk... ken.

een avond met Paul van Vliet voor Unicef

Onemanshow voor Unicef

2002-2003

■

Niet toevallig

Paul van Vliet: *'Nadat ik de aandoening aan mijn nier overleefd had en de show had afgerond, heb ik in 1996 ontzettend veel gereisd: onder andere naar Jamaica, Spanje, de Antillen, en ik maakte mijn eerste Unicef-reis, naar Eritrea. Het was een veelbewogen, heftige tijd. Nooit eerder had ik in een ziekenhuis gelegen, mijn lijf had het altijd gedaan, hoewel ik het sinds mijn vroege jeugd heb opgejaagd, geteisterd en misbruikt; altijd had ik alles opgelost met doordouwen en kracht. Niet huilen, niet zeuren, nooit moe: zo is mijn generatie opgevoed. Maar vanaf die ziekenhuistijd is alles anders geworden.*

Ik speelde ook anders.
Het is waarschijnlijk geen toeval geweest dat in diezelfde periode ook Unicef in mijn leven is gekomen. Ik had toen echt behoefte aan een verandering, nadat mij een ruw halt was toegeroepen na dertig jaar doordenderen. Een paar dingen kwamen samen: het besef van mijn eigen kwetsbaarheid, de behoefte aan iets anders, een verdieping in mijn leven en denken, het verlangen naar meer privé-leven en meer variatie in mijn werk. Al die facetten werden mij aangereikt doordat ik eerst de rol van Higgins kreeg in My Fair Lady *en vervolgens ambassadeur werd van Unicef.'*

Paul van Vliet: *'Toen ik op de persconferentie voor de serie* Tekens van leven *in Scheveningen bekendmaakte dat het waarschijnlijk mijn laatste "reguliere" show zou zijn en dat ik verder alleen nog voor Unicef zou gaan werken en spelen, wist ik nog niet hoe dat zou gaan uitpakken. Ik had verwacht dat mensen wel zouden gaan bellen met de vraag: u komt bij ons spelen*

en wij maken de gage over naar Unicef. Maar er kwamen niet veel aanvragen binnen. In het najaar van 2000 liep ik 's nachts door Antwerpen, toen ik me plotseling realiseerde: misschien is dit wel mijn laatste optreden in Antwerpen! Had ik dan iets besloten waar geen vervolg aan zat? Eenmaal thuis heb ik zelf actie ondernomen: ik schreef de directies van alle schouwburgen aan met de aankondiging

dat ik wilde gaan optreden voor Unicef. Daaraan koppelde ik het verzoek of zij iets extra's zouden willen doen om de recette omhoog te jagen. Daarop werd door vrijwel alle schouwburgdirecteuren positief gereageerd.
Als gevolg daarvan ben ik in 2002 vier maanden lang op tournee geweest voor Unicef, drie of vier keer per week. Elke keer verdiende ik een tas geld voor Unicef, want ofwel waren de entreegelden verhoogd, ofwel de voorstelling was geadopteerd door de Rotary of een andere serviceclub, die er tal van spontane activiteiten omheen had georganiseerd. Ik had geprobeerd het Unicef-gevoel op de theaters over te dragen en het was hartverwarmend om te zien hoe dat idee werd overgenomen. In sommige theaters droeg het hele personeel financieel bij of leverden ze snipperdagen in. Ergens anders was op het toneel een dorp gebouwd van kartonnen dozen, die na afloop geveild werden voor honderd euro per stuk. Overal droegen mensen brandstof bij voor het vuurtje dat ik had aangestoken. Als je de juiste toon treft, zijn mensen bereid om royaal en enthousiast te reageren, met veel eigen initiatieven.
Voor mijn show gebruikte ik komische types en liedjes, oud en nieuw: onder de noemer van Unicef kon ik veel kwijt. Het materiaal koos ik met het uitgangspunt dat het wel iets met Unicef te maken moest hebben, zij het onuitgesproken en indirect: het was een heel positieve en vrolijke show. Ik begon steeds met een filmpje. Het eerste jaar ging dat over kinderarbeid en was er een zesjarig meisje te zien dat veertien uur per dag in de brandende zon stenen bikte in Dhaka, de hoofdstad van Bangladesh, met een moedeloos makende berg stenen achter haar. Dat tikken hoorde je al een kwartier voor de voorstelling, met het doek dicht. Langzamerhand werd het tikken van dat meisje overgenomen door het slagwerk, waarna het organisch de muziek in gleed. Ik vertelde dan off-stage iets over kinderarbeid en kondigde aan dat het geld van de recette besteed zou worden aan onderwijs voor de kinderen en bestrijding van kinderarbeid. Zo wist iedereen in de zaal waarom we bij elkaar waren: dat gaf zo'n avond iets extra's, een voelbare verbondenheid, doordat je samen voor de goede zaak bezig was. Dat voelde ik zelf ook: ik speelde met een nieuw gevoel.
De thema's in de rest van de show waren geloof in de toekomst, hoop, verwachting en solidariteit. Die begrippen werden niet met name genoemd, maar lagen voor de goede verstaander onder de teksten. Voor mij was dat logisch, want ik heb het publiek altijd hoog aangeslagen en ik heb een hekel aan uitleggen. De schrijver Sándor Márai heeft gezegd: "Wanneer je je publiek op een hoog niveau aanspreekt, krijg je op een hoog niveau antwoord." Daar geloof ik in, anders dan de meeste televisiemakers, die de fout maken om hun publiek stelselmatig te onderschatten.
Helemaal aan het einde van de show kwam ik dan nog even terug op Unicef, door de mensen te bedanken voor hun bijdrage. Alleen aan het begin en aan het eind noemde ik Unicef zo expliciet. In de totaal negen maanden dat ik die show speelde, hebben we na aftrek van alle kosten – ikzelf wilde geen honorarium, maar de productie en de medewerkers moesten natuurlijk wel betaald worden – netto één miljoen euro verdiend voor Unicef. ING heeft de show gesponsord met een substantieel bedrag en Fortis kocht liefst vijftienduizend exemplaren van de cd die van de show gemaakt werd, om die in de kerstpakketten van zijn medewerkers te doen. Nadat de tournee was afgesloten, volgde in februari-maart 2005 een televisieregistratie van de show, aangevuld met oude fragmenten en citaten van andere mensen.'

’03

Ambassadeur voor Unicef Nederland, Paul van Vliet. (Foto: Pan Sok)

Paul van Vliet ambassadeur voor Unicef Nederland

REGIO - Zanger en cabaretier Paul van Vliet is ambassadeur voor het Nederlandse Comité Unicef. Gisteravond, tij-

ding van de Danny Kaye Awards in 1988, raakten ze bevriend en raakte Paul van Vliet geïnteresseerd in het werk van het Kinderfonds van de Verenigde Naties. Tijdens de artieweek

„Kinderen zijn nog zo invulbaar, die kunnen nog van alles en die moeten nog zoveel. Als ik maar ergens een paar van die kinderen kan helpen, dan is wat mij betreft mijn ambassadeur-

Van boven naar beneden en van links naar rechts:
Paul van Vliet, Wies Baaten, Charly Angenois, Hans Vroomans, Marcel Serierse, Ton Heykamp, Piet Nieuwint, Inge van der Werf, Robbie Munnik, Peter Schön, Klaas van Dijk

Als bestuurder van de Unicef-tram in Den Haag

Unicef

Paul van Vliet: *'Aan het eind van de jaren tachtig worstelde ik nogal met het gevoel: "Is this all there is?" Ik had dertig jaar non-stop gespeeld en zocht naar iets nieuws, een verdieping in mijn leven. In diezelfde tijd raakte ik bevriend met de filmster Audrey Hepburn. Zij heeft Nederlandse familie – haar moeder was een barones Van Heemstra – en sprak goed Nederlands. Thuis in Zwitserland had ze een videoband gezien van mijn show* Over Leven *en ze was geraakt door het titelnummer, omdat ze altijd hard had moeten zijn, maar dat niet was. Een ook de tekst van "Laatste wens" trof haar diep, omdat ze haar moeder tot de dood had verzorgd. Ze wilde mij ontmoeten, wat voor mij een totale verrassing betekende, want zij was het idool van mijn jeugd. Unicef bracht het contact tussen ons tot stand en daaruit ontstond een warme vriendschap. Altijd als ze in Nederland kwam, zochten we elkaar op. We bleken hetzelfde te denken en te voelen over een groot aantal dingen.*
In september 1987 was het Unicef-gala in Maastricht. Audrey liet me weten dat ze daar graag met mij samen een liedje wilde zingen. "Voel je daar wat voor, Paul?" vroeg ze me, in haar mooie archaïsche Nederlands. Bij mijn liedje "Ken je dat gevoel?", uit Over Leven, *had ze voor de gelegenheid een extra coupletje geschreven. We spraken af dat we dat samen zouden zingen.*
In Maastricht wachtte ons een zaal vol genodigden, onder wie tal van Unicef-ambassadeurs uit het buitenland, zoals Harry Belafonte, Peter Ustinov en Üdo Jürgens. Audrey was enorm zenuwachtig om dat kritische publiek tegemoet te treden. Sinds Moon River *had ze niet meer gezongen en het had haar altijd dwarsgezeten dat ze de liedjes voor haar rol in de verfilming van* My Fair Lady *niet zelf had mogen inzingen. We gingen op voor ons nummer en ze raakte haar tekst kwijt. Daar stond ze, 58 jaar oud en bloedmooi in haar jurk van Givenchy, maar zo zenuwachtig dat ze haar microfoon tegen haar borst drukte. Ze knakte echt.*
De opname werd gestopt. Ik gaf haar een stoel op het toneel en heb toen met het heilige vuur van de improvisatie – dat ik niet vaak heb – even met de zaal gestoeid. Het publiek lag blauw van het lachen en Audrey ook, de tranen liepen haar over de wangen. Toen de juffrouw van de schmink haar weer had bijgewerkt en alle banden waren teruggespoeld, begonnen we opnieuw. Ditmaal ging het fantastisch. Dat heeft erg bijgedragen tot onze bijzondere band.
's Avonds stonden we hand in hand te wachten voor de entree van een ontvangst met driehonderd genodigden. Ze kneep me stevig in mijn hand, want ze vond het eng. De deuren gingen open, we kamen de zaal binnen en in één adembenemend moment werd het doodstil. Daar is ze! hoorde je iedereen denken. Daarna volgde een groot applaus.'

Met ambassadeurs Roger Moore en Monique van de Ven

■
Ken je dat gevoel?

Ken je dat gevoel
Van als je naar het strand gaat
En de zon schijnt veelbelovend
De hemel blauw en strak
En dan die doffe ellende
Jij nét bloot en ingeolied
De zon achter de wolken
En jij ligt daar voor zak...
Ken je dat gevoel?

En ken je dat gevoel
Van als je wilt gaan douchen
En je denkt: hé ja, nou komt het
Warm water op mijn kop
En dan die kille armoe
Als je daar ingezeept staat
Met de shampoo in je haren
Het warme water op...
Ken je dat gevoel?

En ken je dat gevoel
Van als je enthousiast bent
Je hebt iets meegemaakt
En dat verhaal dat móét je kwijt
En je bent er helemaal vol van
Je wilt het ze vertellen
Maar niemand die 'r luistert
Geen aandacht en geen tijd...
Ken je dat gevoel?

En ken je dat gevoel
Van als je jaren ploetert
Je propt je vol met kennis
Je bereikte wat je wou
En het slot van al dat leren
En dat stugge doorstuderen
Voor niks solliciteren
D'r is geen werk voor jou...
Ken je dat gevoel?

Ken je dat gevoel
Van als je hebt gekozen
Voor een man of een partij
Waarvan je dacht: dit is het dus
En dan een jaartje later
De levensgrote kater
Beloftes die niet deugen
De leuze blijkt een leugen
De kus een judaskus...
Ken je dat gevoel?
Dat is een rótgevoel!
■

■
Extra coupletje van Audrey Hepburn bij
Ken je dat gevoel?

Ken je dat gevoel
Een kindje zwak en teer
Het leven heeft geen doel
En dan opeens een glimlach
Een arm om je heen
Van mensen die je helpen
Je bent niet meer alleen
Ken je dat gevoel?
Dat is een góéd gevoel!
■

Audrey Hepburn installeert Paul als de eerste ambassadeur van Unicef Nederland

Bolivia

Paul van Vliet: *'Vanaf 1987 hebben Audrey Hepburn en ik elkaar bij diverse gelegenheden ontmoet. Daarbij vertelde ze me veel over Unicef, waarvoor ze de laatste tien jaar van haar leven gewerkt heeft als internationaal ambassadeur. Ze heeft veel gereisd, parlementen toegesproken en fundraisings gedaan. In 1992, toen ze zelf al zwaar ziek was, is ze nog naar Eritrea en Somalië geweest, waar ze zich wezenlijk geïnteresseerd toonde in het lot van de vrouwen en kinderen daar. Ze legde een woordloos contact van een intensiteit waar je koud van werd.*
"Mijn Unicef-jaren waren de mooiste van mijn leven," vertelde ze me. Haar voorbeeld was erg inspirerend. In 1992 zocht Nederland een ambassadeur voor Unicef: toen heeft Audrey mij voorgedragen. Zij was zelf ook degene die me vroeg en ik heb geen moment geaarzeld. De doelstelling van Unicef, het kinderfonds van de Verenigde Naties, sprak me meer aan dan die van enig andere organisatie: de bescherming van de rechten van het kind wereldwijd. Op die manier zorg je werkelijk voor de toekomst van de wereld.
In de zomer van 1992 heeft Audrey mij als Nederlandse Unicef-ambassadeur geïnstalleerd bij een gala in het Nederlands Congresgebouw. Een paar maanden later lag ik in het UMC met mijn nier en was zij stervende aan kanker in een ziekenhuis in Californië. We waren allebei doodziek toen we elkaar nog één keer telefonisch hebben gesproken, zo'n gesprek waarin het zwijgen net zo belangrijk is als het spreken. Met mij liep het goed af, maar zij overleed in januari 1993. Ze was een fantastische vrouw, warm, intens, oprecht geïnteresseerd, onwaarschijnlijk mooi en je kon ook ontzettend met haar lachen en whisky drinken. Ik mis haar nog altijd.'

■

Respect

Paul van Vliet: *'Yehudi Menuhin heeft eens gezegd: "Speel geen viool om jezelf te promoten, maar uit respect voor de componist en de muziek." Dat is voor mij ook het verschil geworden. Sinds ik besloten heb mijn leven en werk in dienst van Unicef te stellen, speel ik vanuit mijn respect voor de kinderen. Er wordt al veel te veel zelfpromotie bedreven uit naam van goede doelen: het gaat om die kinderen, niet om Paul van Vliet.'*

■

Paul van Vliet: *'Sinds ik ambassadeur werd, ben ik steeds meer voor Unicef gaan doen en daar voel ik me erg gelukkig bij. Ik heb een groot aantal reizen voor Unicef gemaakt, waarbij ik met een cameraploeg naar een probleemgebied ging om Nederland te informeren over het werk van Unicef. Toen ik naar Eritrea ging, vlak na de oorlog met Ethiopië, rook ik in dat verwoeste land het Bezuidenhout van na de bombardementen: granaten en bommen geven puin een heel speciale geur. Dat was een schok. Ik blijf voor altijd een oorlogskind.*
Ieder jaar heeft Unicef een thema, waaraan een grote campagne is opgehangen: voor de Eritrea-reis was dat "oorlogskinderen". Al mijn veldreizen waren gekoppeld aan de Unicef-thema's van dat moment: in Zambia aids-wezen, in Bangkok kinderprostitutie, in Bangladesh kinderarbeid, in Mali vaccinatie, in Boekarest straatkinderen en in

Mali

Bolivia tweetalig onderwijs voor indianenkinderen.
Het goede van Unicef is dat het een onafhankelijke en sterke organisatie is, met eigen vestigingen in honderdzestig landen. Het geld gaat er rechtstreeks heen, buiten corrupte regimes en inhalige opportunisten om. Unicef is onomstreden en dient met allerlei hulpprogramma's de regeringen ter plaatse vaak als voorbeeld – zoals met het onderwijsconcept in Bolivia. Bij de tsunami-ramp zat Unicef al in de getroffen landen, waardoor meteen hulp geboden kon worden. En in andere landen is Unicef vaak de enige hulporganisatie ter plaatse. Hoewel noodhulp doorgaans de meeste aandacht krijgt, is de hulp van Unicef structureel en voor de lange termijn. Unicef heeft het meest uitgebreide hulpprogramma van alle hulporganisaties: daarom kan ik me uit volle overtuiging en voor honderd procent achter het werk voor Unicef stellen.
Door mijn werk voor Unicef ben ik zelf ook veranderd. Lidewij formuleerde dat als volgt: "Je bent van ik naar wij gegroeid." Ik ben veel mondialer gaan denken, over de grenzen heen, en ben mijn eigen land gaan relativeren. In het Westen en ook in mezelf zie ik het oeverloze materialisme, het najagen van eigen succes, het egocentrisme, de grote eenzaamheid en vervreemding in steden en dorpen, de drukte om futiliteiten, het klagen en zeuren. Vooral na een bezoek aan een ontwikkelingsland ben ik emotioneel soms helemaal door elkaar geschud.
Audrey heeft me voorgehouden dat het niet nodig is om als westerling een schuldgevoel te hebben tegenover de derde wereld. Zij geloofde niet in collectieve schuld, maar wel in collectieve verantwoordelijkheid. Schuldgevoel is inderdaad een totaal onbruikbaar begrip, maar met verantwoordelijkheid kun je wel iets positiefs doen.

Ik doe spreekbeurten, spreek films in, doe commercials op radio en televisie, schrijf de teksten van brieven en mailings en denk mee over het imago van Unicef naar buiten. Met mijn reisreportages informeer ik Nederlanders over de activiteiten van Unicef, maar ik vind het ook heerlijk om met de kinderen ter plaatse lekker gek te doen en te lachen, gewoon in het Nederlands. Een van de moeilijkste dingen bij die reizen is dat kinderen zich aan je gaan hechten, omdat ze in jou iemand zien die de deur kan openen naar een betere wereld. Je zou zo'n kind dan mee willen nemen om het de kansen te geven die je eigen kinderen hebben gehad.'

een jongen van elf jaar. Hij vond ander werk in een fabriekje en gaat nog iedere dag naar school. Voor zulke kinderen is de school een dagelijks hoogtepunt: ze komen daar binnen met dezelfde uitgelaten vrolijkheid waarmee onze kinderen na een lange schooldag naar buiten stormen.'

■

Paul van Vliet: *'De kinderen zelf geven mij kracht en inspiratie om mijn werk voor Unicef*

Met Memory, Zambia

Met Jewel, Bangladesh

Mali

■

Memory

Paul van Vliet: *'Memory woont in Zambia. Ze is dertien jaar oud en past sinds de dood van haar ouders aan aids op haar jongere zusjes en broertjes. Ook verzorgt ze het ouderloze buurgezin en haar oude oma, die vier van haar zes kinderen aan aids heeft zien overlijden. Memory is zo'n kind dat eruit springt. Haar meester zei me dat ze de beste van de school is en van groot belang kan worden voor haar land. Je houdt je hart vast, omdat mannen in Zambia, net als in veel andere Afrikaanse landen, nog altijd denken dat je van HIV af kunt raken door met een maagd te slapen. Dergelijke "Sugar Daddies" staan met dollars te wapperen bij de uitgang van de school en zeg maar eens nee tegen hen als je honger hebt. Hopelijk is Memory slim genoeg om haar kennis toe te passen in haar leven. Ik moet nog vaak aan haar denken.'*

■

Jewel

Paul van Vliet: *'Jewel is een jongetje uit Bangladesh. Ik trof hem aan achter in een werkplaats zonder licht en zuurstof, waar hij zestien uur per dag werkte en werd opgejaagd door een wrede baas. Maar Jewel ging twee uur per dag naar een Unicef-schooltje en ontdekte daar voor het eerst iets van menselijkheid en de kans om zijn leven een andere wending te geven, meer te worden dan een wegwerpkind. In de sloppenwijken van Dhaka heeft hij primitieve fotokopieën opgehangen, een manifest van tien punten waaraan een goede baas zou moeten voldoen. Dat was een daad van grote moed, want zijn baas heeft hem erom uitgescholden en afgetuigd. Maar dat pikte Jewel niet: hij stapte op, wat heel dapper was voor*

te doen. Ik ben altijd weer onder de indruk van de veerkracht, vitaliteit en vrolijkheid waarmee zij zich onder de zwartste omstandigheden staande houden. Met hun fantasie en inventiviteit maken ze zelfs in de armste streken het mooiste speelgoed van afvalmateriaal: in Den Haag hebben we daar een tentoonstelling van gehad.
Unicef is geleidelijk mijn leven in gegleden en het werk daarvoor is het belangrijkste geworden wat ik doe. Ik geef meer interviews dan ooit, tot schoolkranten en bedrijfsbladen aan toe, om maar informatie te kunnen geven over Unicef. De afgelopen paar jaar werk ik nauw samen met Monique van de Ven, die ook Unicef-ambassadeur is geworden en zich even betrokken en bewogen inzet als ik. We zijn allebei gepokt en gemazeld in het vak, zij vooral in film en tv, ik in het theater. Unicef kan gebruikmaken van onze knowhow en ervaring.'

■

Na Carré wordt het rustig

Paul van Vliet: *'Al vanaf de tijd dat Annet Riezebos nog mijn zakelijk leidster was, beloof ik op kantoor: "Na Carré wordt het rustig." Dat is een gevleugelde uitspraak geworden, met een geruststellendheid die op niets gebaseerd is. Want het is nooit rustig geworden, het is altijd iets te druk geweest in mijn leven. Zelfs nu wordt het kantoor overspoeld met aanvragen. Maar sinds ik voor Unicef werk, is het makkelijker om die vloed in te perken. Inge van der Werf zegt nu: "Sorry, maar Paul doet alleen nog dingen voor Unicef." En dat scheelt. Voorlopig maak ik niet te veel plannen, want de toekomst ligt open. Ik zeg tegenwoordig: "Na mijn dood wordt het rustig."'*

■

Eritrea

Eritrea

Eritrea

Bangladesh

Er is nog zoveel niet gezegd

Er is nog zoveel niet gezegd
Er is nog zoveel doodgezwegen
Door jullie en door mij
In nachten dat wij wakker lagen
Op onvoltooid verloren dagen
Door jullie en door mij
Zoveel nog niet uitgesproken
Zoveel waarheid nog ontdoken
En het heeft zo voor de hand gelegen
Bij jullie en bij mij
Er is nog zoveel niet gezegd
Er is nog zoveel doodgezwegen
Weggestopt en opgekropt
Stilgesust en zoetgekust
Afgeschoven... weggewoven
Door jullie en door mij.

Er is nog zoveel niet gezegd
Er is nog zoveel doodgezwegen
Door jullie en door mij
Er is nog zoveel blijven hangen
Stille drift, verdrukt verlangen
Van jullie en van mij
Zoveel grond nog niet ontgonnen
Zoveel plannen niet begonnen
Vragen die geen antwoord kregen
Van jullie noch van mij
Er is nog zoveel niet gezegd
Er is nog zoveel doodgezwegen
Wel gedacht maar niet verteld
Afgewacht en uitgesteld
Doorgeschoven... weggewoven
Door jullie en door mij.

Paul met zijn ouders bij de doop van de Paul van Vliet-tulp

Ere-Knoeris

Kort overzicht

Onderscheidingen en prijzen
Herdenkingsorde ter gelegenheid van het huwelijk van prinses Beatrix en prins Claus vanwege zijn optreden met De Jas in de Ridderzaal (1966).
Ridder in de (Zweedse) Orde van de Poolster naar aanleiding van zijn optreden voor de Zweedse Koning in Carré (1976).
Ridder in de Orde van Oranje Nassau (1987).
Ridder in de Orde van de Nederlandse Leeuw (2001).
Winnaar van het interscholair debating concours (1952).
Winnaar van het I.C.C.-cabaret concours (1965).
Een edison voor de lp *Een Avond aan Zee* (1971).
De Gulden Humor van de Verenigde Limburgse Carnavalsverenigingen (1972).
De Gouden Harp voor zijn werk als tekstschrijver (1974).
De Eremedaille van de gemeente Den Haag ter gelegenheid van zijn 25-jarig theaterjubileum (1989).
De Oeuvreprijs voor zijn hele carrière uit handen van Herman van Veen (1992).
De Cultuurprijs van de gemeente Den Haag voor zijn bijdrage aan de culturele uitstraling van de stad (2002).
Paul van Vliet is:
Erelid van de Nederlandse Standwerkersbond.
Ere-Knoeris van 'de Knoerissen', de carnavalsvereniging van Uden.
Beschermheer van diverse studentenjaarclubs en disputen.
In 1980 werd er een tulp naar hem vernoemd.

Lp's en cd's
Laat je zoon studeren (Leidsch Studenten Cabaret, 1960)
Simpe Sampe Sompe (Leidsch Studenten Cabaret, 1961)
Dag Ouwe Soc (Leidsch Studenten Cabaret, 1962)
Cabaret PePijn (1966)
Een Avond aan Zee (1970)
Noord-West (1973)
The Truth behind the Dykes (1973)
Luisterùùùùùùh (1974)
Paul van Vliet in Carré (1977)
Haagse dingen (1978)
Vandaag of morgen (1979)
Buster en Benjamin (1980)
September (1981)
A Dutch Treat (1981)
Theatershow '83 (1983)
Wat gaan we doen? (1985)
Hoogtepunten uit de onemanshows t/m 1985 (1987)
Jubileumshow (1985)
Over Leven (1987)
De Beer (1989)
Er is nog zoveel niet gezegd (1990)
Hoogtepunten uit de onemanshows 1984-1994 (1999) (cd)
Waar waren we gebleven (1997) (cd)
Tour de Chant met het Residentie Orkest (1999) (cd)
Laat je zoon studeren (1999) (cd)
Tekens van leven (2001) (cd)
Buster & Benjamin (cd)
Onemanshow voor Unicef 2003 (cd)

Boeken
Er is nog zoveel niet gezegd
Een gat in de lucht
Je moet nooit boos gaan slapen
Ken je dat gevoel?
Dat zijn leuke dingen voor de mensen
Zeewind in de stad
Kan ik even langskomen?

■

Bijnamen Paul van Vliet

Pietie	- Zusjes en Ramses Shaffy
PéPé	- Familie
Boeb	- Ex-vrouw Liselore Gerritsen
Hopi	- Lidewij
Slungel	- Vriend Cees Labeur
Hornimans	- Vriend Peter Lens
Oranje Paultje	- *Het Parool*
De Hofnar	- Andere kranten
Broeder	- Herman van Veen
Paulovski	- Kleinkind Noa
Bubski	- Vriend Ab Gratama
Broeder Flits	- Ferd. Hugas
Het Grote Hoofd	- Leden van Cabaret PePijn
Chief	- Manager Inge van der Werf
Skos	- Stiefdochter Laurien Hugas
Pauliño	- Pianist Hans Vroomans
Piet	- Vriend Dolf de Vries

Verder wordt Paul van Vliet vaak aangeduid als:

De lange Hagenaar
Mr. Unicef
Mr. The Hague
Mr. Scheveningen

Wim Kan noemde hem in 1966 'De jeune premier van het Nederlands Cabaret' en onlangs werd hij aangekondigd als de 'Eminence grise van het cabaret'.
■

Middagen met Paul van Vliet

Het ritueel was vrijwel steeds hetzelfde. Ik arriveerde rond het afgesproken uur bij de boerderij met het rieten dak. Paul hield zich al ergens binnen of buiten op en deed net alsof hij niet op me aan het wachten was. We hadden het kort over de tuin, de lammetjes in de weilanden rondom of de enorme kastanjeboom midden op zijn erf, die met onthutsend natuurgeweld tot bloei kwam.
Dan moest er koffie komen. We draaiden in de keuken wat onhandig om elkaar heen en sneden steeds nieuwe onderwerpen aan, terwijl Paul het Senseo-apparaat laadde en melk begon te kloppen. Omdat we het melkkannetje op de elektronische kookplaat al pratend keer op keer lieten overkoken, zette hij dat gaandeweg maar wat besmuikt in de magnetron, want daarmee kon weinig misgaan.
Met de koffie gingen we vervolgens in Pauls fraai verbouwde werkhuisje zitten, of als het even kon onder die beschermende kastanje. Ik plaagde hem wel eens door dan nog wat te kletsen, terwijl ik aan hem zag dat hij gewoon vérder wilde. Hij had zich al opgeladen en was voorbereid op de onderwerpen van die middag. Vrijwel altijd had hij wel ergens wat papieren of andere informatie opgescharreld, terwijl ik toch ook de toegang had tot zijn voorbeeldig bijgehouden archief.
En dan begon Paul te praten. Die kleine ogen onder die warrige bos grijs haar keken steeds nauwlettend naar mijn schrijfblok. ‘Kun je het bijhouden?’ vroeg hij regelmatig, om vervolgens zonder het antwoord af te wachten door te stomen. Want het verhaal moest verteld worden: het verhaal van zijn carrière, zijn omgang met het publiek en ‘de jongens’, zijn kijk op de werking van humor en liedjes, zijn grote liefde voor het vak.
De aanvankelijk afgesproken twee uur per sessie werden er algauw tweeënhalf. En nog vond hij het iedere keer zichtbaar jammer als die tijd alweer voorbij bleek. Een heel voorjaar lang spraken we elkaar twee keer per week. In de schrijffase vroeg hij zich bezorgd af of we het wel allemaal op tijd zouden redden. Die bezorgdheid maakte plaats voor een lichte teleurstelling toen het boek uiteindelijk af was. Jammer, hij begon zich net te hechten aan dat voorjaarsritueel, aan het idee dat er een boek ontstond uit die lange gesprekken, die eigenlijk monologen waren.
Het waren middagen die ik niet snel zal vergeten. Zullen we nog een boek maken, Paul? Maar dan wachten we wel tot de kastanje weer gaat bloeien.

Ed van Eeden

Ed van Eeden (Nijmegen, 1957), schrijver, journalist en vertaler

Ed van Eeden studeerde Nederlands, Algemene Literatuurwetenschap en Filosofie, en is freelance schrijver, vertaler en journalist. Voor *Het Parool* recenseert hij literatuur, voor *Vrij Nederland* misdaadboeken. Onder de vele tientallen door hem vertaalde boeken bevindt zich werk van onder meer John Updike en Amin Maalouf.

Nadat hij een twintigtal non-fictieboeken had gepubliceerd, debuteerde Van Eeden in 1999 als romancier met *De vogelspin* (Nijgh & Van Ditmar), een roman die lovende kritieken ontving en inmiddels vertaald is in het Duits (*Die Vogelspinne*, Eichborn Verlag 2001). Zijn nieuwe roman *Liefste litteken* kwam april 2003 uit.

Als ghostwriter publiceerde hij onder meer de autobiografie van Regilio Tuur (*Tuur – Life Part One – Waar de regen koud is*, Veen, 2005).

Verder is hij samen met Jan Luitzen de samensteller van de *Elke dag een verhaal, de literaire scheurkalender 2006*.

Ed van Eeden woont in Utrecht, is getrouwd en heeft vier kinderen.

Ab Gratama (Rotterdam, 1939), grafisch ontwerper

Ab Gratama studeerde in 1962 af aan de Koninklijke Academie van Beeldende Kunsten in Den Haag.
In 1964 ontmoette hij Paul van Vliet, die vlak voor het begin stond van Cabaret en Theater PePijn.
Ab Gratama ontwierp voor Paul van Vliet sindsdien het vermaarde PePijn-logo en het grootste deel van zijn affiches, programma's, platenhoezen en boekomslagen.
Hij werkte tot 1978 als zelfstandig grafisch ontwerper vanuit zijn eigen studio 'Gratama & de Vries'.
In die periode deed hij de vormgeving van tentoonstellingen, telecommunicatie, postzegels, catalogi, boekomslagen et cetera voor de overheid en particuliere bedrijven.
In 1978 vertrok hij voor twee jaar naar Ghana als grafisch ontwerper voor een groot multinationaal ontwikkelingsproject.
In 1980 keerde hij terug naar Nederland, waar hij docent en adjunct-directeur werd van de Koninklijke Academie voor Kunst en Vormgeving in Den Bosch.
Hij ging in 1982 naar de VS waar hij in 1987 professor werd aan de School of Art and Art History of the University of Iowa.
Hij doceert daar en is hoofd van de vakgroep voor vormgeving. Hij werkte als consultant voor visuele communicatie aan gezondheidscampagnes voor Unicef, FAO en USAID in Nigeria, Lesoto, Nepal en Suriname.
Dit boek is de bekroning van een ruim veertigjarige vriendschap en samenwerking.

Met dank aan

Merijn de Haas, uitvoerend producent van *In de optocht door de tijd* in samenwerking met Inge van der Werf van PePijn BV en Rein Gerlofs van de Foreign Media Group.
Davy van der Elsken van DPS Design & Prepress Services voor zijn expertise bij de technische realisatie.

Fotoverantwoording

De foto's van Cabaret PePijn zijn grotendeels van Ton Janssen.
De onemanshows zijn vooral gefotografeerd door Pan Sok.

Verder leverden foto's voor dit boek:
Roy Beusker, Evert-Jan Daniels, Erik Buis, Leo van Velzen, ANP, Foto Pander, VPRO-Nederlandse Televisie Stichting, Max Koot Studio BV, Fotodienst Het Parool, Jos van Leeuwen, Frans Jongen, Cor Huythuys, Jaap Pieper, Pieter Paul Koster, Oscar Abofalia, John A. Carlsen, Ben van Meerendonk, Bart Eijgenhuijsen, Astrid van den Ende, Deen van Meer en Inge van der Werf.